Tienes que contarlo

Tienes que contarlo

José Sanclemente

rocabolsillo

© 2012, José Sanclemente

Primera edición en este formato: marzo de 2013

© de esta edición: Roca Editorial de Libros, S. L.
Av. Marquès de l'Argentera, 17, pral.
08003 Barcelona
info@rocabolsillo.com
www.rocabolsillo.com

© del diseño de cubierta: Mario Arturo
© de la fotografía de cubierta: Getty Images

BLACK PRINT CPI IBÉRICA S.L.
Torre Bovera, 19-25
08740 Sant Andreu de la Barca (Barcelona)

ISBN: 978-84-92833-96-2
Depósito legal: B-2.466-2013
Código IBIC: FF

Para ejercer el periodismo, ante todo, hay que ser un buen ser humano. Las malas personas no pueden ser buenos periodistas. Si se es una buena persona se puede intentar comprender a los demás, sus intenciones, su fe, sus intereses, sus dificultades, sus tragedias.

RYSZARD KAPUSCINSKI

El que controla el presente controla el pasado; el que controla el pasado controla el futuro.

GEORGE ORWELL, *1984*

Capítulo 1

Barcelona, 14 de septiembre de 2011

*C*arlos Marín sintió repulsión y náuseas en el despacho del detective privado. Tuvo la sensación de haberse hundido en una ciénaga maloliente. Sabía a lo que se exponía cuando contrató a Luis Fernández para que siguiera a su mujer, pero se encontró fatal cuando este le mostró las fotografías, satisfecho por exhibir un trabajo impecable.

Introdujo el informe y las fotos en su maletín y, tras pagar los honorarios, se fue sin mediar palabra, rechazando la mano que le tendía el detective Fernández. Carlos, que se enorgullecía de tenerlo todo controlado y planificado, era ahora una piltrafa humana que arrastraba taciturno los pies por la calle Floridablanca de Barcelona. Las imágenes de Mónica desnuda en manos de aquel hombre desconocido se le aparecían como en un carrusel sin fin.

Sin embargo, pensó que no le diría nada a su mujer. Se repitió una y otra vez que ese incidente no podía afectar a su matrimonio: debía convencerse de que se trataba solo de una aventura sin importancia. Lo mejor sería hablar con el amante de su mujer y plantearle las cosas sin rodeos; si para este también eran meros encuentros fugaces, por puro sexo, quizá podría arreglarlo con dinero y hacerle desaparecer en silencio. Sí, era una buena forma de afrontar el desagradable asunto. Recordó que el detective Fernández le había dicho que habían perdido el rastro de aquel hombre, y que, si bien en las fotos aparecía su figura difuminada y no se le veía la cara, podrían intentar dar con él por otra módica cantidad.

—Hemos hecho un buen trabajo, señor Marín —le comentó—, pero hay que reconocer que usted nos puso sobre la pista. Tiene muy buena intuición.

No se podía enfrentar a un divorcio en aquellos momentos. Estaba a punto de vender su empresa a un consorcio americano y los contactos con el presidente de General Advertising los llevaba Mónica, quien había hecho una excelente labor que permitiría subir el precio de la transacción por encima de sus mejores expectativas. De hecho, esa noche cenaban en casa los dos matrimonios para cerrar la operación. Debía serenarse y adoptar alguna solución pactada con el amante casual de su mujer. Estaba acostumbrado a lidiar con casos delicados, pero ninguno que afectara a su intimidad.

—Soy un buen negociador —se dijo en voz alta en medio de la calle. Varios transeúntes giraron la cabeza hacia él.

Le asaltó la duda: quizá la relación con aquel amante era mucho más estrecha de lo que cabía pensar. ¿Y si Mónica estaba enamorada de aquel hombre?

Ahora se le abrían los ojos: aquellos viajes de fin de semana de Mónica a París y Londres para presentar campañas de publicidad a los clientes debió de hacerlos acompañada de su amante. «Dios mío, cómo he podido ser tan inocente», pensó.

Tenía que calmarse. En la escuela de negocios le habían enseñado que no se pueden tomar decisiones en caliente y que nada es lo que parece, aunque haya pruebas concluyentes. Todo es susceptible de modificarse; a las cosas más obvias se les puede dar la vuelta como a un calcetín. Lo importante es la estrategia a seguir: no cambiar el rumbo si el que se emprende está claro. Pero el asunto que le tocaba resolver no lo había estudiado en la escuela de negocios. Aplicaría el «método del caso» para su propio asunto.

«Valoremos —se dijo—. No puedo dejar cabos sueltos ni nada a la improvisación o al azar.» Se sentó en la terraza de una cafetería y pidió un Glenrothes con hielo, como solía hacer en su despacho cuando debía tomar decisiones importantes. Reflexionó: «Estás más afectado de lo que deberías, ¡reconócelo! No le vas a decir nada a Mónica porque la venta se iría al carajo. Lo primero es destruir las fotos y anular las pruebas concluyentes para no incurrir en la tentación de exhibirlas en algún momento. Llegarás a casa con toda naturalidad y le ayudarás a preparar los detalles de la cena. Le llevarás unas orquídeas, que le encantan. Localizarás a ese hombre, llegarás a un acuerdo económico para que desaparezca de su vida y caso resuelto. Esa es la estrategia y no hay que variar el rumbo.»

A Carlos Marín le daba seguridad esa técnica reflexiva en la que parecía que un tercero le aconsejase, e incluso caracterizaba en su pensamiento otras voces que no se identificaban con la suya. Sentía que sus decisiones eran respaldadas por imaginarios consejeros.

De repente alguien le empujó y el whisky se derramó sobre su camisa.

—Perdón, caballero, me he tropezado con la silla… —dijo, en un mal castellano, un hombre trajeado que hizo ademán de ayudarle a limpiar las chorreras de whisky que resbalaban por su pechera. Marín reparó en que tenía una gran cicatriz sonrosada que cruzaba buena parte de su frente.

—Déjelo, está bien… —gruñó.

El hombre se marchó con paso rápido. Y Carlos cayó en la cuenta de que había desaparecido su maletín: le habían robado.

Un sudor frío le recorrió el espinazo. Se descompuso y perdió los nervios. «Mierda, ese cabrón se ha llevado el maletín con las fotografías y el documento de compraventa que tienes que firmar esta noche. Hostias, estás muerto, tu estrategia a tomar por saco —se dijo—. Respira hondo.» Pidió otro whisky e hizo por calmarse. «Tranquilo, has de evitar que el azar arruine el rumbo de las cosas. Tienes tiempo todavía, pasarás por el despacho e imprimirás otra copia del documento. El que te ha robado es un cualquiera que no sabrá qué hacer con las fotos. No tienen valor alguno para él. Es un desconocido. A ver, piensa: Hay que seguir el plan. Nada ha cambiado. Las fotos ya las puedes dar por desaparecidas y Fernández siempre te podrá facilitar unos duplicados…»

Pasó por la oficina e imprimió un nuevo ejemplar del documento que le habían sustraído. Se acercó a la floristería, donde compró la orquídea más florida que encontró. Tomó un taxi y se dirigió a casa. Faltaba media hora para que llegaran el presidente de la compañía americana y su esposa; aún podría echar una mano en los preparativos de la cena.

Llegó a casa sudoroso y algo alterado, pero trató de aparentar calma.

—Hola, cariño —dijo con voz aterciopelada antes de besar a su mujer en la mejilla—. Si no te importa voy a darme una ducha rápida y a cambiarme la camisa. Enseguida te echo una mano.

—¡Oh! No es necesario —respondió Mónica exhibiendo una sonrisa encantadora—. Está todo listo y preparado. Dúchate mientras preparo unos martinis como los que a ti te gustan, amor. Es preciosa la orquídea.

Al cabo de media hora estaban los dos solos en el sofá con sendas copas en la mano.

—Brindemos por nuestro futuro a partir de esta noche —dijo Mónica alzando su martini.

—Salud —dijeron al unísono mientras chocaban sus copas.

—¡Ah, por cierto! Casi lo olvido, amor… —comentó Mónica—. Eres un desastre, te has dejado olvidado el maletín en la última reunión; o eso le han dicho al conserje, que me lo ha subido hace un rato. Qué amables, ¿no? Lo he dejado ahí encima. —Señaló la cómoda del salón.

Carlos se desencajó: el maletín estaba abierto y asomaba el sobre de las fotografías del detective Fernández. Balbuceó:

—Sí… claro… No sé… Pensé que me lo había dejado olvidado en la oficina… Con las prisas…

Ella añadió, tras una leve pausa que empleó en dar un sorbo a su martini:

—Cariño, ese sobre del maletín…

Los interrumpió el timbre de la puerta. Los invitados habían llegado. Ella se levantó para abrirles y Carlos tuvo la sensación de que había dejado de controlar la situación. En cuestión de segundos, mientras oía las voces de los recién llegados al fondo del pasillo, intentó hacerse una composición de lugar.

Sin lugar a dudas ella había visto el contenido del sobre, pero había reaccionado con toda naturalidad, incluso con una amabilidad inusitada que le desconcertaba. Estaba convencido de que no iba a echar por tierra la compraventa, sabía que la mitad de los sesenta millones serían para ella.

Pensó que cuando acabara la cena y se quedaran solos ella

utilizaría la táctica del ataque. «Si te las sabrás tú, Carlos; mil casos has estudiado con estas reacciones —se dijo interiormente con una voz áulica y firme, no exenta de prepotencia, que reforzó su autoestima—. Te dirá que cómo has podido hacerle eso: acudir a un detective es lo más ruin que se puede esperar de alguien en quien se supone que has de confiar. "Y encima te acabo de hacer millonario, no tienes agallas... ¿No te das cuenta de que todo es un montaje?" La famosa táctica de negar la evidencia. Bien por Mónica y su aprendizaje en la Business School of London. Y tendrá razón; sin quererlo entrará en el rumbo que hay que darle a este... llamémosle incidente sin importancia. Al fin y al cabo la realidad no deja de ser una mentira, ¿o no construye cada cual la suya según le convenga? Y a Mónica y a ti ya os va bien dar el tema por olvidado. Aunque estás siendo muy generoso porque, en cuanto firme el americano y le pidas el divorcio a tu mujer, le podrás sacar una pasta por no airear su *affaire* ante la familia y sus influyentes amigos. Es lo que se llama explotación del éxito al final de una batalla. Es una opción que puedes dejar abierta, pero no te precipites... La tienes pillada.»

Se puso en pie y saludó a sus invitados. El presidente de General Advertising, Jeff Halton, era un hombre alto y delgado de cabello blanco y semblante afable, y hablaba un español perfecto que había aprendido en Buenos Aires, donde estuvo trabajando un tiempo. Aparentaba unos sesenta años, calculó Carlos, diez más que él. Su mujer era muy atractiva. Bastante más joven que su marido, le recordaba a una actriz cuyo nombre no conseguía recordar. Tenía los ojos ligeramente achinados.

Se sentaron a la mesa y se sirvieron un Vega Sicilia Único que el americano alabó tras dejarlo reposar unos segundos en el paladar. La actriz desconocida prefirió un vaso de agua mineral. Los entrantes fríos estaban sobre la mesa. Mónica sabía que unos buenos embutidos de Jabugo serían un estupendo comienzo para dar paso al pavo asado que se había cocinado en el horno durante varias horas.

—Bien —dijo Halton—. Es un verdadero placer estar aquí con ustedes y esperamos devolverles esta amable invitación muy pronto en Nueva York.

—El placer es nuestro —respondió Carlos—. Estamos encantados de que hayan aceptado venir a nuestra casa y, por qué no decirlo, de poder hacer negocios con ustedes. Esta empresa que fundé hace casi veinte años estará sin duda en buenas manos y seguro que crecerá con su entrada en ella. Siempre he pensado que ustedes, los americanos, son los reyes de la publicidad, y las sinergias que se van a generar…

Mónica le interrumpió:

—Amor, ¿ya estás hablando de negocios? Nuestros invitados querrán relajarse; ya habrá tiempo de comentar estos temas. No tiene remedio. —Sonrió divertida, mirando a Halton y su mujer al tiempo que acariciaba el cabello de su marido—. Vive para sus negocios… no le puedo cambiar a estas alturas.

—No se preocupe, Mónica, a mí me sucede lo mismo. El ritmo endiablado que llevamos en Nueva York nos hace ir al grano… y al fin y al cabo estamos aquí para cerrar nuestro acuerdo. ¿No es así, mister Marín?

—Sí claro, pero Mónica tiene razón. Disculpe mi ímpetu. Ya habrá tiempo de charlar sobre la cuestión con los cafés.

—¡Oh! Me temo que no nos quedaremos mucho rato. Mi esposa está muy cansada. El viaje ha sido largo y movido, encontramos turbulencias y apenas pudo descansar. ¿Verdad, *darling*?

La esposa de Halton asintió, pero a Carlos le pareció que no había entendido lo que decía su marido.

—Bien, pues como usted desee. Creo que por lo que me ha dicho Mónica estamos de acuerdo en los términos del contrato, ¿no es así?

—Por supuesto, mister Marín. Su mujer ha hecho una buena venta de la compañía. Nuestros accionistas están encantados y el precio les parece justo.

—Estupendo. Pues tal y como convinimos he traído el documento privado de compraventa. Solo faltará refrendarlo mañana ante el notario —dijo Carlos de forma casi expeditiva.

—Sí, ya estudié el contrato y es correcto. Solo hay que añadir un pequeño detalle que nuestro consejo de administración en Nueva York me ha pedido encarecidamente.

—¿Un detalle? ¿De qué se trata?

Carlos intuyó que el detalle sería un inconveniente. Los

malditos flecos siempre se convertían en cláusulas insalvables. ¡Qué demonios quería ese americano tan exquisito y educado!

—Bueno, mister Marín, ustedes dos son un matrimonio ejemplar, lo que denominamos en Estados Unidos una *power couple*. Ambos son elementos esenciales en la viabilidad y desarrollo de la empresa que vamos a adquirir. Sin ustedes la compañía tiene un valor menor, a juicio de mis accionistas; por ello les vamos a pedir que sigan con nosotros, tras la compra, por lo menos tres años. Por supuesto con unas condiciones contractuales adecuadas...

—¿Seguir? ¿Cómo?... —A Carlos se le atragantó una loncha de jamón.

—¡Oh! Es muy sencillo, no ha de preocuparse. Lo normal en estos casos. Mañana abonaremos ante el notario la mitad de los sesenta millones y el resto a los tres años, una vez hayan cumplido su compromiso de permanencia con la General Advertising Spain. Ese es además el acuerdo al que llegué con su esposa. ¿No es así, Mrs Marín?

—Sí, es cierto —se apresuró a corroborar Mónica—. Es lo acordado. ¿Recuerdas, cariño, que lo comentamos?

Carlos estaba seguro de que Mónica no le había dicho nada acerca de eso. Se sentía engañado, pero prefirió disimular como si estuviera al corriente de lo pactado con su mujer.

—Supone una excepción compleja en nuestra compañía, cuyos estatutos impiden que un matrimonio trabaje en la misma empresa. Ya saben cómo somos los americanos... Por ello, aceptaríamos que fuese solo uno de ustedes el que nos acompañase en la gestión y se quedase con nosotros los próximos treinta y seis meses. En cualquier caso, es algo que ustedes deben decidir.

—¿Quiere decir que o ella o yo? Pero ustedes tendrán sus preferencias, ¿no? Yo, como saben, me ocupo más de la estrategia a largo plazo y Mónica lleva la relación con los clientes. No obstante, soy yo quien suelo cerrar las operaciones con nuestros anunciantes y estoy informado de todo lo que...

Prefirió no acabar la frase; conforme hablaba sentía que se estaba metiendo en un barrizal que le cubría hasta las orejas. Se estaba descartando frente a su mujer y eso no le convenía bajo ningún aspecto. No debía precipitarse.

«No aguantarás tres años más con esta en la empresa, y conviviendo en casa menos. Te está poniendo los cuernos y te ha engañado en los términos de la negociación: esa realidad es difícilmente desmontable. Tú, a cambio, tienes las fotos, y a este americano y hasta a su femenina esposa se les caerían los huevos al suelo si las vieran. Pero ¿se las vas a enseñar? Tú estás desquiciado, no es el momento. Lo mejor es que hoy cierres el acuerdo y que sea ella la que se quede… Además, el presidente la quiere a ella, ¿no ves con qué deferencia la trata? Sobre todo no te resistas a las evidencias mientras este larguirucho tenga la sartén por el mango y en el fuego. ¿Para qué te vas a quemar? Déjala que se enfríe… ¿Recuerdas el caso de la falsa paciencia?»

—Ciertamente —dijo Halton—, como le he dicho, los dos son muy valiosos para nosotros, pero es cierto que el área de clientes que maneja su esposa, ¿se dice «manejar»…? —Mónica asintió con la cabeza—. Bien, pues esa área es muy importante para un traspaso ordenado a medio plazo. Sin embargo, la estrategia quedará relegada, tras la compra, a las decisiones de nuestro *bureau* en América. Esta compañía se va a hacer mucho más grande y requerirá de un *management* específico, lo cual, mister Marin, no significa que usted no pueda encajar en él… Su esposa habla un inglés perfecto y lleva magníficamente las principales cuentas publicitarias. Como supondrá, hemos consultado con sus clientes más importantes antes de tomar una decisión de compra…

—Amor, haremos lo que tú digas —sentenció Mónica y tomó la mano de su marido sobre la mesa. Carlos lo interpretó como un nuevo intento de enternecer a sus invitados, aparentando una unidad indisoluble.

«Será zorra —pensó—. Esto está bendecido de antemano. Tú no eres más que un títere en sus manos. Esta vez te han cortado cualquier escapatoria; firma esta noche y luego lo arreglas con ella a solas. Técnica de la patada hacia delante, pero directo a portería por si hay alguna posibilidad de rematar a gol…»

Llegó el pavo, conducido con equilibrio, a dos manos, por el camarero que habían contratado para la ocasión. Mónica había tenido el detalle de cocinarlo personalmente en lugar de encargarlo en Semon, como solía hacer: sabía que eso le gustaría a la pareja americana. Lo trinchó y sirvió una buena ración a cada comensal. Carlos no probó bocado. Betty abrió por primera vez la boca para introducirse delicadamente un trocito minúsculo de muslo y decir, en voz baja y en inglés, que estaba exquisito.

—Bien —dijo Carlos con un hilo de voz—, creo que la decisión está tomada. Ustedes van a pagar mucho dinero por nuestra empresa y me parece justo que en la nueva etapa quieran contar con Mónica. Yo, quiero decir nosotros, creemos que hemos de facilitarles su entrada en nuestro país y que se sientan cómodos con la inversión. ¿No te parece, cariño?

—Claro que sí, amor… Si tú lo ves así yo estoy contigo al cien por cien.

—Son ustedes un matrimonio ejemplar, se lo venía diciendo a Betty en el avión. No solo son una *power couple* para los negocios sino que sus éxitos están cimentados, ¿se dice «cimentados»?, en el amor que se profesan. ¿Se dice «profesan»?

Carlos le hubiera tirado a la cara del americano la salsa para el pavo que le ofrecía su mujer, pero en cambio dijo:

—Sí, se dice «cimentados» y «profesan». Y es verdad que nuestro cariño nos ha llevado hasta aquí y nos ha permitido sortear cientos de dificultades…

En ese momento lo interrumpió el sonido de su teléfono móvil e hizo ademán de desconectarlo, pero el americano le animó a responder:

—Cójalo, no se preocupe. A estas horas puede ser algo importante.

Carlos miró la pantalla del móvil: era una llamada de Luis Fernández, el detective. Se levantó de la mesa y se alejó unos metros para contestar sin ser oído.

—¿Sí, dígame?

—Señor Marín, soy Luis Fernández. Perdone que le moleste si está cenando, pero es algo urgente…

—Adelante, dígame. Sí, estoy en una cena, pero ¿qué diablos es eso tan urgente que no pueda esperar?

—Dios quiera que sea una falsa alarma, pero tengo que preguntarle: ¿ha perdido o le han sustraído las fotos que le di esta tarde?

—Sí, lo cierto es que alguien me las robó mientras estaba

distraído en una terraza; pero tranquilo, ya han aparecido. Me las han devuelto y están aquí en mi casa. ¿Por qué lo pregunta?

—Me temo, señor Marín, que tendrá que comprobarlo. Me ha llamado hace escasos minutos un individuo que dice tener «el material»… Creo que se trata de un chantaje. ¿Está completamente seguro que tiene las fotos en su poder? Compruébelo.

—Ahora no puedo —dijo con voz queda—. Está mi mujer y unos invitados. El maletín y el sobre están aquí, pero no puedo abrirlo sin que me vean… Le llamaré más tarde, cuando se hayan ido. Hasta luego, buenas noches.

—Bien, pero me huele mal este asunto. El que me llamó conocía demasiados detalles… No quiero preocuparle; llámeme en cuanto pueda. Buenas noches.

Carlos volvió a la mesa con el semblante abatido y desencajado.

—¿Va todo bien, amor?

—Sí, todo bien. Esto… nada importante… el mecánico, que es tan diligente que ha acabado la reparación del coche, ya ven… —Se dirigió a los americanos—: ¡A estas horas! Y luego dicen que los españoles no trabajamos… Quería saber si me lo traía ahora hasta casa, pero he quedado en que ya pasaré mañana.

—Realmente es un buen servicio —dijo Halton—. Bien, si les parece vemos el documento y lo firmamos. Mañana a las diez hemos quedado en la notaría y ya hemos depositado la primera parte del pago en la caja fuerte del notario. Me he permitido traer tres copias, que contienen lo mismo que le envié al correo de su esposa, ¿se dice «correo» o ustedes lo llaman también «e-mail»? Bueno, en cualquier caso, solo queda pendiente poner el nombre de su esposa en esta línea, ya que será ella quien permanezca con nosotros durante los próximos tres años, hasta julio de 2014.

A Carlos se le nubló la vista. Era incapaz de leer con calma la decena de folios del contrato. La llamada de Fernández le había descolocado. Si el detective tenía razones para preocuparse, ¿qué diablos contenía el sobre que alcanzaba a ver desde la mesa asomando en el maletín?

«No pierdas la calma, que sin duda es un malentendido.

Mira a la arpía de tu mujer, cómo se apresura a poner su firma en el contrato. Cree que se va a salir con la suya… Estáis condenados los dos, pero ella más: la tienes cogida con las fotos. Ya aclararás luego el asunto del detective. Cálmate y lee el contrato. Tú sabes leer en diagonal sin perderte lo fundamental. A ver, sí, aquí están los sesenta millones de euros… Dos pagos, el segundo a tres años, bla bla bla, pedanterías jurídicas, cláusula de no competencia… ¡La misma que pusiste tú! Ha colado. Eres bueno, el mejor… ¡Has ganado al bufete americano! ¡Magnífico! Firma, y mañana a recoger la pasta.»

Firmaron el contrato privado. Halton guardó una copia y les entregó sendos ejemplares a ellos. Encajaron sus manos y tras dar un sorbo a la copa del Vega Sicilia dijo:

—Bueno, ahora, si nos disculpan, nos tendremos que marchar. Mi pobre Betty debe recuperarse del viaje y yo, aunque estoy acostumbrado, he de reconocer que estoy agotado y todavía debo repasar el dossier para la rueda de prensa tras la firma.

—¿Rueda de prensa?

—Sí, amor. Recuerda que mañana por la tarde están citados los periodistas, como convinimos con el departamento de comunicación de General Advertising. En cuanto abran la oficina de Nueva York y den el OK al redactado final, sobre las seis de la tarde. Tienes tu propio dossier en el maletín…, deberías echarle una ojeada antes de irte a la cama. Además, Belarmino Suárez no ha parado de llamar en todo el día: quiere hacernos una entrevista larga después de la conferencia de prensa para la edición del domingo de *El Universal*. Quedé en que seguramente cenaríamos con él, ya sabes que le gustan los buenos restaurantes y…

De nuevo Carlos quedó descolocado.

«Necesitas pensar. La corriente te está arrastrando, pero lo importante es que no te desvíe del rumbo. Era fundamental firmar y embolsarte la pasta; lo demás ya lo encauzarás. Sabes desenvolverte en estas situaciones. Estás preparado para cualquier sorpresa que Mónica trate de darte. Ya tendrás espacio para la revancha. Recuerda el método del caso: "No pienses en la venganza. El éxito es la venganza más elegante".»

Despidieron a los invitados y luego al camarero que les había asistido en la cena. Se quedaron solos y Carlos se sirvió un whisky con dos cubitos de hielo. Lo apuró de un solo trago.

Mientras Mónica se metía en la cocina, él se fue directo hacia el maletín. Estaba abierto y se apercibió de que habían hurgado en su interior, pero no faltaba nada. Abrió el sobre blanco, que no tenía ninguna inscripción, ni siquiera el membrete del despacho de detectives, seguramente por pura discreción; ni se había fijado cuando se lo entregó Luis Fernández. Se sobresaltó cuando comprobó que estaba vacío: las fotos habían desaparecido.

Aquella noche no hubo champán. Marín se fue directamente a la cama. Su mujer le dio un beso en la mejilla.

—Buenas noches, cariño. Ha sido un día agotador, pero mañana acabará todo. Que descanses.

Carlos Marín no pudo conciliar el sueño. No paraba de darle vueltas a la llamada del detective Fernández y pensó que lo primero que haría al día siguiente sería ponerse en contacto con él antes de ir a firmar al notario.

Capítulo 2

*E*l teléfono de la mesa de economía sonaba con insistencia. Ninguno de los periodistas que estaban próximos a la sección, que aparecía vacía, hicieron ademán de descolgarlo; estaban absortos tecleando en sus ordenadores. Daniel Soler, el subdirector responsable de la sección de cierre del diario, se dirigió nervioso hacia allí. Con cara de disgusto, levantó el auricular y lo colgó bruscamente en un acto reflejo que acabó con el insistente zumbido del timbre.

—¿Alguien sabe dónde están estos cabrones de economía? —gritó sin dirigirse a nadie en concreto.

—Creo que ya han cerrado. Oí que se iban a tomar una copa con Krugman —comentó Manuel Trapero, redactor jefe de sociedad, sin levantar la cabeza de la pantalla.

—Esto es una puta mierda —renegó Soler—. Son las diez y esos cabrones ya están bebiendo… Además hay que meterles un breve en la sección, joder. ¡Que alguien me busque a Krugman ya! Lo quiero aquí en diez minutos.

Krugman era el apodo de Belarmino Suárez, el jefe de economía del diario *El Universal*. Lo llamaban así porque se las daba de tener tantos conocimientos en economía como el premio Nobel y solo le interesaba aquello que concernía a la sociedad norteamericana. Belarmino había estado durante más de seis años de corresponsal en Washington primero, y en Nueva York después, en la época del presidente George Bush. Aún conservaba la silla acolchada de color verde, estampada con las siglas de la Casa Blanca, con que le había obsequiado el Departamento de Estado americano cuando dejó la corresponsalía. De hecho la disponía junto a su mesa, y era el único mueble que desentonaba en la moderna redacción del diario. Tenía mala fama entre la profesión, que lo consideraba a sueldo de demasiados intereses empresariales y financieros. Sus crónicas dominicales eran, según sus compañeros, «sobrecogedoras», porque siempre iban acompañadas de un sobre con efectivo que cogía del personaje de turno, quien luego aparecía, tratado con algo más que benevolencia, en la páginas de *El Universal* bajo una sección que se denominaba «Altas Esferas». Con sesenta años, era el mayor de la redacción y el único que se vestía con traje y corbata. Parecía un *gentleman* inglés, con cabello blanco y abundante, la tez bronceada por los rayos uva y las manos siempre cuidadas por una buena manicura. Realmente imponía, menos a la mayoría de los periodistas, que ya sabían de qué pie calzaba y consideraban que todo era pura fachada.

Leire, la redactora de sucesos, siempre bien dispuesta y con ganas de hacer méritos sin que se supiese muy bien por qué —puesto que los recién llegados y con contrato temporal eran relevados por otros eventuales o incluso por becarios—, se dispuso a teclear en su móvil el teléfono de Krugman. La agenda de Leire era impresionante. En los seis meses que llevaba en el diario no solo tenía todos los teléfonos de sus compañeros, sino también los de la competencia en otros medios de comunicación, a los que solía consultar antes de escribir cualquier tema, a riesgo de que le levantaran la exclusiva.

Los becarios y eventuales no solían tener mote, dado que estaban de paso en *El Universal* y no daba tiempo a etiquetarlos. Si el redactor jefe, el rey de los motes, había puesto alguno a Leire —una belleza de treinta y dos años de pelo rubio, sonrisa encantadora y pechos generosos que vestía minifaldas extremadas—, jamás lo empleó ante ella. Sabía que toparía con el fuerte carácter de la joven periodista, que no hubiera admitido una etiqueta machista.

Lo cierto era que aquellos periodistas «experimentados» de la redacción no sabían aprovecharse, ni tenían intención, de la inteligencia y capacidad de entusiasmo que Leire le ponía a su trabajo.

El día que se enteró por sus contactos policiales de que iban a hacer una redada de madrugada de supuestos colaboradores de Al Qaeda en el barrio barcelonés de la Verneda, ella fue la primera en acudir montada en uno de los coches de la policía. Fue ella quien tomó las únicas fotografías de los detenidos y las colgó junto a la noticia en la web del diario desde su iPad, pero el jefe del área de Internet no autorizó la publicación y las rechazó por ser la información de una novata que había que contrastar. A las pocas horas, sin dormir siquiera, se fue directamente a ver al director del diario y le presentó su dimisión. Este la miró de arriba abajo, incrédulo, y, con cierta sorna, le dijo que vaya cojones tenía para ser «una piltrafilla novata» y que no había nadie en el diario que tuviera los «santos huevos» de dejar su puesto por un tema así. Dio órdenes para que todo lo que Leire investigara se le pasara directamente a él y, acto seguido, destituyó al jefe de Internet y lo metió en el sótano, en la sección de documentación y archivo. Así, Leire se convirtió en la primera novata que despachaba directamente con Goliat, como era apodado David Gavela, director de *El Universal*, un hombre corpulento y obeso que en su juventud, decían, había sido boxeador.

Leire no logró hablar con Krugman y le dejó un mensaje en el móvil. Pensó que estaría en el Milano bebiéndose el segundo gin-tonic, sin cobertura, así que fue a ver a Soler y le dijo que si le podía echar una mano que contara con ella. Había quedado a cenar con unos amigos en media hora, pero les enviaría un SMS para avisarles de que se retrasaría.

Soler dudó un instante, pero, ante el desolador panorama que tenía en la redacción, arrasada por la penúltima reducción de empleos, y lo cerca que estaba la hora de cierre de la edición, le dio el breve para que lo publicara.

—Se trata de la venta de Marín&Partners, la empresa de publicidad, a la General Advertising. Estamos hablando de sesenta millones de euros por una compañía de capital español, y es la agencia que más anuncios contrata con el diario… así que ya sabes: tiene que quedar destacado. En impar, te cargas el puto tema del análisis de la bolsa o lo que te plazca…. Ah, y nada de tu cosecha, ¿eh? Tal y como viene la nota redactada le das forma, le pones un par de antecedentes y punto pelota. Venga, la quiero en media hora puesta en la maqueta.

Leire tenía pánico a los números. El teletipo era de escasamente una página, pero sabía que los periodistas estaban peleados con las cifras: eran capaces de ponerles o quitarles ceros a la derecha y desvirtuar la información hasta la risa. Recordaba cómo la capacidad en metros cúbicos de un enorme pantano después de fuertes lluvias e inundaciones se había convertido en las páginas del periódico en el equivalente a la de una alberca doméstica, o cómo el número diario de robos era capaz de crecer un doscientos por ciento en Barcelona. Así, prestó especial atención a las cifras de la transacción de Marín&Partners: la operación se había firmado ante notario por la mañana, aunque no se había enviado el comunicado hasta las nueve de la noche. Según la nota de la agencia de relaciones públicas Cuesta y Asociados, se había pagado la mitad de los sesenta millones en efectivo; el resto se haría al tercer año y con la permanencia en la vicepresidencia de la compañía de Mónica Lago, la mujer de Carlos Marín, el fundador. La empresa había facturado veinticinco millones con unos beneficios de tres…

A Leire le pareció mucho dinero pagar veinte veces el resultado del último año. Prefirió entrar en la web de la agencia EFE y en la de Reuters para ratificar las cifras. Sí, eran correctas. «Bueno, ellos sabrán —pensó—. Estos americanos acaban de pagar más de trescientos millones de dólares por el blog de la señora Huffington y se han quedado tan anchos.»

Copió la nota y añadió algunas líneas biográficas del matrimonio Marín. Él estudió economía en Harvard, era máster por el Instituto de Empresa y presidente de las agencias y centrales de compras publicitarias de España… Ella trabajó en la competencia como creativa de publicidad y fue un fichaje sonado por partida doble de Marín&Partners, dado que se llevó las principales cuentas de su antigua compañía, que tuvo que cerrar, y acabó casándose con su nuevo jefe y posteriormente compartiendo la propiedad de la empresa. «Todo un carrerón», pensó Leire, que tuvo curiosidad por saber cómo era Mónica físicamente.

Clicó en Google Imágenes en su ordenador y apareció una rubia de no más de cuarenta años, sonriente, con los labios pintados de rojo carmín y una nariz que parecía operada porque encajaba a la perfección entre sus ojos azules casi eléctricos, o debía de ser cosa del photoshop. Resultaba sumamente atractiva. «Y ahora multimillonaria», se dijo Leire. Reparó en sus cejas arqueadas de forma desigual, la derecha levemente a más altura, quizás porque el flequillo del pelo caía más hacia la izquierda. El mentón ligeramente puntiagudo le daba un carácter de fortaleza y decisión que contrastaba con los tenues hoyuelos en sus mejillas, producto de una delgadez estudiada que le hacía parecer, a su vez, una mujer accesible y cordial.

Leire no podía evitar el análisis de la fisonomía de las personas desde que estudió un cursillo de criminología en el que un morfopsicólogo argentino con quien anduvo flirteando un tiempo trató de convencerla de que la cara dice todo acerca de las reacciones y comportamiento de la gente, de sus tendencias más insospechadas y hasta de su salud y longevidad. Claro que a ella este psicólogo, que le pareció de pacotilla, le dijo que viviría muchos años y que tendría un novio al que vino a describir prácticamente con sus rasgos. Ella se partía de la risa cuando lo recordaba, pero no podía dejar de mirar la foto de Mónica con cierta curiosidad, digamos que «profesional».

Tecleó el último párrafo y lo justificó en su ordenador con su clave para que lo pudiese ver Soler, quien estaba en la sección de espectáculos con el látigo en la lengua, intentando desatascar el concierto de U2 que se estaba celebrando en aquellos momentos y había que cerrar como fuera.

—A ver, la foto de portada por abajo es de Bono en medio de la pasarela sobre las cabezas del público. Quiero esa y solo esa. Me importa una mierda si es apaisada, la recortas y punto. El pie de foto: «U2: El público enloquece con *With or Without You*, que tocaron al final».

—¿Pero si el concierto acabará a las doce y solo son las once cómo vamos a poner…? Eso es muy arriesgado —protestó Álvaro Cifuentes, el jefe de sección de espectáculos, apodado Scream porque su cara era larguirucha y cadavérica como la máscara de la película de terror.

—Mira, tío, ¿tenemos o no tenemos el programa de lo que cantará Bono? Lo tenemos —se respondió Soler en voz alta—. ¿Sabemos o no sabemos con qué cerró la actuación la semana pasada en Madrid y la anterior en París? Lo sabemos. ¿Y qué os digo yo siempre cuando son las once de la noche y la puta rotativa tiene ansias por devorar el papel? Pues que más que nunca dos más dos son cuatro y no hay tiempo para filosofar. ¡Andando!

Leire se acercó a él con lentitud pero con firmeza. Sabía que estaba en las horas fatídicas de mayor tensión y le susurró:

—Bueno, ya lo tienes. El tema ese de la venta ya está con el código 0033. Yo me voy, me están esperando hace más de una hora… Hasta mañana. Buenas noches.

Soler apenas hizo un gesto, sin mirarla siquiera, moviendo la mano como para que se marchara mientras seguía inclinado sobre la pantalla de la sección de espectáculos en la que aparecía la fotografía de Bono, menguando poco a poco hasta ajustarse al espacio que había reservado en la portada.

Leire se puso una cazadora ligera sobre la blusa blanca y la minifalda tejana. La llovizna que caía había refrescado algo el ambiente en la calle ese caluroso día de septiembre. Entonces sonó su móvil: era Julián Ortega, el inspector jefe de homicidios.

—¡Hola, Julián, qué sorpresa! ¿Cómo es que me llamas…?

—Hacía casi un año que no lo veía pero conservaba grabado su número de teléfono.

—Hola Leire, ¿qué tal estás? Me gustaría verte —dijo el inspector con un tono grave que a Leire le preocupó.

—¿Qué pasa Julián?, ¿Va todo bien?

—No… bueno, sí… Quiero decir que tengo que comentarte un asunto y he pensado que quizá podríamos tomar algo ahora… —Julián Ortega titubeó.

—¿Ahora mismo? ¿Qué es eso tan urgente, Julián?

—Bueno tengo un caso de asesinato. La científica está recogiendo muestras… Pero ahora necesito despejarme. ¿Podemos vernos? —insistió él.

Los sentimientos de Leire eran encontrados, pero le apetecía mucho volver a verlo, aunque intentó no demostrarlo.

—Ostras, pero es que he quedado. Me están esperando… ¿Quién es el fiambre?

—Realmente te he llamado porque tú debes de conocerlo. Se trata de un periodista de tu diario, un tal Belarmino Suárez. No diremos nada a la prensa hasta mañana…

Leire se quedó sin respiración y se hizo un silencio hasta que acertó a decir:

—¿Krugman? ¿Estás diciendo que han asesinado a Krugman?

—¿Quién es ese Krugman?

—Es el apodo de Belarmino. Pero ¡es horrible! Justo estaba haciendo una crónica para su sección y…

Volvió a faltarle el aire para seguir hablando.

—¿Ahora estás en economía? —se extrañó el inspector Julián Ortega.

—No, pero ya sabes, de un tiempo a esta parte todos hacemos de todo. Es horrible lo que me estás diciendo.

Leire miró unos segundos desde el quicio de la puerta de doble hoja hacia el fondo de la sala de redacción y vio cómo Soler gesticulaba y se tiraba de los pelos, ahora ante los redactores de deportes. Fue consciente de que ese día el diario volvía a salir caducado: ella tenía la noticia y no la podía publicar. Dio media vuelta y encaró la salida hacia la calle con el teléfono apoyado entre el hombro y la oreja.

—Está bien, quedamos en quince minutos en el Milano, pero me tienes que contar los detalles, ¿eh? Voy a anular mi cita y voy para allá.

—De acuerdo, pero no hay mucha cosa todavía. Además, el juez decretará secreto de sumario con toda seguridad. No podré decirte casi nada… Te repito que no digas nada en tu diario, ¿eh?

—Sí, sí, quédate tranquilo. Nos vemos ahora en el Milano, ¿vale? Un beso.

Colgó el teléfono y envió un mensaje de texto a Paola, su compañera de piso, que estaba con varios amigos. Ya debían de haber empezado la cena. «No me esperéis, se me ha complicado el cierre. Besos.» Los amigos ya estaban acostumbrados a sus desplantes y a que se justificara con un SMS. «Ya les llamaré mañana», pensó. Luego no lo solía hacer; simplemente se olvidaba.

Leire y el inspector Ortega habían sido algo más que amigos. Se conocían desde que ella empezó como becaria en la radio y en un canal municipal de televisión donde presentaba un informativo en el semisótano de un antiguo almacén de licores situado en Premià de Mar. Leire tenía por todo equipo su propio ordenador, y su compañero Luis, un técnico todoterreno que hacía también labores de mantenimiento y limpieza del local, además de improvisar decorados y *cromalines*, manejaba dos cámaras semiautomáticas para darle diferentes enfoques a los entrevistados, quienes se sentaban en un par de sillones de Ikea tan incómodos que Leire tenía que ponerles unos cojines que su abuela había confeccionado.

«Nena —le decía la anciana—, ya va siendo hora de que me presentes un novio formal. No me quiero ir de este mundo sin verte casada y bien casada. Anda, nena, hazlo por tu abuela.» Y Leire se reía y bromeaba: «Pero y si resulta que soy lesbiana, ¿eh? ¿Y si me gustan las mujeres? Tendrías que aceptarlo, abuelita». «Anda, chiquilla, no digas tonterías. Una chica tan mona como tú, con estudios y saliendo por la tele, debería tener pretendientes a puñados.»

La abuela siempre sintonizaba el canal de su nieta, como ella llamaba al Canal Uno del Maresme, que solo llegaba a una población de escasos cinco mil habitantes.

El inspector Julián Ortega había reparado en ella haciendo zapping. Vivía entonces en Premià de Mar y le resultaba simpática aquella chica pizpireta que miraba a la cámara y al entrevistado con aplomo y seriedad mientras lanzaba preguntas como pullas, alardeando de independencia y sentido crítico, a personajes de la localidad, la mayoría con un interés muy limitado: concejales del ayuntamiento, miembros de asociaciones de vecinos y comerciantes de la zona.

Le sorprendió que un día, bien temprano, mientras estaba a punto de entrar en la ducha, Leire lo llamara a su teléfono móvil y le dijera de sopetón y sin respiro:

—Buenos días, inspector Ortega, soy Leire Castelló, del Canal Uno del ayuntamiento de Premià y le llamo para ver si le podría entrevistar esta noche. Será solo media horita, pero tendríamos que vernos una hora antes...

—Un momento, un momento, ¿cómo has conseguido mi número de teléfono?

—Bueno, eso es cuestión profesional, pero no ha de preocuparse por nada. Su número de teléfono está a buen recaudo conmigo.

Julián Ortega se quedó asombrado ante el ímpetu y descaro de la chica y acertó a balbucear:

—Bueno, vale, lo pensaré…

—No hay nada que pensar —replicó Leire—. Vamos a hablar en términos generales de la seguridad ciudadana, de cómo está el índice de criminalidad en la comarca y también de las tareas de un policía…

—¿Qué te parece si tomamos un café a eso de las siete, me lo cuentas primero y luego decidimos si hay entrevista? —propuso el inspector.

—Hecho. Le espero en el café Miramar, al lado del estudio. A las siete en punto.

Aquel día Leire se enamoró de Julián. En cuanto lo vio notó algo especial que jamás había sentido por nadie. Julián Ortega tendría entonces treinta y cinco años y Leire había cumplido los treinta. Era apuesto, pero no el típico guaperas que la asaltaba de tanto en tanto en las discotecas Sutton y Luz de Gas, donde Leire solía acudir casi cada fin de semana. Tenía algo en su personalidad que no sabía identificar, pero le ofrecía seguridad y al mismo tiempo le hacía interesante. Y olía bien, muy bien. Ella había decidido, inconscientemente, que la primera característica para profundizar en la relación con un chico era que este oliera bien. Era imprescindible que fuera aseado, pero también que el perfume no la mareara. Tenía fobia a un componente químico dulzón que algunas colonias caras llevaban y que prolongaba la intensidad del olor durante más tiempo.

El inspector Ortega era de complexión fuerte pero delgado, moreno, no muy alto; no llegaría al metro ochenta, calculó Leire. Pelo negro y ligeramente rizado con las facciones algo aniñadas. Mentón pequeño, ojos negros y los labios sonrosados ni muy gruesos ni muy delgados. Sus manos, delicadas y bien cuidadas, le cautivaron cuando ambos se las estrecharon al saludarse en la cafetería.

Al poco de iniciar la conversación supieron que no habría entrevista. Enseguida se fueron por otros derroteros y se contaron sus vidas. Leire miró el reloj y llamó a Luis, el técnico, para que pusiera una entrevista grabada con anterioridad. Le dijo que le dolía la cabeza, y que valía la de la propietaria de la tienda de flores que había hecho hacía unos días, que no se pasaría por el estudio y que al día siguiente ya se verían.

Julián se había divorciado hacía tres años, le dijo, y vivía con una chica en un adosado desde hacía unos meses. Eso puso a la defensiva a Leire, que le mintió diciéndole que vivía con su novio en un apartamento del Born en Barcelona.

Acabaron cenando en un restaurante italiano en el puerto de Masnou, donde él la llevó con su moto. Leire se sintió algo incómoda, pues creía que no estaba guapa para la ocasión. Llevaba unos vaqueros ajustados y una camisa a cuadros de colores llamativos que había comprado de oferta en H&M. Ni siquiera se había maquillado y sus ojos, pensaba, debían de delatar el exceso de margaritas de la noche anterior. Había esperado a un hombre barrigudo y de pequeña estatura con poco pelo y bastante aburrido que solo sabría hablar en términos oficiales, y ahora se lamentaba de no haber entrado en Google o en alguna red social para tener una ligera idea de cómo sería el interlocutor al que había citado para una entrevista. Pero luego reparó en que, al ser policía, por motivos de seguridad no debería estar fichado en la Red o tendría un perfil falso.

Ortega era encantador. Hablaba en un tono bajo y calmado que la obligaba a aproximarse a él, casi a abalanzarse sobre la mesa, invadiendo buena parte de su espacio.

Le explicó que desde pequeño quería ser policía. Entendía que la mejor forma de hacer justicia era descubrir la verdad. Primero fue pura curiosidad, y después sentido de la responsabilidad; necesitaba que todas las piezas encajaran, que nada quedara al libre albedrío o a la casualidad. Un error podría suponer que un delincuente dejara de pagar por un crimen o que un inocente fuera declarado culpable.

—Hay veces en que la línea de la culpabilidad o de la inocencia está despintada, como en un campo de fútbol de Regional Preferente. Los polis jugamos en esa división casi siempre. No lo digo tanto por la legalidad o ilegalidad de los actos, que, sobre el manual (ya sabes, el Código Penal), quedan bastante delimitados; lo digo porque a veces me he sentido del lado de quien no ha tenido más remedio que hacer algo que está penado por la sociedad.

Leire le escuchaba embelesada, sin alcanzar a entender a qué casos se refería, pero no le quería interrumpir preguntándole. Julián le dio un inesperado giro a la conversación adentrándose en su intimidad.

—No nos damos cuenta muchas veces de lo que vamos perdiendo en el camino por intentar buscar la verdad, y la pura verdad o no existe o no es creíble. No es objetiva. Es irreal.

»Yo llegué un día a casa, recuerdo que era muy tarde. Había salido de la comisaría a las doce de la noche. Mi mujer me estaba esperando sentada a la mesa de la cocina. Era, bueno, es, una mujer hermosa, maravillosa; llevábamos cuatro años casados. Es profesora de literatura, ¿sabes? Me miró como nunca me había mirado. Me di cuenta enseguida. Noté que algo no andaba bien. Ni siquiera se levantó de la silla. Cuando me acerqué a besarla bajó la cabeza, y al intentar acariciarle el cabello, retiró mi mano lentamente. Entonces fue cuando me dijo las cuatro palabras que nunca olvidaré: «Ya no te quiero, Julián». Lo hizo con un hilo de voz, con un tono suave y delicado, apenas perceptible; sin embargo, resonó en mí amplificado, penetró en mis oídos y recorrió mi cuerpo como un escalofrío. «Ya no te quiero, Julián. Ya no te quiero. No es culpa tuya, pero es lo que siento. No sé decirte por qué, no me pidas que te lo explique, pero simplemente lo sé. Lo sé con la misma convicción con la que me enamoré de ti. No sé lo que he hecho mal, pero ya no te quiero».

Hacía pocas horas que se conocían y Julián estaba entrando en un terreno de intimidad para ella inusitado, en el que se estaba implicando inconscientemente y, sin embargo, no se sentía incómoda. Pensó que quizá pretendía ligar con ella descubriéndole su vena sentimental, pero aun así se dejó llevar a su terreno. Pidieron unas grapas de barrica y Julián prosiguió:

—¿Quieres creer que nunca llegué a preguntarle por qué? Fue la primera vez que no anduve en busca de la verdad, de las razones que llevaron a mi mujer a dejar de quererme. A veces pienso que me dio pánico conocerlas. No había nada que hacer, lo supe al instante y conforme salía de sus labios el «ya no te quiero». Con el tiempo he llegado a pensar que quizá yo tampoco la quería y por eso no pregunté. Hay preguntas que no se deben hacer si te va a doler la respuesta. No luché por ella. La había perdido definitivamente aquella noche y seguramente muchas noches antes.

Se levantó una brisa ligera que hizo tintinear los obenques contra los mástiles de los veleros atracados en el pantalán del puerto. Eran como decenas de pequeñas campanas desacompasadas que les hicieron advertir que se habían quedado solos en la *trattoria* y que el encargado estaba bostezando, acodado en la barra, lanzando miradas de fastidio hacia un reloj de estación de tren que pendía de la pared indicando que pasaba de la una de la madrugada.

Ortega pidió la cuenta.

—¿Te apetece pasear un rato?

—Sí, de todas formas tendré que coger un taxi. Ya no hay trenes a Barcelona —dijo Leire.

—Ni hablar, yo te acompaño. Tengo una cazadora en la moto que te vendrá bien.

Ella pensó que sería la que utilizaba su novia.

—Perfecto, me harás un favor.

—Bueno, disculpa si te he dado un poco la paliza. Tú venías a por una entrevista y te has encontrado a un tío que te cuenta su vida, pero la verdad es que hacía tiempo que no hablaba con nadie de esto…

—No hay nada que disculpar. Pero me debes la entrevista, ¿eh?

—Claro que sí, pero ¿y tú…? Me has dicho que vives en pareja, pero no me has contado nada. Eso no es de buen policía, yo me confieso y tú guardas silencio. Seguro que hasta me has grabado. No sois nadie los periodistas… —dijo Julián riendo.

—Bueno, no hay mucho que contar. Acabé mis estudios de periodismo haciendo de becaria en la radio y también resúmenes de prensa en un gabinete de comunicación, luego surgió este trabajo en la tele del ayuntamiento, que compagino con informes de lectura para una editorial. Pagan una miseria, pero en la tele estoy sola; no tengo jefe. Bueno, dependo del concejal que lleva el área de comunicación, pero si no me meto en política no hay problema… He de confesarte que es poco interesante, pero es lo que hay. Me gustan los sucesos y los tribunales. A eso me gustaría dedicarme.

—¿Y tu novio?

Leire se ruborizó y dijo titubeando:

—Bueno… hace poco que vivimos juntos y… no hay mucho que decir. Es un buen chico.

—¿A qué se dedica?

Leire recordó que por la mañana tenía concertada hora con el dentista.

—Es dentista, eso es. Sí, un dentista de los buenos. Tiene su propia consulta y le va muy bien. —Siguió mintiendo—. Lo conocí en la consulta y ya ves…

—Es curioso, yo nunca me enamoraría de una dentista. Me da pánico que hurguen en mi boca con esos cacharros, me siento indefenso. Perdona, lo digo en broma. Seguro que es buen chico y a ti no te hace daño.

—Oye, pero ¿tú de qué vas? Pues mira que un poli sí que debe de ser un buen partido para una chica. Le duraría menos que… —No acabó la frase y dijo arrepentida—: Lo siento, no quería decir eso… Bueno, me has contado lo mal que lo pasaste con lo de tu mujer y… cambiemos de tema. Si quieres hacemos la última copa en el Incógnito, una coctelería que está cerca de mi casa. Me llevas, ¿verdad?

Julián Ortega no se lo tuvo en cuenta. Muy al contrario, se sentía fuertemente atraído por aquella chica que hablaba con desparpajo y que cada frase que pronunciaba la iluminaba con una blanca sonrisa. «Será cosa de su novio el dentista, que le cuida bien la dentadura», pensó divertido. Sus ojos azules y despiertos; su cara sin maquillar, que debía de ser suave al tacto. Le apetecía tocarla. Sus manos eran pequeñas y con las uñas ligeramente despintadas; notaba cómo las escondía, consciente de que necesitaban una sesión de manicura. Era muy guapa y alegre y, en cambio, algo en su mirada transmitía cierta tristeza.

Sentados en un pequeño sofá de la coctelería, uno al lado del otro, él la besó en los labios apasionadamente. Y mientras lo hacía consiguió olvidar cierto remordimiento que le había acompañado toda la noche al pensar en su pareja. Se dejó llevar por sus emociones y al cabo de unos minutos, cuando se despidieron en el portal de su casa, a escasos metros del Incógnito, cogió la moto para regresar a Premià de Mar y fue repitiéndose una y otra vez: «¿Qué estas haciendo Julián? ¿Qué estás haciendo?»

Al cabo de una semana Leire le hizo la entrevista. Estuvo tentada de llamarle desde el día siguiente de su primer encuentro, pero resistió con orgullo —aunque no sin dificultad—

dado que él tampoco lo hacía. Aquel beso lo recordaba como el mejor que jamás le habían dado. Soñaba con estar en sus brazos y volverle a besar, pero al momento lo borraba de su pensamiento. «Tiene novia y es un policía. ¿Dónde te vas a meter, Leire?» —se repetía—. Y total, él cree que tengo novio… Esto no tiene sentido, tienes que olvidarlo.»

Pero cuando se volvieron a encontrar en el semisótano de la emisora para realizar la entrevista, en la que intentó estar seria y profesional, y él le tendió la mano para despedirse, ella se abrazó a su cuello y lo besó en la boca.

Estuvieron saliendo durante poco menos de un año clandestinamente, ocultándose de los demás y buscando huecos en sus complicados horarios para hacer el amor o para poder pasar una noche juntos en algún hotel discreto. Julián tomaba todas las precauciones para no ser descubierto por su pareja, Laura. Leire le contó un día que había dejado al dentista y que ahora compartía piso con su amiga Paola. Pensó que era el momento de facilitarle las cosas y acabó con la mentira que le había proporcionado, estaba convencida, la posibilidad de tener a Julián. Siempre creyó que él se sentía más cómodo si ambos tenían pareja y, por tanto, no era necesario plantearse el futuro de su relación. Se estaban engañando y eran conscientes de ello. Pero Julián no fue capaz de romper con Laura. Leire estaba muy enamorada y creía que Julián también, a pesar de que tenía una relación compartida. Él le decía que tenía que encontrar el momento adecuado para plantearle a Laura que seguir viviendo con ella ya no tenía sentido.

Un día, cenando en la *trattoria* del puerto del Masnou donde tuvieron su primer encuentro, Julián le dijo que se sentía muy mal por estar engañando a su mujer, que ella no se lo merecía, que no dudara de que la quería, pero que no tenía valor para volver a romper una relación, que sabía desde el principio que lo del dentista era un invento pero no quería hacerle daño y que había llegado el momento de seguir caminos diferentes.

—Leire, conmigo no tienes futuro. Eres joven y necesitas vivir una vida normal, sin esconderte de los demás. Por mucho que me duela, esto se tiene que acabar. Encontrarás a algún chico que te haga feliz…

—Oye, mira, ¿sabes lo que pienso? —dijo Leire entre so-llozos—. Que ni tú ni nadie me tiene que decir lo que debo ha-cer con mi vida. Yo era feliz, pero tienes razón: no puedo seguir así, con alguien que es incapaz de enfrentarse a la verdad de sus sentimientos. Dices que la andas buscando siempre, que buscar la verdad es el objetivo de tu profesión, en cambio cuando te afecta a ti, cuando la tienes delante, eres incapaz de afron-tarla...

Leire se levantó de la mesa —no quería que él la viera llo-rar— y salió corriendo hacia la estación, donde aún pudo al-canzar el último tren.

Transcurrido un tiempo se llamaron con alguna excusa tonta y convinieron en ser buenos amigos, pero lo cierto era que no se habían vuelto a ver hasta esa noche en que murió Belarmino Suárez y se citaron en la coctelería Milano de Bar-celona.

Capítulo 3

*E*l inspector Julián Ortega entró en la coctelería Milano, situada en la Ronda Universidad junto a Rambla de Cataluña, a la derecha del Ensanche barcelonés. Estaba medio oculta, había que descender unas escaleras bajo un letrero de neón rojo que anunciaba la marca Campari. Todo un santuario de los cócteles que, a pesar de llevar escasos años abierto, había sido decorado envejeciendo aceleradamente el ambiente: las maderas nobles sobre la larga barra de bebidas y los sofás de color rojo, aterciopelados, cuadraban a la perfección con las vitrinas acristaladas que exhibían botellas y letreros antiguos y hasta con la música de jazz íntimo, que permitía conversar sin elevar excesivamente la voz.

Se sentó en uno de los sofás frente a una mesita baja de madera y al momento Juanjo, uno de los *barmen*, acudió con un posavasos de cartón para marcar la zona. Los camareros vestían chaqueta y camisa blanca con corbata negra. Se desplazaban por la sala con bandejas redondas que sostenían a media altura sorteando las cabezas de los clientes con destreza y velocidad, preservando el equilibrio de copas, botellas y cubiteras de hielo.

—Buenas noches. ¿Qué va a ser?

—Estoy esperando a alguien. Está a punto de llegar, pero puedes prepararle un margarita de limón y para mí un gin-tonic de Tanqueray Ten —dijo Julián Ortega.

—Ok, ahora mismo lo marcho. Gracias.

Julián escuchó de fondo el sonido inconfundible de la trompeta de Miles Davis procedente de los altavoces del local, que se iba llenando de gente de todas las edades: parejas jóvenes; grupos de chicas que reían animadas como si a esas horas, las once y media de la noche, llevaran ya la segunda o tercera copa; algún cazador furtivo de divorciadas que, acodado en la barra, giraba el pescuezo en todas direcciones, oteando el panorama, sin soltar la copa de las manos; y, por supuesto, alguna solterona despistada que debía huir de la soledad cotidiana los viernes por la noche como única escapatoria a una vida anodina, y que entraba en el local con la esperanza, no siempre bien resuelta, de encontrar algo de compañía.

Frente a él, un grupo de jóvenes de no más de treinta años intentaba ligar con las chicas risueñas y divertidas de la mesa de al lado, pero parecía que ellas no estaban por la labor y los ignoraban, entregándose a intercambiar chascarrillos que acababan en risas contagiosas.

Entonces llegó Leire. La vio descender los últimos peldaños de las escaleras. Reconoció al momento sus piernas esbeltas, al descubierto por la corta falda vaquera que llevaba ajustada a la cintura. Levantó la mano para que lo localizara en la oscuridad rojiza del bar. Ella sonrió a distancia y lo señaló con el dedo, como si quisiera marcar la trayectoria hacia él. Sus dientes blancos brillaron por el neón violáceo que pendía de la pared. Le pareció que estaba radiante, muy guapa, con el cabello rubio y suelto sobre sus hombros algo más largo que la última vez que la vio. No pudo evitar un ligero cosquilleo en el estómago cuando se puso en pie y la estrechó entre sus brazos. Se dieron un beso en la mejilla y al instante, como si Juanjo, el barman lo hubiera coordinado expresamente, llegaron los cócteles.

—Veo que te acuerdas aún de que me gustan los margaritas… —dijo Leire con una amplia sonrisa.

—Sí, hay cosas que no se olvidan; piensa que soy policía. Estás muy guapa.

Leire tuvo la extraña sensación de que no había pasado el tiempo, que se había detenido y que luego había vuelto hacia atrás, pero enseguida lo descartó. Ya no era la misma Leire que él había conocido: enamorada y entregada sin reservas, que se habría dejado llevar hasta el fin del mundo. Lo seguía viendo muy atractivo, con esa mirada a veces perdida y otras reflexiva que cuando se cruzaba con la suya le hacía perder la razón. No, aquello no podía volver, no debía volver, se dijo con convicción.

—Vaya, pensaba que ya no me llamarías nunca más, aunque quedamos en ser amigos —dijo con cierta picardía—. De hecho llevo algo más de medio año en sucesos en el diario y sabía que algún día tendríamos que encontrarnos, pero no en estas circunstancias. Lo de Krugman es un palo...

—Sí, claro. Así es. Amigos. Mira, he de confesarte que sé que has estado alguna vez en la comisaría; me lo advertía Rafa, el de prensa, ya sabes... Pero la verdad es que hice por no verte: estaba todo muy tierno, o eso me parecía... Pensarás que es una tontería... Hoy he encontrado la excusa, aunque ya te he dicho que no puedo decirte nada todavía.

Leire intentó relajarse y olvidarse por un momento de la muerte de Krugman. Ya tendría ocasión de sonsacarle la información.

—No, está bien. ¿Qué tal te van las cosas? ¿Te casaste con aquella chica?

—Pues la verdad es que en eso no he progresado mucho. Estoy soltero y sin...

Leire le interrumpió levantando su copa para hacer un brindis.

—¡Eh!, antes de nada brindemos. Por el reencuentro, por nuestra amistad... —y añadió poniéndose seria— ...y por el pobre Krugman.

Tomaron un sorbo sin dejar de mirarse a los ojos por encima del borde del cristal de las copas.

—A ver, ¿me quieres contar de nuevo un fracaso con otra mujer? No puede ser, inspector jefe, no puede ser —apostilló Leire simulando que le regañaba—. ¿Qué pasó?

—Esta vez fui yo quien tomó la decisión. En cuanto tú y yo lo dejamos...

—Me dejaste, inspector jefe, me dejaste.

—Bien, sea como sea me di cuenta de que no iba a ninguna parte con Laura. No quiero hablar de eso, Leire. Mira, este trabajo, aparte de dejarme poco tiempo para mí, el que me queda me lo condiciona en exceso. Estoy convencido que en esas circunstancias no soy un buen compañero para una mujer.

—Vaya, si que nos ponemos serios, inspector jefe...

—Deja de llamarme así —le dijo divertido, haciendo ademán de lanzarle el posavasos de cartón—. Soy inspector a secas, y tú lo sabes, princesa.

—Huy, ¿cómo me has llamado? Eso hacía mucho tiempo que no lo oía… ¿Es que volvemos a empezar? Ni loca, inspector, que yo lo pasé muy mal. Antes que nada tendrías que hacer un curso de altruismo, a ver si se te pasa ese egocentrismo que arrastras a todas partes.

—Mira, Leire, dejémoslo. Hemos dicho amigos; pues eso, solo amigos. Procuraré no volverte a llamar princesa.

Al filo de la medianoche la música se elevó unos decibelios y cambió radicalmente de registro. Ahora sonaba *Tunnel of Love*, de Dire Straits, y el local estaba lleno a rebosar. Pidieron unos sándwiches y una segunda ronda de gin-tonics y margarita. Leire adoptó una posición de seriedad. No quería que el cóctel subvirtiera sus emociones.

—¿Cómo y dónde mataron a Krugman?

—Estaba en su casa, tumbado en el sofá. Le dieron una buena paliza con algún objeto contundente. Un vecino oyó ruidos y llamó a su puerta. No respondía. Al parecer se cruzó con el asesino en el rellano, y lo identificó como un hombre corpulento con una gran cicatriz en la frente. No debería ser difícil identificarlo si conseguimos dar con él. Háblame de ese Krugman. ¿Qué hacía en el diario? ¿Qué opinas de él?

—Iba bastante por libre. Era el jefe de economía y tenía fama de corrupto entre la profesión, pero era un buen tipo; conmigo se portaba bien. Recuerdo que cuando llegué al diario me preguntó si iba a calentar la silla con mi trasero o, por el contrario, lo iba a airear por la calle. Le dije que lo mío era la investigación y las noticias de proximidad y me dio su teléfono móvil y este consejo: «Periodista, si algún día tu trasero se atasca pégame un toque. Ya verás que la mayoría de estos querrán que pienses con el culo».

—¿Un desengañado del periodismo?

—No diría eso. Sus crónicas estaban bien informadas, sus fuentes bien trabajadas… Solo era eso, que no tenía mucho contacto con la redacción. Solía pasarse temprano, cuando no había casi nadie en el diario, y aparecía a última hora para abrir su ordenador y teclear cuatro notas. Diría que tenía un estatus especial, un halo de poder que otros envidiaban. Era muy influyente.

—Un tipo así debía de tener muchos enemigos…

—Pero más fuera que dentro del diario… No sé, quizá perjudicó a alguna persona con sus artículos, pero hasta el punto de matarle por ello, ostras, no creo.

—Se ensañaron con él. Le introdujeron media docena de páginas del diario hasta la tráquea, le molieron el cuerpo a palos y debió de matarlo un fuerte golpe que le aplastó la cabeza, según pude apreciar… Le están haciendo la autopsia.

—¡Qué horror! Era un caballero, siempre con su traje y su corbata y la insignia de la Casa Blanca… ¿Sabes?, no tiene a nadie aquí. Quiero decir que no tiene familia. Me habló una vez de una novia americana que le dejó… Era muy pronorteamericano, estuvo varios años de corresponsal en Nueva York. Muy culto: en el diario siempre acudían a él para contrastar datos; daba seguridad. No me lo acabo de creer. ¿Quién ha podido hacer eso? ¡Qué hijos de puta!

Leire pronunció sus últimas palabras alzando en exceso la voz y una pareja que estaba pegada a su mesita desvió la mirada hacia ellos.

—Tranquilízate prince…, Leire; daremos con quienquiera que haya sido. Es importante que no digas nada. Mañana a primera hora iré al diario. Debería revisar su ordenador. ¿Sabes si estaba en algún tema importante? Quiero decir, si estaba trabajando alguna información en especial que te llegara a comentar.

—Pues no sé… no solía comentar. Ya sabes, se aislaba en su sillón de color verde y se llevaba una carpeta llena de recortes y papeles cada vez que se marchaba del diario… No tengo ni idea. A lo mejor Goliat, quiero decir Gavela, el director de *El Universal*, está al corriente… No sé cómo te puedo ayudar.

—No, déjalo. No quiero que te impliques en esto. Es un asunto de la policía y mientras no sepamos más me gustaría que te mantuvieras al margen…

—¿Al margen? Ostras, pero ¿cómo puedes ser tan frío? Han asesinado a un compañero que trabaja a menos de cinco metros de mí y resulta que yo llevo la sección de sucesos del diario. ¿Cómo quieres que esté al margen?

Leire exageró una mueca de asombro que, por conocida, no llegó a desconcertar a Julián.

—Ya sabes a qué me refiero. La investigación es cosa nuestra y será mejor que la información que se derive de ella la obtengas a través del departamento de comunicación de la brigada. No sería bueno que tú y yo comentáramos los avances que se produzcan en el caso.

—Vaya. Esta sí que es buena. Me llamas después de un año de desaparecer, me invitas a una copa, me cuentas que han matado a Krugman y ahora me dices que no hablemos más del asunto. A ver, inspector, eres la hostia. ¿A qué estás jugando? Veo que no has madurado todavía.

—Leire, lo que quiero decir es que no es bueno que nos vean hablando de esto si tú vas a publicar… En fin, joder, tía, no te enfades. Entiende las reglas del juego.

—Mira ins-pec-tor —se detuvo en cada una de las sílabas para ganar autoridad sobre él—, yo soy una profesional y tengo muy claras las reglas del juego. No has de temer porque te meta en ningún lío. Sé lo controlada que está la brigada criminal por los de anticorrupción y que a la mínima se os echan encima…

—Sí, a eso me refiero. Y tú también deberías tomar precauciones si hablas con confidentes de la policía o con delincuentes en libertad provisional. La mayoría tienen los teléfonos intervenidos judicialmente. Debes actuar con prudencia.

—Estoy al corriente, descuida. Nada de teléfono entre tú y yo sobre este asunto. Soy consciente de que me han grabado conversaciones con el ayudante del fiscal anticorrupción, y que el juez le quiere meter un puro porque un traficante, digamos que insatisfecho por el trato, le acusa de no haberle pagado un coche de segunda mano que le vendió. Es que no aprendéis, tampoco. Hay que mantener las distancias y poner a cada uno en su sitio, joder —dijo Leire.

—Bueno, basta de lecciones, señorita. Tengo que volver a casa de Krugman, que la científica ya lo habrá puesto todo perdido y patas arriba… A ver si puedo salvar algo.

—Sí, yo también quisiera descansar un poco. Oye, me ha gustado verte. Eres un cabezón, pero me ha gustado verte.

—Sí, ha estado bien. Un día te llamo y vamos a comer si te parece.

—Claro que sí, inspector. Claro que sí.

Salieron juntos de la coctelería. Leire se subió a su moto, una Scoopy de color plata, y a Julián lo recogió un Audi gris que esperaba en doble fila con un policía de paisano al volante. Ambos se despidieron con un beso en la mejilla. Por las escaleras del Milano seguía descendiendo gente aquel jueves de mediados de septiembre. El asfalto de la calle a la una de la madrugada estaba mojado, aunque había dejado de llover. Las cuatro gotas que cayeron habían pintado los coches con lunares de barro.

Capítulo 4

$\mathcal{L}$eire dudó entre volver a pasarse por el diario aquella misma noche o hacerlo al día siguiente bien temprano. Finalmente pensó que sería mejor madrugar; todavía estaría una parte del equipo de cierre haciendo cambios en las páginas de la primera edición. No podía entender que pararan las rotativas cada noche para introducir un par de noticias breves sin relevancia y corregir alguna falta de ortografía que se había colado. Para eso estaba la página web de *El Universal,* que se actualizaba las veinticuatro horas. Era un derroche de tiempo y de dinero que bien podría emplearse en dar más recursos a los redactores para investigar mejor los temas.

El administrador dedicaba horas a repasar los recibos de los taxis y las pingües notas de gastos, que disfrutaba recortando, y sometía a aburridos interrogatorios al personal que rozaban lo ridículo. Sin embargo, no entraba a valorar los costes que representaba parar las máquinas y colocar nuevas planchas en los rodillos para incorporar cuatro comas y un par de acentos.

Lo más absurdo, pensaba Leire, era la crónica de televisión que hacía Mario Canela. De hecho eran dos crónicas bien diferentes: una que iba con el primer cierre del diario en la primera edición y otra que recogía los *late shows*, tertulias y demás programas que se emitían hasta medianoche. Era como si el papel tuviera que resistir la actualización, al minuto, de Internet, con unos trucos que se le antojaban grotescos y muy caros e ineficaces.

En cualquier caso, Leire quería estar sola en el diario. No deseaba que la vieran manipular en el ordenador de Krugman, porque eso es lo que había decidido desde el mismo momento en que salió del Milano.

Era viernes y el fin de semana libraba en el periódico, por lo que pensó que podría dormir el sábado hasta el mediodía y eso la animó a madrugar. A las siete de la mañana ya estaba en la puerta de *El Universal*. No había pegado ojo por la noche, dándole vueltas al terrible asesinato de Krugman y a su reencuentro con Julián. Cuando empezaba a conciliar el sueño, bien entrada la madrugada, oyó cómo Paola, su compañera de piso, entró haciendo chirriar los goznes de la puerta y la cerró tras de sí con tal brío que el golpe la sobresaltó. Recordó que tenía varios mensajes de ella en su móvil animándola a que fuera a tomar una copa al Luz de Gas, pero ni siquiera los contestó.

Aparcó su Scoopy sobre la acera de la calle Pelayo, frente a la puerta de *El Universal* y, como esperaba, solo se encontró con el personal de vigilancia. Les deseó un buen día al tiempo que deslizaba con rapidez su tarjeta en el torno de seguridad para acceder a la planta baja, donde se encontraba la sala de redacción. Las señoras de la limpieza ya habían vaciado los canastos de papeles y viejos periódicos que se amontonaban en cada una de las secciones y oyó el zumbido de un aspirador al deslizarse por las moquetas de la primera planta, donde trabajaban los de publicidad y administración. Estaba completamente sola en la sala de redacción, de más de seiscientos metros cuadrados diáfanos. Tuvo una extraña sensación al oír el eco de sus tacones reverberar entre las mesas y estuvo a punto de descalzarse, pero le pareció una tontería; al fin y al cabo estaba en su trabajo y no debía esconderse de nada ni de nadie.

Sabía que tenía que apresurarse si quería echar un vistazo al puesto de Krugman en la sección de economía. Julián le había dicho que pasaría a primera hora por el diario. En unos minutos aquello podría llenarse de polis.

Miró de reojo hacia las cámaras de seguridad. Conocía su disposición porque, con la excusa de que estaba haciendo un reportaje sobre identificaciones de delincuentes pillados in fraganti por grabaciones en establecimientos, había pedido que le enseñaran cómo funcionaba el sistema del propio diario. Rezaba porque estuvieran enfocadas en el panel de control solo las que mostraban un plano general de norte a sur de la sala, que dejaban sin cobertura parte de las mesas de la sección de economía.

Se situó junto a la silla de Krugman. No se sentó en ella; sintió una especie de hondo respeto y ni siquiera la tocó. El ordenador estaba apagado. Pulsó el botón de arranque y en la pantalla se iluminó la petición de la contraseña. En un acto que se le antojó inocente introdujo la palabra KRUGMAN, primero en minúscula y luego en mayúscula, luego tecleó «Belarmino Suárez». No obtuvo ningún resultado, como era de esperar. Decidió no perder más tiempo y lo volvió a apagar.

Entonces reparó en que bajo el teclado asomaba un post-it de color naranja como los que utilizaba Paola para empapelar toda la casa con sus notas y recordatorios. Lo despegó con cuidado, pues parecía que llevaba bastante tiempo en la base del ordenador, donde el personal de limpieza jamás había pasado un trapo. En el papelito se distinguían unas iniciales escritas a lápiz: en la parte superior «HET. F.» y otras más abajo algo difuminadas que parecían decir «…tacto L.F.». En el reverso había varios números, que aparecían difusos en su mayoría. Se metió el papelito en el bolsillo del pantalón vaquero y abrió los tres cajones de la mesita. Estaban vacíos, sin un solo documento, nada más que algunos bolígrafos baratos, lápices y folios en blanco. Recordó la costumbre de Krugman de llevarse cada día una carpeta llena de papeles a su casa.

Sobre la mesa no había nada más que le llamara la atención, tan solo la nota de agencia que le habían dejado sobre la venta de la empresa Marín&Partners, escrita a lápiz con la que debía de ser la letra de Krugman: VIERNES 16 CENA EN HOTEL ALMA A LAS DIEZ. Dobló el papel y se lo guardó en el bolsillo trasero del pantalón.

Sintió un vacío en el estómago. Reparó en que no había desayunado. El café y los pastelitos de la máquina expendedora del diario le producían náuseas, así que decidió salir a la calle. Eran las 7:15 y todavía no estaba abierta la cafetería que estaba pegada a la portería del diario. Cruzó la calle y entró en el supermercado paquistaní que abría las veinticuatro horas. Compró dos paquetes de donuts y se sirvió el café que Abdela, el encargado de la tienda, tenía calentando permanentemente en una Melitta. Desplegó *El Universal* que estaba sobre una pequeña barra con dos taburetes, lo abrió por la sección de economía y comprobó su pequeña contribución al diario con la información sobre la venta de la empresa de publicidad. Abriendo la sección, Belarmino Suárez, alias Krugman, firmaba un reportaje sobre las agencias de calificación de la deuda y el control que sobre ellas pretendía llevar a cabo el gobierno de Obama. No pudo evitar una sonrisa cuando meditó sobre la contradicción de que un muerto estuviera sirviendo la actualidad informativa a centenares de miles de lectores.

Le dio un bocado al donut y un pequeño sorbo al café humeante, que le supo muy amargo en contraste con el pastelito azucarado.

Miró a la calle. Desde su posición veía la puerta giratoria del diario. El día había amanecido sumido en una neblina que amenazaba con un bochorno húmedo que aconsejaba no pasear por la ciudad. Era el mes de septiembre más caluroso que se recordaba en los últimos años en Barcelona.

Un compatriota de Abdela acarreaba por la calle un bidón de chapa metálica negruzca del que sobresalía una larga percha con un pincel en la punta. Se detuvo en la puerta del supermercado y le ofreció, hablando en paquistaní, engrasarle por un euro las guías de la persiana corredera. Leire no recordaba haberla visto cerrada nunca y le resultó curiosa la escena. Pensó en cómo algunos se las ingeniaban para sobrevivir a la tremenda crisis que se vivía.

De repente vio cómo se detenía frente al diario un coche gris con una luz azul sobre el techo, y tras él dos vehículos más, uno de ellos un Mercedes sedán de color negro. Descendieron al menos cinco personas y reconoció a Julián Ortega; al director, Gavela, y a un tipo con el cabello blanco y gafas que se apeó del lujoso Mercedes. Leire creyó que bien podría ser Francisco Ventura, el propietario del Grupo Universal.

«Ya se ha sabido lo de Krugman», pensó.

Sintió el impulso de cruzar la calle, entrar en el diario y fisgonear, de estar en primera línea, pero lo rechazó enseguida. Debía esperar. Sacó de su bolso el iPhone y se conectó a Internet. Buscó la web de la brigada de investigación criminal y entró en el enlace del departamento de comunicación. No había ningún comunicado de prensa colgado todavía. Se desesperó.

Entró en su cuenta de Twitter y buscó «freepoliciabcn». Allí, a título personal, alguien de la policía colgaba noticias que se adelantaban a los comunicados de prensa oficiales. Revisó los últimos tuits: «Detenidos cuatro rumanos gitanos por asalto a varias joyerías», «Hace explotar una bombona de butano en su casa para acabar con sus vecinos». Recorrió una decena de mensajes hasta llegar a uno tuiteado a las tres de la madrugada: «Posible homicidio. La víctima, un hombre de sesenta años, aparece muerto en su casa de la calle Balmes».

«¡Bingo!», se dijo. Tecleó el teléfono de Rafa López, el responsable de prensa de la policía, que enseguida apareció al otro lado de la línea.

—¿Sí?

—Hola, Rafa, buenos días, soy Leire. Necesito que me confirmes una *info*.

—¡Leire! ¿Tú despierta a estas horas? ¿Qué pasa?

—Mira, es que he visto en la Red un tema de homicidio esta noche en Barcelona y quisiera saber si vais a dar algo…

Rafa la interrumpió con cierta brusquedad.

—¡Joder con la puta Red! Mira, lo colgaremos a las ocho; dentro de media hora escasa…

—Pero me lo puedes adelantar, ¿verdad, guapo?

—Leire, no me hagas eso. Es que es un tema jodido y… bueno, ¿qué sabes tú?

—Solo sé que un tipo de sesenta años ha aparecido muerto en su domicilio en la calle Balmes y que pinta que se trata de un asesinato. ¿Un ajuste de cuentas, quizás?

—Leire, esto lo lleva Julián, y ya sabes…

—¿Julián? ¿A quién te refieres? —Leire se hizo la despistada.

—¡Venga ya! Ya sabes, tu ex. Y además el muerto es… ¿me vas a meter en un lío por media hora?

Leire se quedó desconcertada porque Julián le hubiera hablado de ella a Rafa, pero no dijo nada.

—Ostras, Rafa, venga ya, cuéntame. Prometo esperar para publicarlo a que esté la nota en la web.

Leire solo buscaba tener la coartada de que conocía la información oficialmente para entrar en el diario; lo de menos era publicar la noticia en la web. No quería perderse ni un ápice de lo que aconteciera en este suceso y, por otra parte, no quería implicar a Julián. Este se lo había dejado bien claro.

—Bueno, tía, me fío de ti. Te vas a quedar de piedra: el muerto es Belarmino Suárez, el periodista de tu diario, ese que lleva los temas de economía. ¿Qué te parece? ¿Cómo se te ha quedado el cuerpo?

Leire disimuló con poca convicción

—¡No jodas! Hostia, tío, pero esto es muy fuerte. Estoy a dos pasos del diario… Oye, muchas gracias, ya hablamos, y no te preocupes que no digo ni mú… Un besito.

—Leire, escucha, Leire, ¿me oyes? Leire… ¡mierda!

Ya había colgado y estaba atravesando la calle en dirección a *El Universal*.

Capítulo 5

*C*arlos Marín estaba el viernes a las ocho en punto en su despacho. La gente no acudía a la oficina hasta pasadas las nueve y él quería recoger sus enseres personales sin ser visto. Había tomado la decisión de no volver a pasar más por la que hasta el día anterior había sido su empresa.

El jueves todo había ido a la perfección. Firmaron la venta de Marín&Partners en la notaría de la calle Provenza —al lado de la Pedrera, de Gaudí, donde decenas de turistas hacían cola para visitar el edificio modernista—, cobró el cincuenta por ciento de la operación y el resto quedó depositado en forma de aval en la oficina del banco. Dos apoderados de la entidad financiera se desplazaron hasta la notaría para agilizar los trámites.

Mónica se había vestido de rojo para la ocasión. Llevaba un vestido de seda, para el gusto de Carlos algo transparente y demasiado ceñido, pues le realzaba una figura que se le antojaba excesivamente juvenil para su edad. Todo eran sonrisas y parabienes entre ella y el larguirucho Jeff Halton, que se convertía en el nuevo propietario de la empresa. Carlos prefirió estar callado y simplemente correcto. Estrechó la mano de Halton y le deseó buena suerte en la nueva etapa que emprendía. Solo le dijo, y se arrepintió al instante por lo obvio que le pareció: «Se queda una joya de empresa con un potencial y un futuro extraordinario». Era de manual, pero ya lo había dicho.

«Podrías simplemente estar calladito. Este americano sabrá lo que se hace y el pescado ya está vendido. Has quedado de lo más simple; en cambio, mírala a ella, que sí forma parte del futuro. Todo un potencial, radiante y encantadora. Se embolsa una pasta y cobrará cada mes durante los próximos tres años. Tú, en cambio, habrás de buscarte la vida, aunque ya la tienes resuelta.»

Pero la cabeza de Carlos Marín estaba en otra parte. No se había podido despegar de Mónica en toda la mañana y necesitaba ponerse en contacto con el detective Luis Fernández, así es que una vez concluida la firma buscó la excusa para ausentarse del despacho del notario.

—Mister Halton, debo ir a recoger el coche al taller y solucionar unos asuntos. No creo que pueda acompañarle a la comida, pero Mónica estará encantada de hacerlo. ¿No es así, cariño?

—Por supuesto, amor. No te preocupes. Comeremos cerca de la oficina, en el Windsor. Tenemos que revisar alguna documentación y será lo más práctico. Si tienes tiempo, pasa a tomar un café más tarde. Ah, y recuerda que esta noche hemos quedado a cenar con Belarmino Suárez para lo de la entrevista del domingo en *El Universal*. En el hotel Alma a las diez.

—Sí, claro. Allí estaré.

Se marchó corriendo escaleras abajo sin esperar el ascensor. En cuanto alcanzó la calle cogió un taxi mientras tecleaba el número de Fernández en el móvil.

—Fernández, soy Marín. ¿Hay alguna novedad?

—No, señor Marín; lo cierto es que esperaba que me llamaran a primera hora y aún no lo han hecho… Es extraño.

—Bien, voy hacia su despacho.

—Conforme, aquí le espero.

Marín tomó el ascensor hasta el quinto piso, donde estaba el despacho del detective Luis Fernández. El edificio tenía ocho plantas, todas ellas de oficinas. Una buena parte estaba por alquilar y los letreros de las inmobiliarias se disputaban el espacio en los balcones. Era un inmueble antiguo situado en la calle Floridablanca sin ninguna pretensión ornamental en su fachada, restaurada recientemente, con lo que lucía mejor en su color blanquecino que su interior, oscuro e iluminado escasamente por fluorescentes parpadeantes cuyos zumbidos advertían de que debían ser repuestos con urgencia.

Abrió la puerta la secretaria de Fernández, una mujer cincuentona, regordeta y bajita, con gafas de pasta negras que aumentaban sus ojos hasta parecer los de una lechuza. Marín reparó en su vestido, estampado con flores de colores lilas y rosas, que zarandeó con su gran trasero a ambos lados mientras le acompañaba con diligencia hasta el despacho del detective.

—El señor Marín está aquí, Luis.

—Gracias, Carmen, que pase.

Fernández levantó su pequeño y frágil cuerpecillo de la silla ergonómica con ruedas que imitaba una piel rojiza que no podía corresponder a animal alguno. Le estrechó la mano.

—Siéntese, por favor. ¿Quiere tomar un café o un agua? Hace un calor del demonio hoy.

—Agua estará bien.

Marín se acomodó frente a él en una silla del mismo color pero situada unos diez centímetros por debajo de la del detective. Se sirvió de la jarra de agua que estaba sobre la mesa de cristal traslúcido, que desentonaba con el resto del austero y escaso mobiliario de aquella oficina rectangular de apenas quince metros cuadrados.

—Bien, señor Marín. Como le dije, recibí una llamada de un individuo que me preocupó. No solo sabía de la existencia de las fotos, sino que me dio a entender que estaban en su poder…

—Me las sustrajeron al poco de salir de su despacho. Creo que me siguieron y… fui un imprudente. Cuando usted me llamó anoche el maletín estaba en casa. Lo devolvieron, pero las fotos no estaban en el sobre.

—¿Quiere decir que el ladrón le devolvió el maletín en su casa y solo se llevó las fotos?

—Sí, eso es. Contenía los documentos, las llaves… solo faltaban las fotos. Lo demás ni lo tocaron.

—Hum, veamos… ¿Le importa que fume? —Fernández no esperó a que Marín respondiera y le ofreció un cigarrillo que este aceptó—. Está claro que solo quieren negociar con el material de su mujer. Hacerle chantaje.

—Eso pienso yo. Pero ¿a mí por qué? En todo caso a mi mujer, ¿no? Yo no tengo nada que perder. Al fin y al cabo es ella la que saldría perjudicada, ¿no cree?

—Bueno, ustedes son, aparte de matrimonio, socios en una empresa importante…

—Éramos socios, acabamos de vender la empresa. Ya no nos une ningún vínculo económico.

—Sí que resulta extraño, pues. El que me llamó tenía interés en saber quién había requerido mis servicios; me preguntó si se trataba de una empresa o un particular, como si cuestionara lo más elemental en este tipo de trabajos, que, ya sabe usted, suelen ser encargados por uno de los cónyuges... Ciertamente, ahora que lo pienso con detenimiento, en ningún momento llegó a pedirme dinero. Estaba interesado también en saber quién era, con perdón, el amante de su mujer. Por supuesto, yo no le dije nada. Fue entonces cuando lo llamé a su casa para comprobar el asunto. El tipo quedó en que me volvería a llamar, pero yo he estado como un clavo aquí desde las nueve y no ha dado señales de vida. Es curioso, no paraba de hacer preguntas, aunque parecía un caballero educado; por teléfono no daba la sensación de ser un chantajista de poca monta...

—¿Puedo ver de nuevo las fotos? Supongo que conservará una copia de ellas.

—Por descontado señor Marín, soy un profesional. Las fotografías están digitalizadas y encriptadas en archivos seguros. Faltaría más. Faltaría más...

Giró la pantalla del ordenador hacia Marín sobre la mesa de cristal y apretó el botón «intro». Tenía presta la exhibición, como si la esperara desde el comienzo de la entrevista.

Marín respiró hondo. Por un momento quiso que la realidad se hubiera transformado en algo efímero y cambiante «Todo es susceptible de modificarse; incluso, a veces, el paso de las horas modifica las percepciones más concluyentes.» Pero no era así. Una docena de imágenes de Mónica desnuda encima de un individuo inidentificable aparecían como un carrusel en cadencia de tres segundos en la pantalla de veinte pulgadas del ordenador del detective.

—Lamento que las imágenes no tengan la calidad adecuada. Tuvimos que situar las cámaras a cincuenta metros de la suite del hotel. No había otra forma. Entre la suite y el piso que alquilamos están los jardines y la piscina... No podemos identificar al amante de su mujer, con perdón... No entraron juntos.

—No se le ve la cara... —constató con extrañeza Marín.

—Eso es lo que le digo. Su mujer está, si me permite, en

una posición, encima de él, cubriéndolo e impidiendo reconocer las facciones del individuo que, como apreciará, está en decúbito supino. Es lo que suele llamarse la postura de la vaquera, creo que se llama así, ¿no? En unas tomas se confunden los pliegues de la almohada y de la sábana con la cabeza del hombre, pero que, si no fuera porque el tema es tan delicado, parecería que no tiene cabeza; ya ve qué tontería…

—Sí, es una tontería —terció Marín, molesto por los obvios e innecesarios comentarios del detective, que parecía disfrutar con la situación.

—Deberíamos hacerles otro seguimiento. Si su mujer no está alertada nos será fácil tomar nuevas fotos y dar con su amante y hasta con su dirección…

—¿No cree que antes deberíamos recuperar las que me robaron?

—Sí, tiene usted razón, pero ello no excluye que podamos poner en marcha una nueva investigación y…

Marín dio un brinco de la silla y de un manotazo tiró el vaso de plástico en el que se había servido el agua. El detective había acabado con su paciencia.

—A ver si se entera de una vez, Fernández —dijo alzando la voz—. El único encargo que tiene es recuperar las puñeteras fotos. Luego nos olvidaremos de todo. ¿Lo entiende? ¿Será usted capaz de hacerlo? Porque lo que ha hecho hasta ahora es una chapuza. Jamás había visto unas fotos tan mal hechas. Esto es una puta mierda.

Fernández encogió su diminuto cuerpo en el respaldo de la silla, que ahora sobresalía dos palmos por encima de su cabeza. Se abrió la puerta del despacho y entró la secretaria.

—¿Va todo bien, Luis? —dijo fijando sus abultados ojos en Carlos Marín.

—Sí. Todo está perfecto, Carmen. Puedes irte a comer. Es muy tarde. Te veo luego.

La secretaria frunció el ceño como si quisiera impresionar a Marín y volteó enérgicamente sus caderas para girar sobre sí misma y salir del despacho. El vestido estampado revoloteó con cierta violencia y desapareció tras la puerta.

—Cálmese, señor Marín, cálmese. Sé lo engorroso que es todo esto para usted y tenga la seguridad de que daremos con el que ha sustraído el material. —Tuvo la precaución de no decir la palabra fotos—. Daremos con él. Me pondré en contacto con usted en cuanto haga algunas averiguaciones. Tengo mis contactos en la compañía telefónica y lo primero que voy a hacer es tratar de localizar a quien me llamó anoche. Aunque lo hizo desde un número oculto creo que hay forma…

—Está bien. Haga lo que tenga que hacer. Espero su llamada.

Marín pasó el resto de la tarde del jueves paseando por el Paralelo hasta el puerto. A media tarde comió un bocadillo en un bar del Port Vell y se tomó un whisky sentado bajo una sombrilla de una de las terrazas del Palau de Mar. Sobre las seis aún no había conseguido relajarse y decidió ir al gimnasio. Miró su móvil, que había silenciado. Tenía varias llamadas de Mónica, pero no se las devolvió. Salió del gimnasio a las siete y media, mucho más entonado, y fue a casa a darse una ducha y cambiarse para la cena con el periodista Belarmino Suárez.

A las diez en punto estaba en el hotel Alma, en la calle Mallorca junto al paseo de Gracia, un cinco estrellas de gran lujo recién inaugurado que Mónica pensó que sería del agrado del periodista, siempre acostumbrado a acudir a los mejores restaurantes de la ciudad. Ella estaba en la terraza exterior tomando una copa y con un cigarrillo encendido. No se había cambiado el vestido rojo con el que empezó el día. Al verle le recriminó que no le hubiese contestado las llamadas y él se excusó con que se había quedado sin batería en el móvil.

Estuvieron esperando algo más de una hora a que apareciera Belarmino Suárez, pero este no acudió a la cita. Lo llamaron varias veces, pero tenía conectado el buzón de voz. En *El Universal* les dijeron que había salido del diario. Finalmente cenaron solos en el jardín del hotel, donde corría una brisa agradable que esparcía el olor de los arbustos aromáticos recién plantados. Marín apenas probó bocado y estuvo en silencio la mayor parte de la cena.

Se fueron a casa y de nuevo el silencio.

A las doce se metieron en la cama. En la oscuridad de la habitación Mónica le dijo:

—¿Qué te pasa, cariño? Debía ser uno de los días más felices de tu vida y, sin embargo, estás callado y muy raro…

—No me pasa nada. Nada, de verdad. Es solo que estoy cansado y que tengo que digerir lo de la venta… Ya sabes, la nueva vida que llevaré a partir de ahora… Duerme. Estoy muy cansado.

Carlos solo le daba vueltas una y otra vez a por qué alguien querría robarle las fotos de Mónica. Todo aquello tenía poco sentido: un chantajista que no había dado señales de vida, unas imágenes en las que resultaba imposible identificar al amante de su mujer y esta que, o no sospechaba nada o era más astuta de lo que él era capaz de prever… Pero ¿para qué disimular? Estaba confundido y era incapaz de dar respuesta a ninguna de las incógnitas.

Al día siguiente, Carlos estaba acabando de empaquetar sus últimos objetos personales cuando sonó el teléfono de su despacho: era una periodista del diario *El Universal*, Leire Castelló, que le dijo que sabía que tenía una cita con Belarmino Suárez la noche anterior, pero que este no había acudido porque estaba muerto. Le preguntó si podían verse en algún sitio aquella misma mañana. Carlos dudó, pero aceptó recibirla. La aparente seguridad de Marín se iba desmoronando y creyó que tener un cierto protagonismo en una entrevista con un medio de comunicación le podría ayudar a recuperarla.

Capítulo 6

Julián Ortega entró poco antes de las ocho de la mañana en *El Universal*. Le acompañaban Francisco Ventura, propietario del diario; el director David Gavela, y, pegado a este, el policía Fernando Barreta, un especialista en delitos informáticos de la brigada de investigación criminal al que había pedido ayuda para analizar el ordenador de Krugman.

Ortega había llamado muy temprano a Ventura, a quien sacó de la cama a regañadientes y citó en el diario media hora más tarde. Le pidió que avisara también a su director. Tuvo que decirle de qué se trataba, aunque hubiese preferido ver la reacción de ambos al anunciarles, en persona, la muerte de Krugman.

Entraron los tres en el despacho de Ventura. Barreta se quedó echando un vistazo a la mesa de Krugman.

El despacho del propietario de *El Universal* era muy espacioso. Una mesa de trabajo semicircular de caoba de al menos tres metros de largo aparecía impoluta; apenas un teléfono, un pisapapeles y el periódico del día extendido en el centro. De una de las paredes colgaban media docena de pantallas de televisión que estaban apagadas, bajo ellas un sofá de piel negra de cuatro plazas y dos butacones a juego rodeaban dos mesitas de cristal oscuro. Sobre una de ellas había un moderno teléfono inalámbrico. En otra pared colgaban dos dalís y un miró que Ortega pensó que bien podrían ser originales.

Se sentaron en el sofá y al momento la secretaria del director acudió con unos cafés. Ventura se acomodó en uno de los sillones y se situó frente a Julián, que ocupó, como de costumbre, un asiento mirando hacia la puerta. A su derecha Gavela le dio un primer sorbo al café.

Ventura era un tipo de cincuenta y tantos años, de estatura mediana y cabello blanco que usaba lentes armados sobre una delgada montura de titanio, apenas perceptibles en su rostro. Tenía aspecto de intelectual y, sin embargo, en cuanto abrió la boca parecía de los que iban directos al grano. Se le notaba molesto y contrariado.

—Bien, inspector Ortega, usted dirá. ¿Cómo sucedió lo de Belarmino?

Gavela dejó sobre la mesita la taza de café y esparció sus michelines en el sofá. Rayaba la obesidad mórbida y le costaba respirar.

—No viene a menudo por aquí, ¿verdad, señor Ventura? —preguntó Julián Ortega al observar la despejada oficina.

—Mi despacho está en la sede de radio y televisión, y suelo estar tres días en Madrid y dos en Barcelona. Anoche llegué a última hora y por eso me ha pillado aquí. Normalmente los viernes estoy en Barcelona, pero en el edificio corporativo de la Diagonal. Dentro de poco tenemos idea de trasladar el periódico allí, aunque algunos dicen que no vale la pena por eso de que los periódicos de papel tienen los días contados... ¿Usted qué piensa, inspector?

David Gavela miró de reojo y con mala cara a su patrón pero este no se dio cuenta. A Julián esto no le pasó desapercibido y no entró a contestar la pregunta de Ventura.

—Belarmino Suárez fue asesinado brutalmente en su propio domicilio ayer por la noche. Según el forense, aunque pendiente de confirmar, debió de ser entre las ocho y las diez. ¿Podría decirme qué relación tenía con él? ¿Lo conocía personalmente? Usted debe de tener cientos de empleados entre todas sus empresas...

—Por supuesto que conocía a Krugman, como lo llamamos en el grupo. Quiero decir, lo llamábamos. De hecho yo le fiché personalmente. Estuvo unos años trabajando en el *Financial Times* como corresponsal en Madrid y lo teníamos colaborando de tertuliano en la radio. Cuando montamos la corresponsalía en Nueva York fui yo quien se lo recomendé a David, ¿no es así?

David Gavela asintió de mala gana. Ortega pensó que, por alguna razón, entre Ventura y él no había buena sintonía y debía averiguar por qué.

—Entonces, ¿llevaba trabajando con ustedes…?

—Ocho años en el periódico como corresponsal y seis en Barcelona como redactor jefe de economía. Total unos catorce años —contestó David Gavela, abriendo por primera vez la boca y exhalando aire con un silbido.

—Sí, así es —confirmó Ventura—, si no contamos sus años de colaborador en Universal Radio…

—¿Qué opinión tenían de él? ¿Dirían que era un cargo de confianza? ¿Podía ser que se hubiese granjeado algún enemigo debido a lo que publicaba?

—Era un periodista de raza, de los pocos que quedan —terció Ventura antes de que Gavela pudiera intervenir—. Mire, inspector, sus fuentes eran increíblemente buenas. Muy buenas. Todo el mundo en este país se le ponía al teléfono. Su muerte se tendrá que explicar muy bien: no han matado a un cualquiera. Con eso no le quiero meter presión a su investigación, pero este periódico se verá muy afectado y deberemos dar explicaciones convincentes lo más rápido posible.

—Ese es mi trabajo —dijo Ortega con seguridad y mostrándose tranquilo ante Ventura, que parecía haber pasado al ataque sin provocación previa—. Me gustaría que me respondieran. ¿En qué estaba trabajando últimamente?

Francisco Ventura miró por primera vez a la cara de David Gavela y le hizo un gesto con la cabeza para que respondiera.

—Bueno, es difícil saberlo: era muy independiente. Me consultaba, eso sí, los temas de cada día. Venía a los comités de redacción diariamente y también me contaba de qué iría su sección «Altas Esferas», que es de las más leídas el domingo; precisamente la tenía que entregar esta tarde. Tenía libertad en los temas y no conozco nada, digamos… delicado, en lo que estuviese metido. Es una gran pérdida.

—¿Tendrán algún inconveniente en que nos llevemos su ordenador? Es posible que nos dé alguna pista…

—Eso no será posible, inspector —soltó Gavela al instante—. Debe entender que cualquier información que contenga tiene el amparo del secreto profesional y…

—No digas tonterías —interrumpió Ventura bruscamente—. ¡Qué secreto ni qué hostias! ¿No has oído que lo han matado? A veces los periodistas os la cogéis con papel de fumar. Claro que puede llevárselo, le daremos las contraseñas. Ya le he dicho que para nosotros este tema es delicado, muy delicado, inspector. Y si tenía algún secreto profesional estoy seguro de que se lo llevará a la tumba —dijo con cierta sorna y mirando con autoridad al director—. Krugman era muy cuidadoso para dejar rastros en un ordenador... No creo que encuentre gran cosa, pero es todo suyo.

Gavela hizo una mueca de impotencia y resopló como si se sintiese agobiado por las circunstancias. Julián Ortega pensó que había algo más que diferencias profesionales entre el propietario y el director del diario y concluyó que debía entrevistarles a ambos por separado si quería obtener más información.

—Bien, mi compañero le echará una ojeada en comisaría. Señor Gavela, ¿cuándo fue la última vez que vio a Krugman, quiero decir, al señor Suárez?

—Ayer por la tarde sobre las seis estaba en la redacción. No hablé con él, pero recuerdo que pasé a su lado cuando me fui a un coloquio en la televisión. De todas formas lo podemos confirmar con el control de seguridad del diario. Todos los empleados deben acceder por él.

—Sí, pediremos esos registros. ¿Qué hacía Krugman en el momento en que le vio?

—Recuerdo que estaba hablando por teléfono. Con su móvil. Tenía la costumbre de no utilizar nunca los teléfonos del periódico; decía que estaban pinchados, ya ve usted. Yo creo que su etapa trabajando para un periódico inglés conformó esa idea en su cabeza... ¡Como si todos practicáramos esa mierda de periodismo de espionaje a las fuentes y a los ciudadanos! Decía que su móvil estaba encriptado y a prueba de escuchas...

Ortega recordó que no habían encontrado el teléfono móvil en casa del periodista. Seguramente quien le asesinó se lo llevó. Barreta se ocuparía de investigar las llamadas en la compañía telefónica. Pensó que no tenía sentido seguir preguntando a los dos a la vez, así que cambió de táctica.

—Bueno, ahora es importante que en su diario traten con tacto el asunto. Yo les mantendré informados, y quisiera que estuvieran localizables por si necesito de ustedes. De todas formas aquí tienen mi tarjeta para cualquier cosa que se les ocurra…

—Hay una cosa que no entiendo, inspector Ortega —dijo Ventura—. Si murió anoche, ¿cómo es que no nos han avisado hasta ahora? Es más, ¿cómo no me llamó el alcalde o el jefe de policía? Me llaman para pedirme mil favores chorras y no lo hacen para decirme que han matado a uno de mis periodistas más importantes. —Esto último lo soltó con un gesto de desprecio.

Julián Ortega lo entendió, una vez más, como una advertencia de que estaba hablando con alguien muy influyente y que debería andarse con cuidado.

—Ya le he dicho que soy el responsable de la investigación y la noticia se ha dado a conocer hace escasos minutos en la web de la policía. Nos pareció prudente esperar unas horas e investigar en el lugar de los hechos…

Ventura insistió:

—¿Quiere decir, inspector, que escondió la información a sus superiores además de al conjunto de los ciudadanos? Somos un grupo de comunicación y el periodista asesinado pertenecía a él…

Julián Ortega le interrumpió.

—Mire, señor Ventura, si quiere quejarse al alcalde o llegar hasta el fiscal anticorrupción, hágalo. No tengo por qué darle explicaciones. Les repito que traten con cuidado este asunto. Volveremos a vernos. —Julián se levantó del sofá e hizo un gesto de despedida con la cabeza—. Que tengan un buen día.

Gavela esbozó una sonrisa de satisfacción al ver que alguien se enfrentaba al todopoderoso Ventura.

Julián salió del despacho en busca de Barreta, que estaba manipulando en el ordenador de Krugman con unos guantes de látex transparente. Había depositado en unas bolsitas de plástico algunos bolígrafos y material de escritorio que el periodista tenía en los cajones de la mesa.

—Esto es todo lo que hay, Julián; este tipo no tenía ni un maldito papel… cuatro bolis y…

—Mejor deja esas bolsas. Solo falta que les lleves a los de la científica una goma de borrar… son capaces de volvernos locos. Pide las claves al director y nos llevamos el ordenador. Ah, y que te firme el consentimiento.

—Sí claro, ahora voy, aunque no las necesito para acceder al ordenador... Esa es mi especialidad, ¿recuerdas?

Barreta descargó de nuevo los bolígrafos en los respectivos cajones y se acercó Gavela, que le tendió un papelito.

—Aquí tiene las contraseñas —dijo—. Y dígame, ¿dónde he de firmar la autorización para la retirada del ordenador? —Barreta le extendió un formulario que firmó sin mirar. Se dirigió a Julián con voz grave—: Inspector, me gustaría tomar un café con usted, ¿tiene tiempo ahora? Le invito a desayunar, pero fuera de aquí.

—Claro que sí —contestó Julián.

Habían llegado al periódico unos cuantos redactores enterados de la muerte de Krugman. La agencia EFE ya había dado la noticia, citando la nota de prensa de la policía. El incombustible Daniel Soler, que fue el último en abandonar la redacción la noche anterior, exhibía un semblante cansado y parecía desconcertado. Miró a Gavela, inquiriéndole con un gesto qué debía hacer, y este le dijo que pusiera la nota oficial de la policía en la web y que preparara un obituario que él revisaría en una hora, cuando estuviese de vuelta.

Cuando se marchaban del diario les salió al paso Leire. Gavela le dijo que la vería más tarde, que estuviera tranquila, y no tuvo más remedio que presentarle a Julián Ortega.

—Inspector, le presento a Leire Castelló. Nuestra reportera de sucesos. Leire, es el inspector Ortega. Lleva el caso de Krugman.

—Sí, ya nos conocemos —dijo Leire—. Está bien, David, nos vemos en un rato, ¿eh? Encantada de volver a verle, inspector —añadió con cierta impostación—. Veo que está al cargo de este horrible caso. Sabe que puede contar conmigo para lo que precise...

—Está bien, Leire —dijo el director, cortante—. El inspector y yo nos disponíamos a salir. Luego hablamos. Sobre todo espérame, que te voy a necesitar. Voy a necesitar a todos para que esto no se convierta en una jaula de grillos...

Capítulo 7

*C*aminaron escasamente cincuenta metros desde *El Universal* hasta la puerta del hotel Catalonia, en la misma calle Pelayo, junto a las Ramblas barcelonesas. Eso fue suficiente para que David Gavela, *Goliat*, como lo llamaban los periodistas del diario, sudara ostensiblemente y resollara como si hubiese corrido una maratón.

Al entrar en la recepción del hotel Julián Ortega notó un escalofrío debido a la baja temperatura del aire acondicionado; en cambio Gavela pareció revivir y hasta respirar sin dificultad. Se sentaron en un apartado de la cafetería del hotel y un camarero saludó amigablemente al director, que parecía un asiduo del establecimiento.

Gavela pidió dos huevos fritos con beicon, un par de tostadas, unos bollos y una Coca-Cola; Julián un café y una tostada que untó con mantequilla. Pensó que a David Gavela no le importaba su obesidad y descuidaba su alimentación. Como si le hubiera leído el pensamiento, este le dijo:

—Inspector, a mí el colesterol me mantiene vivo. Me da energía. —Soltó una carcajada.

—Usted sabrá. Cada uno conoce sus límites. Pero debería cuidarse. Mi madre siempre dice que pasados los cincuenta el hambre ya no cuenta; suena algo así como a un refrán. De hecho se lo decía a mi padre, que murió de un infarto recién cumplidos los cincuenta y cinco, aunque estaba delgado y se cuidaba…

—De joven practiqué boxeo y lucha libre y le aseguro que me zampaba el doble de calorías que ahora. Me siento como un roble, si no fuera por esta maldita alergia que no me deja respirar. No se preocupe por mí, Ortega, hay cosas que sientan peor que la comida y te las tienes que tragar...

—¿Se refiere a la actitud de Ventura? Me ha parecido un personaje especial... —afirmó Julián con ganas de entrar en el asunto.

—Sí, aunque no tanto. Creo que la mayoría de propietarios de medios de comunicación en nuestro país son como él o parecidos. Ya no hay editores como los de antes: ahora solo buscan rodearse de financieros y especialistas en reestructurar empresas. Los periodistas somos una carga para ellos y el periodismo es una palabra que han borrado de su diccionario.

—¿No exagera?

—Mire, en mi diario hace solo un par de años éramos doscientos cincuenta periodistas y cien en los departamentos de administración, publicidad, etcétera. Ahora somos escasamente la mitad de periodistas y se mantiene el noventa por ciento de las áreas administrativas. ¿Y luego los Ventura de turno se preguntan si tienen futuro los periódicos? La respuesta es que el futuro se lo están cargando ellos más rápido que las nuevas tecnologías. ¿Sabe? Han tirado la toalla antes de tiempo. Se sienten noqueados, desconcertados, y ya no quieren pelear en un ring en el que solo cabe la táctica del buen periodismo.

Julián tuvo la percepción de que Gavela también había tirado la toalla. Se zampó uno de los huevos fritos de un bocado y continuó hablando.

—Hace un año tuve que eliminar todas las corresponsalías del extranjero, aunque ya solo quedaban cuatro de las doce que fueron en su momento. Viajar cuando hay un conflicto resulta poco menos que un vía crucis de autorizaciones administrativas internas. Las agencias de noticias me las han recortado a la mitad y, por descontado, todos nos hemos bajado el sueldo, con lo que mi gente está tan motivada como yo para iniciar la escalada al Everest... ¿Aún cree que exagero?

—Imagino que eso se nota en la calidad de lo que publican... sus lectores no deben de estar muy contentos —dijo Julián.

—Mis lectores tienen más paciencia que un santo. Incluso

los que nos abandonan cada día me merecen un respeto. Yo no digo que en las buenas épocas pudiera haber excesiva manga ancha en las redacciones, pero hoy estamos cayendo en picado y los editores o no lo saben o no quieren evitarlo. El barco se hunde y los capitanes son los que lo están saboteando.

—Hábleme de Francisco Ventura.

El plato de Gavela estaba vacío y estaba a punto de meterse un bollo de crema en la boca cuando se detuvo y le dijo:

—Ventura es listo, pero no tiene los cojones de su padre, quien fundó el diario hace ochenta años, en plena República. Este era un liberal, un tipo altruista de buena familia que supo sortear, no sin dificultades, la Guerra Civil y la dictadura. Le cerraron durante cinco años el periódico pero lo volvió a abrir. Eso era un editor. ¿Entiende a qué me refiero?

Julián asintió con la cabeza.

—El todopoderoso Francisco Ventura no es más que un advenedizo que ha sabido tocar las teclas del poder para construir un imperio mediático de televisiones, radios y revistas en el que el periódico ha jugado un papel muy relevante.

—¿Quiere decir que ha utilizado el periódico para conseguir favores políticos? —Julián sabía que hacía una pregunta obvia, pero quería que Gavela concretara.

—Usted lo ha dicho. ¿Cómo cree que se consigue una licencia de televisión nacional en este país? ¿O una cadena de emisoras de radio cuando las concesiones dependen de los gobiernos de turno? Mi editor —dijo con sorna— ha sabido jugar sus bazas y, claro está, apostar por los caballos ganadores en cada momento. Si estábamos en un gobierno de izquierdas éramos moderadamente críticos con este; cuando el gobierno se caía a pedazos y las encuestas eran favorables a la oposición, sus medios se ponían descaradamente del lado de la misma.

—¿Y los lectores? ¿No se despistaban?

Gavela lanzó una sonora carcajada.

—Bueno, para eso estamos los periodistas, supongo; tenemos que torear los intereses del editor y la mayoría de las veces no coinciden con los de los lectores… Es una labor, digamos, de enhebre… intentar no perder las referencias y no venderse por un plato de lentejas. Es un duro ejercicio de equilibrio.

—Suena complicado.

—Lo es. Pero déjeme que le diga que lo peor está por llegar.

—¿Por qué? —Julián se mostró interesado, ya que notó que David Gavela tenía ganas de explayarse.

—Desde hace unos años los anunciantes nos están abandonando. No es solo por la crisis que vivimos; el consumo y todo eso por los suelos. Es que están perdiendo la fe en la publicidad de los diarios tal y como estaba pautada hasta la fecha. Ahora es mejor aparecer en la información pura y dura o hasta en la columna de un articulista con sutileza. Algunos lo llaman publicidad subliminal; yo prefiero llamarlo publicidad encubierta. No hay día en que Ventura no me diga que un banco, una compañía telefónica o una eléctrica vería con buenos ojos que escribiera tal articulista o que se ilustrara la información con un material que nos proporcionarán ellos. Y claro está, los asuntos delicados ni tocarlos o a hacerlo de soslayo… Es todo una mierda.

—¿Esas informaciones se cobran?

—No tengo la menor duda de que Ventura lo hace. Por lo que yo sé tenemos convenios anuales con algunos… llamémosles clientes. Otras veces son en especies: ya sabe, favores que hace el diario y que aparecen como anuncios en la radio o la televisión que solo él controla.

—¿Y por qué sigue al frente del diario?

—Me lo pregunto cada día, inspector, cada día, y acabo por convencerme de que si no estuviera yo al frente pondría a otro que le obedecería sin rechistar. Hago, humildemente, de contrapoder… y Ventura es listo y sabe que eso le conviene. No nos queremos, pero nos soportamos. ¿A usted no le pasa con sus superiores?

Julián pensó por un momento en muchas de las zancadillas y controles de los de asuntos internos, del propio fiscal anticorrupción y de los métodos burocráticos por los que tenía que pasar para no acabar delante de un juez por la simple denuncia de un delincuente o un confidente, pero calló.

—¿Qué papel tenía Krugman en todo esto? Quiero decir, parece que tenía fama de estar pagado por ciertos intereses empresariales. Eso he oído…

—Sí, tenía esa fama, aunque nadie lo pudo demostrar. Era muy buen periodista, pero no pondría la mano en el fuego… A veces tenía informaciones que podrían sospecharse que eran interesadas, pero no seré yo quien diga que eran pagadas. Simplemente no tengo pruebas. Sin embargo hay algo que debe saber... —Se tomó el café de un sorbo y engulló el segundo bollo de crema.

—¿Sí?

—Krugman trabajaba directamente para Ventura. Era una especie de asesor. Sin embargo, mantenía cierta distancia con sus formas de hacer y de pensar; un poco como en mi caso. Ya le he dicho que mi propietario es muy listo: no siempre se rodea de gente que le dice sí a todo. Sabe buscar la compensación aunque siempre se acabe haciendo lo que él quiera.

—¿Cómo era esa colaboración entre ellos dos?

—No creo que estuviese bien definida. Quiero decir que no era sistemática... Más bien, Ventura le llamaba y le consultaba determinados temas o le pedía que le hiciese determinado contacto a según qué niveles para que luego pudiese rematar por arriba...

—¿Por ejemplo?

—Krugman fue quien lo salvó de una buena multa con Hacienda, e incluso de un proceso penal, cuando se descubrió que había revendido los derechos de televisión de varios deportes a otros canales extranjeros y había ingresado los beneficios en un paraíso fiscal. El propio Krugman se enteró de que los inspectores estaban sobre la pista y lo desactivó con el ministro. Cuando concedieron las emisoras de radio me consta que lo teníamos muy cuesta arriba, pero el vicepresidente del gobierno tenía un *affaire* con una jovencita que le hubiese puesto en serias dificultades. No sé cómo le llegó esta información a Krugman, pero Ventura retiró todas las fotos a cambio de una importante cantidad... En fin, ya se hace una idea...

Julián Ortega asintió, aunque no pudo disimular su perplejidad ante lo que estaba oyendo.

—Pero entonces Krugman pudo cometer alguna acción, digamos que... ilegal en nombre de su empresario...

—No creo, inspector; siempre estaba en la línea de lo permitido. Le puede sonar contradictorio, pero era un buen periodista: no hubiera dejado de publicar algo relevante aunque hubiese ido en contra de los intereses del editor. Es cierto que utilizaba sus influencias para salvarle de sus trapicheos financieros y para echarle una mano en que la empresa creciera, pero jamás hubiera admitido una censura en un asunto de interés general, y Ventura lo sabía. Ya le he dicho que es muy listo y se rodea de gente que no siempre ha de reírle sus gracias…

—¿En qué estaba trabajando últimamente? Antes se lo pregunté en el despacho…

—No me apetecía contestarle delante de Ventura. No es que fuera importante, es que procuro mantener mi parcela algo alejada de él… Krugman tenía que escribir sobre la venta de la mayor agencia de publicidad española. El domingo tenía reservada la sección «Altas Esferas» para dar su enfoque sobre ello. No llegó a hacerlo…

—Cuénteme de qué va esa venta.

—Bueno, no hay mucho que contar: Marín&Partners es una agencia que ha crecido mucho en los últimos años. Pertenece a un matrimonio, Carlos Marín y Mónica Lago. Ella dejó la agencia donde trabajaba y se llevó la mayoría de clientes a Marín, se casó con él e hicieron sociedad al cincuenta por ciento. La acaban de vender por sesenta millones de euros a una agencia americana, General Advertising. Son dos personajes en el mundillo de los negocios. Llevan las cuentas de los anunciantes más importantes. El propio Ventura les encargó el lanzamiento del canal de televisión y en el periódico hemos hecho algunas campañas con ellos.

—¿Cómo solía enfocar Krugman este tipo de artículos?

—Imagino que habló con ellos, me refiero al matrimonio Marín, y seguramente también con los americanos… Siempre buscaba las fuentes directas y un enfoque diferente de lo que publicaban los demás. Seguramente trató de averiguar el por qué de la venta… aunque en este caso me temo que está muy claro: conociendo a Marín, ha visto su oportunidad en un momento en que la publicidad está cayendo… No sé, no puedo decirle gran cosa.

—He echado un vistazo rápido a algunos de los artículos de Krugman esta madrugada por Internet. Disculpará que no sea un asiduo seguidor de la prensa; en la brigada nos envían un resumen y luego en Internet sigo la actualidad… —dijo excusándose.

—Tranquilo, inspector, no ha de justificarse. Es lo que hay hoy en día. A Krugman y a casi todos los que escriben en mi periódico los puede leer gratis sin necesidad de acudir al quiosco… Así están las cosas: estamos regalando el poco o mucho valor que tienen las informaciones.

—Bien, por lo que he visto seguía muy de cerca la economía americana. Hoy mismo publica un interesante artículo sobre las agencias de calificación de la deuda.

—Sí, son reminiscencias de su pasado en Nueva York. Despreciaba a los economistas europeos con escasas excepciones: aquellos que se habían formado allí… No le digo ya la opinión que le merecían los españoles. Para Krugman el mundo económico giraba en torno a Estados Unidos y se detenía en cuanto cruzaba el Atlántico…

—Le preguntaré directamente, Gavela: ¿quién cree usted que pudo matar a Krugman?

—Inspector, no tengo la respuesta, pero si me permite yo me preguntaría: ¿quién puede querer matar al mensajero por ser portador de una mala noticia? Yo empezaría por ahí. No le va a ser fácil. Nada fácil.

Salieron de la cafetería del hotel. Julián Ortega notó cómo vibraba en su bolsillo el teléfono móvil. Eran las diez de la mañana. Tenía una llamada perdida de Barreta y un mensaje de texto de Leire que decía: «Tenemos que vernos urgentemente».

Capítulo 8

Julián Ortega llamó a Barreta, que ya estaba en comisaría con el ordenador de Krugman. Lo hizo desde la puerta de *El Universal*, en la calle, junto al coche que lo había conducido hasta allí. El conductor, un policía joven, estaba apoyado sobre el capó fumando un cigarrillo y con un café en la mano; al ver al inspector dio un respingo y se puso en posición de firmes.

Al otro lado del teléfono Barreta contó a Ortega que lo que había averiguado era más bien poco.

—Julián, este tío parece que usaba el ordenador como si fuera una libreta del colegio. Las únicas direcciones que tiene son las de los periodistas de *El Universal*, cargadas en el servidor por los de sistemas. Los e-mails que he podido rastrear corresponden solo a envíos internos de sus artículos; y su agenda, calendario y archivos están más vacíos que mi cuenta corriente… Nada de nada. Está claro que no trabajaba con este equipo, bien porque no se fiaba o simplemente porque no utilizaba la informática…

—¿Tú qué piensas?

—Bueno, he estado mirando lo de su móvil. No hay rastro de las llamadas en ninguna compañía telefónica con su número. El teléfono está encriptado de tal manera que utilizaba los operadores nacionales pero no dejaba registro de los números llamados aunque la factura llegase a su cuenta. Un tipo que hace esto me parece que si no utiliza la ofimática no es porque no sepa, sino más bien que, por alguna razón, quería mantener sus cosas en absoluto secreto…

—Sí, es extraño… ¿Has comprobado su cuenta corriente?

—Estoy en ello. Los de la científica están descargando las bolsas con la documentación que han sacado de la casa. Ya sabes que me llevará un rato la burocracia y demás, pero hay una cosa que has de saber y que puede ser importante…

—¿De qué se trata?

—Alguien accedió al ordenador de Belarmino Suárez a las 7:02 de esta mañana.

—¿Qué quieres decir exactamente con «accedió»?

—Pues que a esa hora alguien intentó, por lo menos en tres ocasiones, iniciar una sesión con su ordenador, pero no debía de conocer la contraseña y a los pocos segundos abandonó la tarea…

—¿Tienes los registros de entrada del diario?

—Sí, por supuesto. Aparte del personal de limpieza solo había una periodista a esa hora en *El Universal*. Una tal Leire Castelló de la sección de sucesos.

Se hizo un prolongado silencio al otro lado del teléfono. Julián se iba enfureciendo por segundos.

—¿Estás ahí? —preguntó Barreta.

—Sí, aquí estoy. Oye, mira, de momento no hagas ningún informe. Espera a que hablemos. De esto ni una palabra a nadie. ¿Entendido?

—Por supuesto, Julián, lo que tú digas. Ya sabes que a mí esto de los informes me la suda… Te llamo luego.

Barreta era un incondicional del inspector Ortega. Le había rescatado del área administrativa de la policía científica, donde se pasaba el día llenando papeles y efectuando envíos de muestras a diferentes laboratorios, y de vez en cuando lo sacaba a la calle. Lo que Barreta llamaba estar en primera línea de combate.

El primer impulso de Julián fue el de entrar de nuevo en el periódico en busca de Leire, pero se contuvo y prefirió responder a su mensaje. La citó para comer en un restaurante discreto del barrio del Raval y se fue a la comisaría. Quería revisar con Barreta en qué andaba la científica, aunque no descartaba volver a echar una ojeada al piso de Krugman. Estaba intrigado por el tipo de personaje que se le iba apareciendo.

En *El Universal* había pleno en la redacción. La noticia de Krugman había aparecido en todos los informativos de las televisiones y las radios. Se formaban corros en torno a las diferentes secciones, que miraban de reojo la «pecera», la sala de reuniones acristalada situada en el centro del diario y en la que Gavela estaba con los subdirectores y los jefes de sección. Al entrar en el periódico le hizo un gesto a Leire para que le siguiera y se incorporara al encuentro.

Goliat Gavela daba las instrucciones de cómo acometer la noticia. Informó de que no había, todavía, ninguna pista sobre el autor o autores del asesinato de Krugman, por lo que deberían ser muy cautos y estar a la espera de acontecimientos. Les comentó que tenía línea directa con la policía y, dirigiendo la mirada a Leire, dijo que bajo ningún concepto se publicara una sola línea sin que él tuviese conocimiento de ello.

Quería controlar directamente la información. Le pidió a Manuel Trapero, el jefe de sociedad, que armara una buena biografía de Krugman, su trayectoria como periodista, los premios cosechados, su talante humano, y le dijo que quería darle un perfil de profesional competente y honesto. En una hora lo quería sobre su mesa.

Cuando preguntó a los allí reunidos si alguien había intimado más con el periodista o tenía conocimiento de quién o quiénes podrían hacer un buen semblante de él, confirmó que Krugman había sido una persona solitaria. Se desconocía que tuviese amigos ni familia. Convinieron en que varios empresarios y políticos con los que se había relacionado, prácticamente los más influyentes del país, dieran una breve opinión sobre él bajo un pie de foto de los testimonios.

Álvaro Cifuentes, *Scream*, redactor jefe de espectáculos, levantó la mano para intervenir y todos dirigieron la mirada a su cadavérica y desaliñada cara. Iba sin afeitar y vestía la misma ropa que la noche anterior, cuando se quedó hasta última hora para cerrar las páginas del concierto de U2. No le había dado tiempo de ducharse desde que le saltó la noticia en la alarma del móvil.

—Bueno, no sé si es relevante, pero yo fui un par de veces a algún concierto con él… Me pedía entradas para el Palau de la Música; le gustaba mucho la música clásica, sobre todo Mozart y Schubert… Ah, también recuerdo haber ido con él al Liceo a ver *El holandés errante*… Sí, era un buen aficionado a la ópera.

—¿Y? —inquirió Gavela.

—No, nada. Solo eso. Me llamaba la atención cómo cerraba los ojos para sentir la música…

—Ya veo. —Asintió el director—. Eso nos va a ser de gran ayuda, ¿verdad? —Se desataron las risas, que relajaron algo el tenso ambiente.

Dieron por terminada la reunión y Gavela le pidió a Leire que se quedara un momento.

—¿Qué estás pensando? —le soltó.

—¿Yo? Nada. Nada, de verdad. Esto es muy duro. Lo conocía poco, pero me caía bien…

—Digo que qué estás pensando, Leire. Tienes olfato y estoy convencido de que vas a mover tus hilos…

—Bueno, pensaba seguir lo de la poli… y tengo buenos contactos en la científica. Si me entero de algo te digo…

—Krugman tenía que publicar una entrevista con los Marín este domingo, unos que acaban de vender su empresa. Quiero que los vayas a ver.

—Sí, redacté yo misma la nota. Krugman no estaba y Daniel me la encargó.

—¡Joder! Así vamos: sucesos haciendo economía. Voy a ver si el tonto del culo de Scream nos escribe las crónicas del Barça. Sí, no estaría mal: los de espectáculos haciendo deporte y los de cultura, los horóscopos… Estamos más muertos que Krugman…

A Leire le pareció que Gavela estaba exagerando y quiso quitarle hierro al tema. Además le había dado la cobertura para entrevistarse con Carlos Marín, con quien había quedado en una hora.

—Tranquilo, David, si estás preocupado porque meta las narices en esto sin que tú lo sepas, no debes temer. Te mantendré informado de lo que averigüe.

—Bien, así lo espero. Mira, confío en ti más que en todos estos que acaban de salir de la pecera, pero ándate con cuidado. No sé por qué creo que estamos ante un tema gordo… Ahora vete. Voy a tener que pensar en un editorial para mañana. Y el editor nos va a tocar los cojones con este asunto…

Leire se despidió. Se dirigió a su mesa y allí abrió su ordenador e hizo un rastreo de las noticias que habían llegado por agencia hasta ese momento. Krugman estaba destacado en todos los titulares de las webs de los medios de comunicación. El buscador de Google las había agrupado como las más vistas. No había especulaciones sobre el móvil del asesinato, pero algunas páginas de medios de la derecha, como *Extracconomía* y *Alarma Digital* empezaban a destilar críticas contra el periodista, al que consideraban un colaborador del gobierno socialista. Leire pensó que eran implacables e insaciables, como aves carroñeras sobrevolando al periodista muerto.

Rebuscó en el bolsillo del pantalón el post-it arrugado de Krugman. Hizo un esfuerzo para leer los números, que aparecían desvaídos y medio borrados. Le pareció que se trataba de un teléfono. Aguzó más la vista y fue copiando en su libreta cada uno de ellos: el primer símbolo era una cruz, que anotó seguida de las demás cifras. Marcó desde su teléfono móvil y apareció un contestador automático en inglés. Era la voz metálica de una operadora que le decía que el usuario estaba ausente. Colgó al sonar el pitido que la invitaba a dejar un mensaje.

Entró en Google y comprobó que el prefijo correspondía a Manhattan, Nueva York. Luego salió a la calle para coger la moto e ir a ver a Carlos Marín.

Capítulo 9

Carlos Marín citó a Leire en su propio domicilio. Había empaquetado en unas cajas de cartón sus pertenencias personales y abandonado la oficina antes de que llegase el primer empleado. Ni siquiera esperó a que su secretaria le ayudara; prefirió hacerlo solo.

Leire entró en el hall del lujoso edificio de la avenida de Pedralbes. Un conserje vestido impecablemente con traje y corbata le salió al paso y le pidió que se identificara. Con su carnet de identidad en la mano, el conserje llamó por teléfono al ático segunda y al instante le señaló el ascensor por donde debía acceder a la planta.

Marín estaba esperándola en mangas de camisa. Era un tipo delgado de estatura mediana. De unos cincuenta años, calculó Leire. Tenía el cabello tan oscuro y abundante que pensó que se lo teñía con toda seguridad. La camisa blanca resaltaba su tez bronceada. La invitó a pasar con una amplia sonrisa.

—Pase usted, adelante… Vaya día de calor, ¿eh? —dijo de corrillo.

—Sí. ¡Uau! Vive usted en un piso brutal… Vaya vista.

Desde el amplio salón del ático se veía buena parte de la ciudad y en el horizonte se adivinaba el azul del mar. Leire se acomodó en el sofá frente a Marín sin poder dejar de contemplar la panorámica.

—Si le molesta la luz puedo bajar las cortinas…

—No, no, al contrario. Así está bien.

—Bueno, pues usted dirá. No dispongo de mucho tiempo, pero me pareció que tenía que hacerle un hueco. Lo que me dijo de la muerte de Belarmino Suárez es un lamentable acontecimiento. He visto las noticias... Como sabe, habíamos quedado a cenar ayer con él y... pobre hombre.

—Sí, lo sé. Y no le entretendré mucho. Mire, yo soy la responsable de sucesos de *El Universal* y Krugman (así es como llamábamos todos a Belarmino) era compañero mío. Trabajábamos muy estrechamente —Leire mintió sin saber todavía por qué, quizá para hacer creer a Marín que tenían proximidad.

—Lo siento mucho. Dicen que lo han asesinado, pero ¿por qué? ¿Le robaron? Esta maldita crisis está volviendo salvaje a la gente.

—No se sabe nada. La policía está en ello. ¿Usted lo conocía? Han tenido que coincidir en más de una ocasión. Usted es un gran empresario...

—Sí, nos habíamos saludado alguna vez en algún acto público, pero no teníamos trato. Yo suelo leer su sección, «Altas Esferas», cada domingo, pero quien realmente lleva las relaciones con la prensa es mi mujer, Mónica. Digamos que yo soy menos sociable y me mantengo un poco al margen de los medios.

—Ah, ya. Pero habían quedado a cenar para una entrevista...

—Sí, la organizó Mónica. Hemos vendido nuestra empresa, como sabrá, y al parecer eso es noticia. Belarmino quería que le contáramos detalles, o eso me dijo ella. No creo que pueda ayudarla mucho, señorita. —Hizo un gesto de disculpa.

—No, está bien. Cuénteme una cosa: usted ha vendido su empresa a otra norteamericana por una importante cantidad. ¿Por qué tienen interés los americanos en ella?

—Bueno, supongo que tenemos una buena cartera de clientes. Hay algunos que son complementarios para ellos. Imagino que han analizado que es más fácil quedarse con nuestros contratos que partir de cero. No olvide que los americanos son los reyes de la publicidad. Si puede, ponga eso en su artículo, a ellos les gustará.

—Sí. También he visto que Marín&Partners creció mucho a raíz de la incorporación de su mujer...

—Mónica aportó algunos clientes importantes cuando llegó a la empresa, pero mi agencia ya era una de las primeras del país. ¿Sabía usted que llevamos la cuenta de su periódico? De hecho la de todo su grupo.

—No. No lo sabía. Qué interesante. ¿Nuestra cuenta la aportó su mujer?

—Sí, en ese caso fue ella quien la trajo. En este negocio el *feeling* personal es muy importante: los anunciantes se fían al final de las personas y si has tenido éxito en una campaña suelen ser fieles y repiten. Ella llevaba la cuenta de *El Universal* en su anterior agencia.

—Vaya, pues, si me permite, su matrimonio ha resultado fructífero, ¿no?

Leire lo dijo con toda la intención. Quería saber cuál era la relación entre una pareja que se le aparecía como perfecta y estaba dispuesta a provocar a Marín, aunque este se mostraba como una persona segura que parecía tenerlo todo bajo control.

—Mire, el setenta por ciento de nuestros clientes ya trabajaban con mi empresa cuando entró Mónica. Habrá aportado escasamente un treinta por ciento. No le quito ningún mérito a mi mujer, pero esa es la realidad.

—Se casaron ustedes a los seis meses de que la fichara… —Leire insistió—. ¿Fue por amor? Suena a conveniencia…

—Oiga, señorita Castelló, pensaba que me iba a hacer una entrevista por la venta de mi empresa. Entiendo que todo esto es *off the record*, como ustedes dicen. Su periódico es serio y espero que no publique una sola línea de esta conversación. ¿Será así? ¿Le puedo pedir, sin que se moleste, que apague su teléfono móvil?

Leire desconectó su iPhone.

—Por descontado, señor Marín. Yo solo trato de entender qué le pasó a Krugman. No es mi especialidad esto de las empresas…

—Escuche: no creo que lo que le ha pasado a su compañero tenga que ver con nosotros. Simplemente habíamos quedado a cenar y él no se presentó porque lo mataron. Oiga, ¿me va a hacer la entrevista o no?

—Por supuesto, señor Marín, por supuesto. Si he venido a verle es porque Krugman me contó que tenía la entrevista con ustedes… —Leire mintió de nuevo—. Pero ¿lo de su matrimonio con Mónica Lago?

—Ya veo que no tiene interés en mi entrevista. Le diré que quería a Mónica cuando nos casamos. —A Leire le sonó convincente—. Quiero decir que no me casé por lo que aportaba a la agencia. Primero tuvimos una relación estrictamente profesional y supongo que los cientos de horas juntos nos llevaron a enamorarnos... Hacía un año que me había divorciado y nada más lejos de mi pensamiento que volver a caer en el matrimonio... Si no se lo cree me da igual. La verdad, no se a qué ha venido a verme, señorita...

—No pretendía molestarle. Lo siento.

—Los periodistas siempre buscáis lo mismo... Mónica y yo somos felices y ahora que han cambiado nuestras condiciones profesionales tampoco tenemos por qué dejar de serlo.

Leire notó cómo Marín se incomodaba por momentos, pero añadió:

—Sí, claro. No pretendo entrar en su intimidad. Con la venta su mujer seguirá al frente de la compañía durante unos años... eso he leído en su nota de prensa. ¿Y usted?

—Bueno, eso es algo que hemos decidido entre los dos. La General Advertising nos dio la opción de que eligiéramos entre el uno o el otro... ya sabe, estas compañías precisan de un tiempo de adaptación y ya le he dicho que mantener a los clientes es una labor muy personal.

—Ya, pero suena raro que sea ella la que se quede siendo usted quien aporta la mayoría de ingresos, como me ha dicho.

Marín se sintió molesto; quería dar por terminada la conversación lo más rápido posible, pero al mismo tiempo sentía la necesidad de justificarse.

—Realmente fue una decisión mía. Yo estoy acostumbrado a mandar, a tomar las decisiones por mi cuenta... y ahora se abre una nueva etapa en que las directrices van a marcarlas otros.

—Entiendo. ¿Cree que podría hablar con su mujer?

—Pues no sé. Dependerá de ella. Creo que si la llaman desde la sección de economía de su diario no le resultará difícil. Pruébelo.

—¿Y usted qué hará a partir de ahora? Me refiero a que si tiene algún proyecto...

—No lo sé todavía. Ayer vendí mi empresa y parado no me

quedaré, pero no creo que vuelva al mundo de la publicidad. Los tiempos son muy duros…

—Una última pregunta…

—Dígame.

—¿El eslogan de *El Universal*, «Todo está conectado», es suyo?

Marín se relajó momentáneamente y balanceó su cuerpo hacia el respaldo del sofá, luego miró a Leire con complacencia.

—Sí, por supuesto. Se lo presentamos a su jefe, Ventura, y le encantó.

—¿Y qué significa?

—Mire, señorita Leire: en publicidad no siempre es necesario conocer el significado exacto de las cosas. Basta, a veces, con que suenen bien y los consumidores las reproduzcan e interpreten en positivo. ¿No cree?

—Sí, si usted lo dice será así… Gracias por su tiempo. No le molesto más, tengo un almuerzo. Le dejo mi tarjeta con mi número de móvil.

Se despidió de Marín. Llegaba tarde a su cita con Julián y tenía que atravesar de punta a punta la ciudad.

El barrio del Raval, donde le había citado para almorzar, era otro mundo opuesto al de Pedralbes. Los inmigrantes paquistaníes y del norte de África tenían decenas de establecimientos y sus calles estrechas estaban llenas de gente, a diferencia del lujoso barrio de Marín, donde la gente solo circulaba en automóvil. La mezcla de bares de moda, el museo de arte contemporáneo y el convento de los Ángeles convivían desorganizadamente con los puestos de kebab y las carnicerías árabes.

Cuando llegó al bar Lobo, en una bocacalle de las Ramblas barcelonesas cerca del mercado de la Boquería, Julián ya la estaba esperando en la terraza con un cigarrillo encendido y una copa de vino tinto.

—Disculpa, he tenido una mañana complicada. —Leire se inclinó para besarle en la mejilla.

Pidieron unas cervezas y unas hamburguesas con ensalada.

—Bien, Leire. Creo que tienes que contarme algunas cosas, ¿no? —dijo Julián muy serio.

—Sí, por eso te envié el mensaje.

—Te dije que no te metieras en líos y me estás complicando la investigación.

—¿Qué quieres decir?

—Pues que has entrado en el ordenador de Belarmino esta mañana a primera hora.

Leire adoptó una actitud defensiva.

—Mira, inspector, yo no he hecho nada malo. Y si te pones borde no voy a contarte lo que he averiguado.

Julián frunció el ceño y luego puso cara de sorpresa.

—Vaya, ahora resulta que me pongo borde. El informático de la policía me dice que alguien ha intentado acceder al ordenador de Krugman, como tú le llamas, y la única que ya estaba a las siete de la mañana en el diario es la señorita Leire, y yo tengo que decirle a mi compañero que se olvide de las pruebas que ha encontrado. Leire, tú no tienes ni idea de lo serio que es todo esto. Me pones en un compromiso…

—Oye, Julián, si no llego a estar ahí a primera hora no sé si tus polis —lo dijo con cierta displicencia— hubiesen encontrado lo que yo vi.

—¿Ah, sí? ¿Y qué es lo que ha averiguado la *superwoman*?

—Oye, si vas de cachondeo paso de todo y que te den, ¿vale?

—Está bien, está bien, pero has de prometerme que no te meterás en más líos sin que yo lo sepa.

—Joder, ¿es que no hay manera de tener un pelín de independencia? Mi director me dice lo mismo, «ni una línea sin mi consentimiento», y ahora tú. ¡Hostia! Es que una no tiene ni un ápice de autonomía…

Lo expresó con tanta vehemencia que Julián quedó desarmado. De hecho ya lo estaba nada más verla. Luchaba contra sus deseos de estrecharla entre sus brazos y besarla, pero al cabo de un momento consiguió convencerse de que eso no conduciría a nada y volvió a convertirse en un ser racional y frío.

—Vale. No quiero discutir contigo. Cuéntame… —dijo.

Leire le mostró el post-it que había encontrado debajo del teclado del ordenador de Krugman y le explicó el encuentro que había tenido con Marín. No le había aportado gran cosa, salvo las ganas de tener una entrevista con Mónica Lago, que le parecía que debía de ser una mujer interesante.

Julián observó con detenimiento el post-it y copió en su libreta el contenido: HET. F., las iniciales L. F. y los números del reverso.

—Puedes quedártelo. Es una prueba, ¿no? —preguntó Leire.

Julián estaba a punto de salirse de sus casillas.

—Vamos a ver, Leire, esto ya no es una prueba. ¿Dónde debo decir que la he encontrado? Diré que la cogió una periodista de la mesa de la víctima y que luego me la entregó, ¿te parece? ¿No crees que tendrías algún problema? Y yo también. Yo te conté antes que a nadie lo de Krugman y te faltó tiempo para ir a hurgar en su ordenador y en sus cosas.

—Sí, claro, tienes razón. Entonces hemos de destruir el papelito, ¿no? —dijo Leire.

—Mira, lo que has de hacer es quedarte quietecita. Si hemos de colaborar prefiero que antes de tocar o de hacer nada me tengas al tanto de lo que se te ocurra. De lo contrario…

—De lo contrario, ¿qué? ¿Me vas a detener, inspector?

Sonrió y sus ojos azules brillaron al tiempo que juntaba, divertida, sus manos y se las acercaba a Julián para que la esposara.

—Leire, a ti te parecerá divertido, pero este caso no va a ser fácil. Hay mucha presión en torno a él. Krugman era un periodista con contactos a alto nivel. El comisario jefe me ha citado esta tarde; Ventura, el dueño del diario, está presionando a mis superiores… He de llevarlo con sumo cuidado, ¿entiendes?

—Sí. Entonces quizás deberías saber que los números que anotó Krugman corresponden a un teléfono móvil de Manhattan. Llamé a ese número y saltó el contestador… Hay que averiguar a quién corresponde.

—Si no te importa, eso déjamelo a mí, ¿vale? ¿No has pensado que puede resultar peligroso llamar a ese teléfono? Tu número puede quedar registrado, salvo que hayas enviado la llamada con número oculto, y aun así…

—No había caído. Sí es así quienquiera que sea a lo mejor se pone en contacto conmigo…

Leire reparó entonces en que tenía su teléfono apagado desde que Marín le pidió que lo desconectara temiendo que le pudiera grabar. Lo sacó del bolso y lo encendió delante de Julián. Se disparó la alarma: tenía una llamada perdida del número de Nueva York que había marcado y no habían dejado mensaje en su buzón de voz. Le subió la adrenalina.

—¿Ves? —sentenció Julián—. A eso me refería. Ahora quienquiera que sea te tiene localizada. ¿Qué mensaje tienes grabado en tu buzón de voz?

—Todo. Lo digo todo, joder… Eso, que soy Leire Castelló del diario *El Universal* y que dejes tu mensaje…. —respondió entrecortadamente—. Joder. No pasará nada, ¿verdad? Me estás asustando.

Julián llamó a Barreta y le dio el número de teléfono para que averiguase todo lo que pudiese. A los diez minutos ya tenía información que no le tranquilizó: el número correspondía a un teléfono anónimo. Se podía comprar en cualquier supermercado de Nueva York sin necesidad de registrarse y podía recargarse sin problemas. Había decenas de miles circulando por Manhattan.

—Bien, vamos a hacer una cosa —dijo Julián con aplomo—. Si te llaman ten activado el dispositivo de grabación del iPhone. Seguramente no es nada importante, pero lo único que tenemos de momento es este puñetero post-it. —Echó un vistazo de nuevo a las iniciales HET. F. y L. F., no le sugerían nada.

—Vale. Pero no me va a pasar nada, ¿verdad?

—Quédate tranquila. Ojalá esto te sirva de escarmiento.

—Lo de las iniciales no tiene sentido para mí. La palabra *het* en inglés no significa nada sino va unida a *up*. *Het up* significa algo así como nervioso…

—HET es una abreviación de una palabra, fíjate que lleva un punto y seguido. No sé, no sé… Todo apunta a que Krugman debió de estar los últimos días en contacto con temas americanos…

—La empresa que compró la de Marín y Mónica Lago es también americana… quizá vaya por ahí, aunque ya te he dicho que Carlos Marín no tenía relación con Krugman. Me he reunido con él y me ha parecido un pobre hombre para ser un empresario de tanto nivel. Creo que deberíamos hablar con Mónica Lago…

—¿Deberíamos? —dijo Julián exaltado—. ¿Ya volvemos a empezar? Tú y yo no somos un equipo.

—Bueno, yo tengo un encargo de mi periódico, pero entiendo que es más lógico que la veas tú primero. Si acaso luego me cuentas… En las fotos de Google parece muy atractiva.

—A ver Leire, vamos a dejar las cosas claras: tú y yo no podemos llevar una investigación conjunta. Por descontado que tienes libertad para dar la información que quieras, pero no debes entrometerte en la investigación de la policía.

—Vale, vale, ya me lo has dicho varias veces, pero la cuestión es que estoy tan metida en el caso como tú. O sea que si me entero de algo te llamo y nos vemos discretamente, ¿no te parece?

—Hemos de ir con mucho cuidado, Leire. Esto no es un juego. Hay un asesino de por medio.

Sonó el móvil de Julián; era su madre, que le preguntaba si el domingo iría a comer a su casa. Estaba preparando lasaña, su plato preferido. Le dijo que sí, que estaría a las dos y que llevaría una botella de vino. Leire le notó algo incómodo y avergonzado al decir: «Sí, mamá; estoy ocupado, mamá; un beso, mamá». Ella se rio, tapándose la cara con las manos como si no quisiera que él lo notara.

—Vaya, parece que tu mamá te mima, inspector. Lasaña, qué buena. ¿Sigues viviendo en Premià?

—No, dejé la casa cuando me separé. Llegué a un acuerdo económico con Laura. Tengo un piso de alquiler cerca de donde vive mi madre, en el barrio de la Sagrada Familia. Me va mejor para el trabajo y así puedo verla de vez en cuando. ¿Y tú?

—Sigo en el Born con Paola, mi amiga editora. Me cambié de piso hace poco, ahora estamos frente a la plaza del Palau. Es ruidoso, sobre todo los fines de semana, pero me gusta. Tiene su encanto.

—Sí, suelo bajar al Born algún fin de semana. Me gusta hacer el vermut en El Xampanyet. Juan Carlos, el propietario, es un sibarita y sus anchoas no tienen precio…

—Podríamos quedar un día, ¿no? —dijo Leire.

—¿Tienes novio?

Leire estalló en una carcajada:

—Eres un clásico, Julián. No, no tengo novio, pero si lo tuviera tampoco es un problema que dos amigos queden para tomar unas anchoas y una cerveza. ¿No lo ves así?

—Sí, tienes razón, no quería… ¿Qué te parece si el domingo vamos a El Xampanyet y luego te vienes a casa a probar la lasaña de mi madre?

—Joder, Julián —dijo bromeando—, que una cosa es que esté sin novio y otra que ya quieras presentarme a tu madre…

—Sí, claro. Perdona, me he pasado, ¿no?

—Que no, que no. Eres tonto. Me apetece el plan. Pasado mañana a las doce y media; pasa por casa y me recoges, ¿vale? Toma nota: plaza del Palau, número 8, tercer piso. Allí te espero, ¿eh?

—De acuerdo.

Se despidieron. Leire fue directamente a *El Universal* y Julián a comisaría. Quería llamar a Mónica Lago antes de tener la reunión con el comisario jefe.

Capítulo 10

*J*ulián Ortega entró a las cuatro en punto en la comisaría de policía de Travessera de les Corts. Se encerró en el despacho con Barreta, que estaba engullendo un sándwich de la máquina expendedora; no le había dado tiempo a comer esperando a clasificar algunos de los documentos y facturas de Krugman que la científica se había llevado de su casa para analizarlos. Lanzó sobre la mesa un fajo de papeles y con cierta resignación dijo:

—Bueno, no hay gran cosa. Sus cuentas parecen normales. No hay ingresos ni gastos desorbitados: cada mes el abono de la nómina… Por cierto, ¿sabes cuánto cobraba? —Sin esperar respuesta añadió—: Nada menos que siete mil euros mensuales. ¡Tiene cojones! No le pagaba nada mal ese Ventura, ¿eh?

—Sí, parece que le compensaba algún que otro trabajo extra —dijo Julián—. Para los asuntos que le resolvía no me parece una cantidad excesiva…

—Joder, que yo no llego a la tercera parte y voy por diez años en el cuerpo… Luego dicen que el periodismo está mal pagado…

—Hay de todo, Barreta, hay de todo; están los becarios… En fin, a lo nuestro.

Julián le hizo un resumen de la conversación que había tenido con Leire. Le enseñó el post-it que ella había encontrado en el puesto de Krugman, le explicó lo de la llamada al teléfono de Nueva York y le pidió que guardara confidencialidad sobre el tema porque le podía poner en un compromiso. Barreta tenía una confianza ciega en Julián, hasta el punto de saltarse las normas y poner en peligro su propia carrera como policía. Sabía que de no ser por él volvería a la tediosa administración, y antes prefería abandonar.

Sin embargo, Julián se sentía incómodo al tener que implicarle en su tema personal con Leire. No era necesario que le explicase los detalles de su relación; seguro que a estas alturas Barreta ya sospechaba que había algo entre ambos, pero no se lo iba a preguntar.

Le pidió que le buscase a Mónica Lago por teléfono. Enseguida dio con ella. Estaba en una reunión en la agencia de publicidad de la que le hizo salir.

—¿Inspector Ortega? —preguntó Mónica al otro lado del teléfono algo contrariada—. Estoy en medio de una reunión, como le han dicho. No dispongo de tiempo en este momento, ¿de qué se trata?

La voz de Mónica Lago se le antojó firme y al mismo tiempo sensual. La puso en antecedentes de lo de Krugman. Ella le dijo que ya había visto las noticias y que era una gran pérdida, pero que en ese momento no podían hablar. Lo citó para el día siguiente, sábado, en sus oficinas. Ella estaría trabajando toda la mañana, pero no habría nadie y podría dedicarle un tiempo. Quedaron a las diez de la mañana. No le pidió que asistiera su marido. Después de la experiencia con Ventura y Gavela, Julián había decidido rehuir las entrevistas conjuntas.

Tenía en una hora la reunión con el comisario Rojas, el jefe de la brigada de investigación criminal, que querría saber cómo avanzaba la investigación. Hizo un repaso mental de lo que había averiguado hasta el momento: no era gran cosa si descartaba la información que le había dado Leire. Así es que poco le podría contar.

Dibujó un círculo en el centro de un folio y dentro de él escribió la palabra Krugman. Desde el círculo fue irradiando flechas hacía otras esferas con las palabras HET. F., el número de teléfono americano y las siglas L. F. del post-it. Otras flechas apuntaban a Ventura y al hombre de la cicatriz en la frente que había visto salir el vecino del rellano donde vivía Krugman; tres redondas más englobaban a Mónica Lago, Carlos Marín y la General Advertising con el abreviado USA; e hizo otra más y apuntó: «poder político».

Ese ejercicio se le antojó infantil. Arrugó el folio y lo lanzó a la papelera. Se quedó pensando en que quizás la dimensión del asesinato de Krugman traspasaba la esfera política. Recordó las palabras de Gavela: «¿Quién puede querer matar a un mensajero por ser portador de malas noticias?»

Entró en el despacho de Rojas. El comisario, un madrileño de cincuenta años afincado en Cataluña desde hacía algo más de treinta, donde fue a estudiar derecho para luego ingresar en la policía, era de aspecto afable y bonachón. Tenía fama de ser un buen organizador de equipos. Su trayectoria estaba plagada de importantes éxitos en la lucha contra la delincuencia organizada, tanto en casos de tráfico de armas como en el de las bandas rumanas que realizaban robos con violencia. Ello le había supuesto ser un tipo popular con muy buena imagen en los medios de comunicación y que se lo disputaran los políticos del gobierno local y nacional de uno y otro signo.

Rojas no estaba solo en el despacho. Un hombre alto de mediana edad con traje azul oscuro, camisa blanca y corbata a rayas azules y blancas estaba de pie junto a él. Parecían discutir cuando Julián abrió la puerta.

—Pasa Ortega, pasa, por favor —dijo el comisario acercándose hacia él para tomarle del brazo y cerrar la puerta después—. Te presento a Antonio Domènech, jefe de gabinete del ministro del Interior.

Julián le estrechó la mano y se quedaron de pie. Pensó que la reunión iba a durar poco y se puso a la defensiva. El comisario prosiguió, hablando en tono tranquilo y sosegado.

—Julián, el señor Domènech está aquí porque el ministerio quiere seguir de cerca las investigaciones del caso de Belarmino Suárez y, aunque ello no es competencia del gobierno central, el consejero de interior de la Generalitat está plenamente informado. Le he dicho que tú estás al frente y que todavía es pronto para tener nada concluyente… apenas han pasado veinticuatro horas del asesinato.

Ortega agradeció que Rojas le preparase el camino pero, como imaginaba, el de Interior no estaba para perderse en florituras, y dirigiéndose a los dos les habló con contundencia:

—Oigan, sé que la brigada criminal de Barcelona tiene muy buena fama. Vamos a dar por dichas todas las alabanzas profesionales y demás… Estoy aquí porque este asunto tiene todas las aristas cortantes posibles y hemos de procurar que ninguna de ellas cause heridas innecesarias. El gobierno no quiere un lío con la prensa. Suárez era un periodista con influencias, pero sobre todo el Grupo Universal debe ser, digámoslo para que lo entiendan, cuidado y protegido durante la investigación.

Julián no estaba dispuesto a amilanarse.

—¿A qué se refiere exactamente con que debe ser protegido, señor Domènech?

—Me refiero a que ya hemos recibido una queja del propietario, el señor Ventura, con quien ha tenido usted una charla esta mañana, cuando lo ha sacado de la cama. Lo peor es que anoche, cuando sucedió el asesinato, usted, inspector Ortega, no nos dijo nada. ¿No cree que sus superiores y hasta el mismo dueño del periódico deberían haber conocido la noticia? ¿Va usted por libre, inspector?

—Asumo la decisión de demorar unas horas la difusión de la noticia. Hasta la fecha, señor Domènech, los métodos de investigación que utilizamos en nuestra comisaría son de nuestra exclusiva competencia y no están sometidos a los dictados de terceros.

El jefe de gabinete se enfureció. El empleo de la palabra «terceros» para referirse al Ministerio de Interior lo sacó de sus casillas.

—Oiga, inspector, no toleraré que haya una sola información con respecto a este caso que no conozcamos en el mismo momento en que se produzca, ni una sola actuación que se vaya a dar que afecte al Grupo Universal sin que la hayan consultado previamente.

—Bien, señor Domènech, en ese caso a lo mejor prefiere llevar usted directamente la investigación. Si es así le pediré al comisario que me releve del caso.

Rojas intervino, intentando apaciguar los ánimos.

—Vamos, Julián, todo es compatible. No hay que llevar las cosas a esos extremos. Es un asunto delicado porque está la prensa de por medio y demás, pero no tenemos por qué renunciar a llevar la investigación como solemos hacer. Señor Domènech, no se preocupe, yo mismo me encargaré de mantenerle al corriente… a usted y al consejero de Interior.

—Eso espero, eso espero. —Levantó el dedo en clara advertencia de que hablaba muy en serio.

Salió del despacho sin despedirse y se quedaron Ortega y Rojas mirando hacia la puerta.

—Tranquilo. Hemos de estar tranquilos —dijo el comisario—. Ellos están muy nerviosos, las elecciones generales son en dos meses y lo tienen crudo. No les conviene ponerse en contra de *El Universal*, pero a nosotros tampoco nos viene bien que nos empiecen a tocar los cojones y nos manden a sacar los agentes a patrullar por la calle como medida electoralista, ya sabes. Cuéntame, ¿qué tenemos?

Julián le puso al día de lo poco que había averiguado. No le contó nada del post-it y, sin embargo, le adelantó que quería descartar que no hubiese alguna conexión entre la venta de Marín&Partners y Krugman. Convino con Rojas que le diría cómo iba avanzando. Salió del despacho del comisario con un fuerte dolor de cabeza, producto de la tensión de la reunión. Pensó en tomarse una aspirina, pero optó por salir de la comisaría y fumarse un cigarrillo en la puerta. Mientras lo hacía decidió que iría a hacerle una visita a Ventura.

Cogió la moto. Pensó que ir en su Yamaha le despejaría, aunque el trayecto hasta la sede central del Grupo Universal, en la Diagonal, frente al edificio de los almacenes El Corte Inglés, era de escasamente un kilómetro. Un edificio de dieciséis plantas con los cristales tintados se erguía sobre una base ajardinada.

Algunos empleados estaban fumando bajo la marquesina gigante de la que pendía un cartel luminoso de color azul con el emblema del grupo de comunicación: una «u» enorme que aparentaba un gran vaso contenedor.

En el *hall*, de dos plantas de altura, se identificó ante los guardias de seguridad y una recepcionista muy joven lo acompañó hasta una sala de espera. Para llegar hasta ella atravesó un pasillo con decenas de pantallas de televisión que repetían sin voz una docena de canales del grupo. Los anagramas de Universal Radio y del periódico estaban también presentes en las paredes de la amplia y lujosa sala.

Se sentó en uno de los butacones de color azul, idéntico al

del color corporativo de la empresa, y cogió un diario que estaba en una mesita, junto con una veintena de revistas que también pertenecían al grupo de prensa de Ventura. Hojeó la sección de economía. Miró la crónica que Leire había escrito sobre la venta de Marín&Partners y vio que no iba firmada por ella. Ponía «Redacción Barcelona». En la página impar estaba el último artículo de Krugman sobre las agencias de calificación de la deuda. Ya lo había leído, pero se volvió a fijar en él. En paralelo al texto, el autor publicaba una miscelánea de noticias breves económicas, una especie de confidencial bien informado. Las leyó con detenimiento; la última de ellas le llamó la atención, estaba escrita en forma de pregunta: «¿Qué institución que se jacta de tener el mundo bajo control invertirá en sectores estratégicos en España? Puede que nunca lo sepamos, ni siquiera cuando lo hayan hecho».

Se quedó meditando sobre esas líneas cuando la recepcionista entró en la sala para llevarle al encuentro con Francisco Ventura. Tomaron un ascensor privado, la joven le dio una llave para ascender hasta la planta dieciséis.

Ventura acudió a recibirle a la puerta de su despacho. Julián calculó que tendría algo más del doble de metros que el otro, donde había estado por la mañana en el diario. En este se veía más actividad. La mesa estaba repleta de carpetas bien ordenadas y había dos teléfonos fijos y dos móviles. Los sofás eran de piel azulada y una enorme mesa de juntas ovalada atravesaba parte de la estancia. Le invitó a sentarse frente a él en la mesa de trabajo y pidió a una de sus dos secretarias, la que a Ortega le pareció la jefa, que no le pasara llamadas.

—Bien, inspector Ortega. ¿Han avanzado sus pesquisas desde esta mañana? ¿Sabe ya quién es el autor de la muerte de Krugman?

—Me temo que todavía no, pero ya le dije que encontraremos a quien lo hizo.

—Entonces, ¿qué es lo que quiere de mí?

Julián reparó en que no sabía exactamente qué era lo que quería obtener de Ventura, quizá conocer mejor su verdadera relación con Krugman y que eso le pudiera aportar alguna pista. El editor encendió un cigarrillo y le ofreció otro a Julián. Le explicó que fumaba en su despacho mientras sus empleados estaban obligados por ley a hacerlo fuera de las oficinas porque lo había alquilado a su propia empresa como vivienda personal. Le dijo riendo que allí y en Madrid era donde pasaba gran parte de su tiempo y que por qué no convertirlo en un lugar privado de uso único. A Julián le pareció una estupidez, pero aceptó el cigarrillo.

—Me gustaría que me hablase de su relación personal con Krugman. Tengo entendido que ustedes dos, aparte de la relación laboral, tenían algún tipo de colaboración más estrecha.

—¿Quién le ha dicho eso? ¿Cómo ha llegado a esa conclusión, inspector? ¡Ah! Imagino que ha estado hablando con Gavela, ¿no es así? ¿Sabía usted que Gavela fue boxeador en su juventud? Creo que está sonado aún…

—Contésteme, por favor: ¿Krugman era su asesor?

Ventura estalló en una carcajada.

—¿Asesor? Oiga, yo no necesito asesores. Lo que le haya dicho Gavela o cualquier periodista ya lo puede poner usted en tela de juicio.

—Al parecer le echó algo más que una mano en algún asunto delicado utilizando sus contactos —insistió Julián.

—Mire, inspector: si quiere profundizar en temas de índole privada, le recomiendo que previamente hable con sus superiores; ellos quizá le dirán cómo tiene que comportarse conmigo.

Julián constató que al jefe del gabinete del ministro del Interior le había faltado tiempo para llamar a Ventura y ponerle al corriente de las advertencias que le había hecho en la comisaría. Realmente en el gobierno estaban preocupados por la reacción de los medios de Ventura, pensó.

—No pretendo que me desvele ninguna información confidencial. Necesito averiguar si Krugman tenía, últimamente, algún encargo por su parte que lo pueda relacionar con alguien en concreto.

—Nada, inspector. Nada. No le encargué nada a Krugman. De hecho hacía tiempo que no coincidíamos. Yo he estado viajando e intentando solucionar este desastre económico en que nos hemos metido. ¿Sabe usted que los ingresos por publicidad de mis diarios y revistas han descendido más de un cincuenta por ciento?

—No, no lo sabía. Todo el mundo lo está pasando mal...

—Sí, todo el mundo está en crisis, pero nosotros, los medios de comunicación, estamos al final de un modelo. Esto se acaba, ¿sabe? Y luego tengo que aguantar que mis periodistas hablen de la calidad de la información, de mantener los estándares necesarios para investigar, de no recortar plantillas... ¡Mamonadas! Aquí les querría ver yo haciendo equilibrios para pagar sus nóminas en favor de la libertad de expresión de los cojones...

—No le pagaba mal a Krugman: siete mil euros mensuales es un sueldo importante.

—Ya le dije que Krugman era especial. También creo que se le estaba pasando el arroz, pero estoy convencido de que me aportaba lectores. La gente quería leer sus crónicas. No puedo decir lo mismo del noventa por ciento de inútiles que tengo en las redacciones y que se escudan en que la gente está dejando el papel por Internet, en los cambios generacionales, etcétera. ¿No será que no saben hacer el periodismo que querrían los lectores? Se han quedado anticuados. ¡Están muertos! Y con muertos esto no se levanta.

—Pero usted es el editor. Usted puede orientar su empresa hacia esos cambios...

—Mire, yo soy el presidente del consejo de administración de la empresa, el dueño, pero no entro en lo que se ha de publicar y cómo se ha de publicar...

—Permítame que lo ponga en duda. Usted tiene mucha influencia y puede llegar a condicionar la línea editorial.

—¿Sí? Yo puedo llamar al ministro de turno y el presidente del gobierno me recibe, y también lo hacen la mayoría de empresarios importantes, y es cierto que ellos también me buscan para influir en mis medios, pero al final prefieren hablar con los profesionales —pronunció con desdén—: obtienen más prebendas que conmigo. Es más práctico y les aporta más réditos hablar con David Gavela. No lo dude.

—¿Krugman era un ejemplo de ello? Quiero decir, ¿Krugman se vendía al poder económico y político?

—Tenía esa fama entre sus compañeros, pero era más listo que todos ellos. Daba una de cal y otra de arena. Era un tipo difícil de convencer: no daba su brazo a torcer. Si creía que había que publicar algo, por mucho que le apretaran él lo publicaba, y a la inversa. No creo que Krugman haya escrito una sola línea de algo de lo que no estuviera convencido.

—Entonces, ¿quiénes eran sus enemigos?

—Todos y ninguno. Todos le temían y ninguno osaba criticarle incluso después de publicar una información contraria a sus intereses. Sé que no le ayudo, inspector, pero así es como lo veo.

—¿Qué va a hacer con el diario? Las ventas están cayendo y la publicidad…

—Con el diario hemos llegado al punto final. No hay vuelta atrás ni futuro que permita aguantar en soledad esta carga. La televisión se ha adaptado mejor a los tiempos que corren, pero no puedo destinar los beneficios de la televisión a las pérdidas del papel. Estoy a punto de hacer una operación para dar entrada a un fondo de inversión que me ayude financieramente. No es lo que quisiera porque acabaré perdiendo la mayoría…

—¿Va a vender?

—Sí, inspector, necesito vender, sobre todo para que venga alguien con savia nueva. Que adopte nuevas fórmulas. Los gestores de medios de comunicación ya no valen para esto. Los de siempre aplican los métodos de siempre y esto está agonizando.

—Si no es inoportuna la pregunta —dijo Julián con educación exquisita—, ¿a quién piensa vender?

—Estoy a punto de cerrar una operación con un grupo extranjero. Usted no lo conocerá.

Julián Ortega lanzó la pregunta con la sensación de que ya conocía la respuesta:

—¿Es norteamericano?

—Sí, se trata de un consorcio norteamericano. Es un fondo que invierte en medios de comunicación y que ya participa en otros de Estados Unidos y Europa. Por eso lo de Krugman llega en un mal momento. Estos fondos son muy sensibles a la inestabilidad de las compañías en las que invierten. Por eso, y solo por eso, es por lo que no quiero que estemos en el candelero durante mucho tiempo, ¿entiende, inspector? Esto se va al garete si no consigo colocar el grupo en menos de dos semanas. Ya le he dicho que es el punto final.

Julián Ortega se marchó pensativo. Ventura había negado la versión de Gavela sobre los apoyos que le prestaba Krugman al editor, pero había confesado que otra empresa americana podría hacerse con *El Universal* en poco tiempo.

Bajó hasta la recepción y entró de nuevo en la sala de espera. Aún estaba el ejemplar del periódico que había estado hojeando. Arrancó la página del artículo de Krugman y se la guardó en el bolsillo.

El sol se estaba poniendo. Se levantó un viento de Levante que hacía más llevadero el calor de aquel viernes de mediados de septiembre, aunque la sensación de humedad seguía siendo sofocante.

Capítulo 11

El sábado amaneció nublado y amenazando lluvia. Antes de acudir a la cita con Mónica Lago, Julián Ortega pasó por la comisaría. Barreta le mostró el retrato robot del supuesto asesino de Krugman que habían realizado con ayuda del vecino. No estaban muy convencidos del resultado: el vecino se había cruzado con él apenas unos segundos y dudaba hasta del color del pelo de aquel hombre. De todas maneras enviaron a todos los controles de aeropuertos y comisarías la imagen de una cara redondeada con pómulos sobresalientes, cabello gris, nariz gruesa y frente amplia cruzada por una cicatriz. Junto al dibujo, algunos datos sobre su enorme complexión y altura.

También tenían el informe de la autopsia: a Krugman le produjo la muerte un golpe contundente en la cabeza, pero este no se había producido con ningún objeto. Se debía a un brutal y letal puñetazo, uno de los varios que recibió en todo su cuerpo. Según el forense no pudo oponer resistencia frente a la superior fuerza de su agresor. En cuanto a las hojas del diario en su gaznate, debieron de ser introducidas en su boca post mórtem, dado que no había muerto por asfixia, sino porque le habían fracturado el cráneo.

El Universal había hecho un despliegue moderado sobre la muerte de Krugman. En la portada aparecía una foto de estudio del periodista; parecía mucho más joven. Julián la identificó como la misma que aparecía en el recuadro superior a la izquierda abriendo su habitual sección «Altas Esferas». El pie de foto, en dos líneas y en negrita, decía «Asesinado Belarmino Suárez, periodista de *El Universal*» y en cuerpo de letra más reducido remitía a una doble página en su interior que contenía unas cuantas opiniones sobre Krugman de numerosos personajes de la vida política y empresarial del país. También un obituario que destacaba la biografía y los premios cosechados por el periodista. Gavela y el director del *Financial Times,* donde había colaborado Suárez hacía unos años, escribían sendos artículos laudatorios a pie de página. El diario no había editorializado sobre el tema, cosa que Julián interpretó en clave de que se trataba de dar una información lo más aséptica posible de cara a la operación que llevaba Ventura entre manos.

Sin embargo, vio que en la página de sucesos Leire firmaba una crónica bajo el titular: «Violenta muerte de Belarmino Suárez» y como subtítulo «Un vecino posible testigo». En el reportaje daba los detalles de cómo se encontró el cuerpo de Krugman en su casa con las páginas del periódico introducidas hasta la tráquea, y que pudo haber un testigo, el vecino del periodista. Decía que la policía había descartado el móvil del robo y que la investigación estaba llevándose a cabo por parte del inspector Julián Ortega, de la brigada central de investigación criminal de Barcelona. Leire anunciaba que iba a seguir diariamente la evolución del caso hasta su resolución, que Krugman era un gran compañero y que lo único que ahora se podía hacer por él era encontrar a quien hubiese cometido el monstruoso crimen para que acabase pagándolo en prisión.

Inicialmente Julián se inquietó por lo que contaba, pero al momento pensó que era una buena periodista y que hacía bien en dar toda la información de que disponía.

El resto de lo publicado por otros diarios lo vio en el resumen de prensa del departamento de comunicación de la policía. Ninguna información tenía los detalles de la de Leire y casi todas apuntaban a la controvertida figura de Belarmino Suárez y sus estrechas relaciones con el poder.

A las diez en punto, Julián ya estaba en el vestíbulo de Marín&Partners en la calle Córcega, entre Rambla Cataluña y Balmes. Era un edifico rehabilitado que compartían varias empresas; la agencia de publicidad ocupaba los tres primeros pisos. Subió hasta el tercero y fue la propia Mónica Lago quien le abrió la puerta. Le condujo hasta una sala de reuniones con vistas a la calle y le sirvió un café expreso que ella misma hizo con una pequeña máquina automática.

Mónica le pareció una mujer muy atractiva. Vestía una camiseta blanca de manga corta y escotada y una falda roja ligeramente por encima de la rodilla. Su cabello rubio y ondulado parecía haber pasado por la peluquería recientemente. Mostraba una sonrisa permanente que le marcaba hoyuelos en sus mejillas. Era delgada, pero no excesivamente. Con tacones calculó que mediría poco más de 1,70. Su perfume se hacía sentir por toda la estancia; le recordó a uno que le compró a su ex mujer Laura en un aeropuerto y que no había vuelto a oler desde hacía mucho tiempo.

Se sintió cohibido ante la presencia de Mónica y algo incómodo por el hecho de estar a solas con ella. Absurdamente pensó que era una mujer casada y que era mayor que él. Trató de aparentar frialdad y marcar cierta distancia.

—Ante todo, gracias por recibirme. Sé que es usted una mujer muy ocupada. No le robaré mucho tiempo.

—No te preocupes —le tuteó y Julián notó cómo se le vino abajo su estrategia—. Oye, ¿no te importa que nos tuteemos? Aquí en la agencia es normal entre todos nosotros, incluso con nuestros clientes.

—No, claro que no… Aunque estoy aquí de servicio: esto es un tema oficial y no quisiera… —Julián estaba azorado y sabía que tenía que tranquilizarse—. Bien, como le decía… bueno, como te decía, quisiera que me hablaras de Belarmino Suárez. Sé que habíais quedado a cenar con él la noche en la que fue asesinado. ¿Conocías bien a Suárez?

—Habíamos almorzado juntos en un par o tres de ocasiones. Alguna vez coincidíamos en actos del sector como la Noche de la Publicidad o los premios Ondas, aunque él no solía prodigarse en los eventos multitudinarios. Le gustaba más el cuerpo a cuerpo. ¿Sabes que en el diario lo llamaban Krugman? Era un experto en economía… Buen tipo, ha sido terrible lo que le ha pasado.

—¿Qué relación tenía Krugman con la agencia de publicidad? ¿Por qué se produjeron esos almuerzos?

—Mira, Ortega, el mundo de la publicidad es un mundo de

relaciones públicas. No recuerdo los temas que tratamos en concreto, pero seguro que intentaba venderle información sobre alguno de nuestros clientes.

—¿Venderle información? ¿A qué te refieres?

—Ya veo que no estás al corriente del lenguaje de los medios. Cuando digo vender no significa que me compre algo en el sentido económico de la palabra; me refiero a comentarle temas que eran de interés para nuestros clientes. Por ejemplo, si lanzamos al mercado una campaña sobre el compromiso con la ecología de una empresa de electricidad nos gusta que un periodista como Krugman la conozca de primera mano, e intentamos que lo recoja en sus crónicas en sentido favorable, por supuesto. ¿Lo entiendes?

—Sí, claro que lo entiendo. ¿Krugman se prestaba a eso? ¿Te compraba lo que le vendías?

—Pues no necesariamente, pero lo cierto es que era un tipo inteligente y muy influyente. Era peor, o así lo pensaba yo, no tenerle en cuenta y dejar de informarle. No era el tipo de periodista que se apunta a un pesebre, ¿entiendes?

—No, no entiendo. ¿Qué es un pesebre?

Mónica estalló en una sonora carcajada.

—A ver, un pesebre es cuando un anunciante de la agencia, o la misma agencia, organiza un viaje para periodistas escogidos y les invita, a gastos pagados, para que después informen a sus lectores y oyentes de lo que han visto. Vamos con un ejemplo: hace poco presentamos un modelo de coche todoterreno en los fiordos noruegos. Invitamos a los periodistas de la sección de motor una semana a Oslo, los embarcamos en un crucero y los llevamos a probar los vehículos sobre la nieve. Por descontado, todos los gastos corrieron por nuestra cuenta, saunas y discotecas incluidas. Se trataba de venderles que un todoterreno no es tan contaminante como dicen y que incluso te acerca a la naturaleza más extrema, ¿lo coges? Hoy en día hasta las ONG organizan viajes con los periodistas. Es la manera de que hablen de ti.

—Sí, claro. Tu agencia es de las primeras de España. Quiero decir que lleva las mejores cuentas de publicidad. Ahora la acabáis de vender a General Advertising. ¿Algo andaba mal para tomar esta decisión?

—No. Todo marcha bien. Somos casi doscientos empleados

entre Madrid y Barcelona. La facturación ha ido subiendo porque hemos ido incorporando nuevos clientes, aunque la inversión de estos ha descendido porque el consumo sigue bajando. La publicidad es lo primero que recortan los fabricantes cuando empiezan a notar que caen sus ventas y a esta crisis nuestros clientes no le ven salida a corto plazo. Si hemos vendido es porque se trata de una gran oportunidad: los de la General son los mejores en el mundo. La empresa estará en buenas manos y en cualquier caso ha sido una decisión conjunta con mi marido…

—Tú te quedarás en la empresa por tres años. ¿Y tu marido?

—Bueno, eso ha sido parte del pacto. Los americanos quieren que haya una cara conocida en el tránsito hacia la nueva organización; no hay más historia que esa. Me ha tocado a mí porque de un tiempo a esta parte yo estoy más cerca de los clientes.

—Pero si General Advertising ya tiene experiencia y algunos de sus clientes en el mundo son vuestros en España…

—Creo que hoy te vas a ir con una buena lección sobre el mundo de la publicidad, inspector: hay cosas culturales que son insalvables. No es lo mismo vender una Coca-Cola en España que en Estados Unidos. La publicidad no es solo un mensaje, ni siquiera un eslogan: relaciona las emociones de las personas con los productos que hay que situar en el mercado. En el mundo de la publicidad todo aparece como maravilloso. Es la vida misma. Y la vida no es igual en Pekín que en Barcelona, ni siquiera las aspiraciones de sus ciudadanos son iguales.

—Entiendo. Tú serás la que vele por nuestras vidas consumistas. Otra cosa: Krugman conocía la venta a los americanos y por eso os citasteis para la cena. ¿Qué opinaba él de esta operación?

—Pues no lo he llegado a saber. Me llamó un par de veces y yo le conté lo que en aquel momento podía decirle; teníamos una cláusula de confidencialidad con General Advertising. Sí que me dio a entender que tenía información sobre los americanos… ya sabes, él vivió mucho tiempo en Nueva York y en Washington. Ahora que lo pienso, quiso que nos viésemos antes. No quería hablarlo por teléfono, pero yo estuve concentrada en cerrar la compraventa y pasé en Nueva York dos semanas… Total, que no pudo ser.

—¿Qué crees que quería?

—No lo sé, pero ciertamente se mostró muy interesado. No era normal en un tipo frío como Krugman...

— Lleváis la cuenta de su periódico, *El Universal*.

—Sí, desde hace varios años. La de todo el grupo. Son muy buenos en Internet, pero, como todos los medios, lo están pasando mal. La televisión sigue siendo la reina y la que mantiene la publicidad y los beneficios, pero los periódicos son algo tristes. Muchos de nuestros clientes ya no se quieren anunciar en ellos. El Grupo Universal ha rebajado bastante su inversión publicitaria también...

—¿Es vuestro principal cliente?

—No. Pero es de los primeros y con un gran potencial en la comunicación de persona a persona. Los utilizamos a menudo para cierta publicidad viral con objeto de marcar tendencias, ya sabes: saben cómo explotar las redes sociales para transmitir mensajes.

Julián no sabía exactamente a qué se refería Mónica y no era de los que se sentía incómodo por preguntar algo que a ella le pudiese resultar obvio, así que insistió:

—¿Utilizáis sus usuarios de Internet para lanzar campañas publicitarias?

—Algo parecido, aunque no funciona tal y como lo expresas. Nadie se cree la publicidad que aparece en una red social: es molesta y hasta puede tener efectos negativos. En cambio, los anunciantes pueden crear tendencias informativas que se cuelan en los mensajes de Twitter, Facebook y otros sin necesidad de que estas redes sociales aparezcan como las divulgadoras de la información.

Julián recordó lo que Gavela le había dicho respecto a la publicidad subliminal, que llamaba algo así como «publicidad encubierta como información».

—Entonces, en el caso de *El Universal* tenéis un acuerdo comercial en doble sentido, ¿no es así? Por una parte les compráis espacios para insertar anuncios de vuestros clientes y por otra anunciáis sus campañas en otros medios.

—Muy bien, inspector, muy bien. Eso es.

Mónica esbozó una amplia sonrisa. Se la notaba feliz y entusiasmada por su trabajo y Julián pensó que quizá tenía pocas oportunidades de explicarlo ante un neófito de los medios de comunicación. Prefería hacerse el ingenuo con ella, pensaba que si la dejaba hablar podría conseguir algo que le fuera de utilidad.

—Pero en el caso de *El Universal* tienen un buen equipo de programadores informáticos orientado al seguimiento de las tendencias que aparecen en las redes sociales —prosiguió Mónica—. Lo han hecho muy bien, claro que a costa de perder lectores convencionales. Los periodistas han perdido fuerza, lo que publican también. En cambio, para nuestros clientes sigue siendo importante impactar en las personas con la información y sobre todo con la opinión. Hoy en día puede ser más creíble para la gente un rumor en la Red bien estructurado y dirigido que una doble página a todo color en un diario.

—¿Y eso no es manipular a la gente? Quiero decir, si lanzáis opiniones interesadas… ¿dónde está la frontera entre lo que es verídico y lo que es pura falsedad o interés?

—Mira, el noventa por ciento de los contenidos de las redes sociales lo producen el diez por ciento de sus miembros. El resto no es que sean pasivos, son receptores de los mensajes y además los divulgan redistribuyéndolos a otros. Es lo que en Twitter se llamaría retuitear los *trending topics* o tendencias informativas que aparecen por segundos. Nosotros nos dedicamos a ser uno de esos del diez por ciento que quieren influir. No hay nada malo en ello. ¿O es que los periodistas no buscan lo mismo cuando publican en el diario? Lo que pasa es que ya nadie les sigue…

Julián recordó que Barreta le había explicado alguna vez cómo los especialistas en informática de la policía hacían un seguimiento permanente de las redes de Internet para conocer los movimientos de los «indignados» del 15-M, o los problemas que Scotland Yard había tenido para seguir las revueltas de Londres porque los agitadores se comunicaban a través de un sistema de mensajes encriptado del teléfono BlacKberry. Y continuó preguntando:

—¿Y ese sistema informático de *El Universal* que utilizáis en vuestra agencia es exclusivo para vosotros o está al servicio de otras empresas publicitarias?

—Tenemos un buen acuerdo, pero no podemos saber si otros lo están manejando también. No es tan fácil como parece. Para influir en el consumidor tienes que escoger el momento social oportuno; subirte al carro de la moda, pero también anticiparte a lo que será moda en el perfil de la gente a la que te diriges y, por supuesto, acertar con los mensajes que vas a transmitir de persona en persona. Cuando hay suerte, son los propios consumidores los que se encargan de multiplicar tu información; entonces habrás creado la tendencia... No es tan fácil, no señor, no lo es.

—¿Qué opinión te merece Francisco Ventura?

Julián detectó cómo se le helaba la sonrisa, y el semblante distendido de Mónica se convertía en rígido y serio. Dándose cuenta de que se le habría notado, ella se levantó en dirección a la máquina de café y le ofreció una taza. Julián la rechazó y se lo tomó ella. Tardó casi treinta segundos en responder y lo hizo de espaldas al inspector.

—Ventura es un cliente fiel a nuestra casa. No suelo hablar de nuestros clientes. No tengo mucho que decirte. Lo siento.

Comenzaba a llover torrencialmente. Las gotas salpicaban los cristales de la sala de juntas. Julián pensó en que tenía su moto en la acera y que no iba preparado para la lluvia. La conversación con Mónica ya no iba a volver a los derroteros del comienzo, pero aun así continuó:

—¿Si Krugman hubiese creído que esta venta que habéis hecho no os convenía por algún motivo crees que te lo habría dicho?

— No nos teníamos suficiente confianza, pero creo que sí. Quizá no por teléfono. Él nunca quería hablar por teléfono de los temas importantes. ¿Crees que me quería ver por eso?

—No lo sé, pero espero enterarme.

A Julián se le aparecieron de nuevo las últimas palabras escritas en forma de pregunta por Krugman en *El Universal*: «¿Qué institución que se jacta de tener el mundo bajo control invertirá en sectores estratégicos en España?».

Estaba recibiendo en menos de veinticuatro horas una clase teórica sobre los medios de comunicación. Siempre los había visto con mucha distancia. Sentía que en los temas que a él le afectaban le causaban más problemas que beneficios; sin embargo, consideraba que tenían mérito los periodistas que aguardaban largas horas en los tribunales o llamaban con insistencia a los policías para obtener alguna información. Le molestaban aquellos que, además, conocían a los confidentes de la policía y por un par de copas les sonsacaban información que la mayoría de las veces resultaba interesada, cuando no falsa. Los confidentes eran para «darles de comer aparte», en opinión de Julián: necesarios pero con tendencia a volverse peligrosos; los delincuentes que delatan a otros por no sufrir una pena o incluso por dinero son de poco fiar.

Julián abrió su libreta y, haciendo ademán de anotar algo en ella, preguntó a Mónica:

—¿Quién es el máximo responsable de General Advertising? ¿Con quién has negociado?

—Su nombre es Jeff Halton, pero no sé qué tiene que ver eso con Krugman. Jeff es un alto ejecutivo que ha estado en medio mundo llevando compañías de medios. Un profesional reputado.

—Me gustaría hablar con él. ¿Cómo puedo localizarlo?

—En estos momentos debe de estar volando hacia Nueva York. Apenas ha estado 48 horas en Barcelona… Volverá en unas semanas.

—¿Tienes su teléfono?

—Claro que sí, pero… no sé si debo… Oye, no estoy obligada a… No quisiera que todo esto nos trajera alguna complicación. Hemos vendido nuestra empresa, pero tenemos una parte del pago aplazada y, bueno, me estás confundiendo. Te pediría que no le molestaras con algo que no tiene que ver con nosotros. Es una casualidad que Krugman muriera la noche en la que tenía una entrevista conmigo y con mi marido.

—No te preocupes, no le llamaré de momento, pero quisiera tener su teléfono móvil.

Mónica accedió a la agenda de su Blackberry y le dio el teléfono de Halton. Julián lo comparó enseguida con el que le había facilitado Leire en el post-it de Krugman y comprobó que no era el mismo. Quizá se estaba precipitando; no debía dejarse llevar solo por la intuición y sí analizar reposadamente la situación.

Sin embargo, estaba convencido de que había un hilo conductor entre el periodista asesinado y la venta de Marín&Partners. Como también pensaba que la reacción de Mónica Lago ante la pregunta sobre Ventura iba más allá de ser una actitud defensiva ante un buen cliente.

Capítulo 12

Carlos Marín recibió la llamada de Mónica desde la oficina hacia el mediodía del sábado.

Por la mañana, no muy temprano, había ido al gimnasio Arsenal, un complejo deportivo de lujo solo para hombres de más de catorce mil metros cuadrados situado en el barrio de Sarrià-Sant Gervasi, en el norte de Barcelona.

Calculó la hora para asegurarse de que se encontraría con la mayoría de hombres de negocios y personajes políticos más relevantes de la ciudad. La venta de su compañía por una fortuna estaba en boca de la mayoría de los socios que ejercitaban sus músculos en las impresionantes instalaciones con vistas a toda la ciudad. Como estos le detenían a su paso, apenas tuvo tiempo de dar unas brazadas en la piscina y estar unos minutos en el baño de vapor. La mayor parte lo dedicó a dar explicaciones en corrillos de envidiosos y a recibir los parabienes de algún político democristiano asiduo del gimnasio. Salió henchido de vanidad y muy satisfecho: en poco rato había quedado a comer y cenar con más de una decena de empresarios que querían plantearle algún tipo de negocio o simplemente querían charlar, como ellos mismos decían, «sin ningún interés personal» con él.

La mayoría de los socios del Arsenal estaban pasando dificultades en sus empresas: habían realizado expedientes de regulación de empleo o incluso cerrado algunos negocios. Encontrar una oportunidad como la de Marín no era nada habitual en los tiempos que corrían, y sí lo era entregarse a los oportunistas y malvender.

Cuando Mónica lo llamó iba conduciendo de camino a casa. Conectó el manos libres del Mercedes.

—Cariño, en una hora acabaré aquí en la oficina. Si te parece podríamos comer en casa. Me paso por Semon y compro alguna cosa. Parece que lloverá toda la tarde y no me apetece salir…

Carlos Marín estaba de buen humor aunque el hecho de quedarse en casa, a solas con su mujer, le incomodaba. No había vuelto a tener noticias del detective Fernández, pero lo peor era que no sabía cómo debía afrontar la infidelidad de Mónica. De todas formas accedió.

—Bien. Sí, será mejor que comamos en casa. Acabo de salir del gimnasio y he tenido que nadar en la piscina cubierta; empezaba a llover fuerte. Nos vemos en un rato.

—Perfecto, cariño, en poco más de una hora estaré ahí. Un beso.

Se sintió molesto por el lenguaje amoroso que utilizaba Mónica, como si no hubiese sucedido nada.

«Te está llevando a un terreno equívoco. Con seguridad pretende desarmarte. Está demostrando un cinismo que va más allá de lo permisible. No deberías seguir tolerando que juegue contigo de esa manera. De hoy no pasa que le pongas fin a esta situación. No debes olvidar que eres un cornudo, que se está tirando a un tío o quizás a muchos más.» Volvió a aparecer la voz interior que le advertía de que no debía bajar la guardia y tomar la iniciativa.

Pero Carlos Marín debía evaluar los daños colaterales de una ruptura con Mónica. Por la parte económica se sentía seguro, ¿o quizá no? El importe de la venta de Marín&Partners se había ingresado en cuentas separadas a nombre de cada uno de ellos; sin embargo, la cantidad pendiente de cobro, nada menos que treinta millones, estaba garantizada mediante un aval bancario a nombre de los dos solidariamente y con prenda de las acciones del cincuenta por ciento de la compañía. «Compañía en la que —pensó— ahora carezco de poderes, pues están a favor de mi mujer.» En cualquier caso, Marín vio por ahí una posible fuga que le podría conducir a un largo pleito.

Mientras entraba el coche en el garaje de casa contempló la situación, que se le antojaba más acomodaticia pero al tiempo insostenible: imaginaba que en cuanto le desvelara a Mónica que tenía conocimiento de sus infidelidades —estaba convencido de que le hablaría en plural de ellas— ambos podrían prestarse a llegar a un acuerdo formal de convivencia durante los próximos tres años. Una especie de pacto por el que ambos hicieran su propia vida y guardaran ciertas apariencias frente a terceros con objeto de no perjudicar su patrimonio conjunto.

«¡Tú estás loco! No vas a aguantar treinta y seis largos meses llevando una vida hipócrita. En este momento precisamente, cuando lo tienes todo, no vas a caer en lo de algunos que acaban por tener una mala vida resuelta. Es mejor cortar por lo sano buscando una solución más inteligente.»

—Pero ¿cuál? —dijo en voz alta y golpeó sin querer con el guardabarros trasero la pared del garaje.

El ligero choque le impactó suavemente la nuca con el reposacabezas de la berlina y fue como un toque para que rehiciera su estrategia con respecto a Mónica y su infidelidad. Lo mejor sería adoptar un papel de incredulidad ante el comportamiento de su mujer: sentirse desgraciado porque él estaba profundamente enamorado de ella y no podía entender que le correspondiera de esa manera… Debía mostrar una actitud de culpabilidad por su parte: «¿Qué he hecho mal, Mónica? Dime en qué tengo que cambiar. No podemos echar por la borda estos años de felicidad. Dime que ese hombre no significa nada para ti. Volvamos a lo de antes…».

No se veía cómodo en un papel en el que no llevara la iniciativa y que le costaría dramatizar. Se le antojaba una actitud de folletín de poca monta, y tenía dudas de cómo reaccionaría ella ante el sensible y comprensivo comportamiento de su marido, al que conocía bien y del que sabía de sobras que la transigencia y la ternura no estaban entre sus virtudes.

«Esa puede ser una actitud correcta si ella tiene preestablecido un plan, pero puede conducirte a enrocar la situación y a que esta no quede resuelta. Podría ayudarte a que desvelara sus intenciones, pero acabarás por dejar en sus manos la solución del caso; ya sabes que en el método del caso puedes correr el riesgo de acabar asumiendo el problema del otro. Es bueno guardar las distancias.»

Seguía lloviendo y desde el salón se divisaba una bruma

blanquecina que impedía ver más allá de unos pocos metros. El sol no hacía esfuerzos por asomarse y parecía que estaba anocheciendo, aunque solo era poco más de la una de la tarde. Se sirvió una copa de vino blanco y encendió el iPad, que estaba conectado al amplificador de música. En Spotify estaban programadas las canciones favoritas de Mónica. Sonó Coldplay y se quedó ensimismado en el sofá sin atender las melodías que se oían sin cesar.

Miró su teléfono móvil y rastreó la agenda hasta dar con el número de Luis Fernández. Pensó en llamarle, pero optó por enviarle un mensaje: «¿Alguna novedad?». Firmó «Carlos Marín» y luego lo borró con la extraña sensación de no saber por qué no quería dejar huella del SMS que ya había salido del buzón de su iPhone.

Al cabo de media hora llegó Mónica cargada con un par de bolsas de la tienda de comida preparada. Gritó desde la puerta:

—Hola, cariño. ¿Me echas una mano? Semon estaba vacío, como nunca. Se nota la crisis. He comprado canelones de *foie*, los que a ti te gustan…

Carlos Marín fue hacia ella y la besó en la boca. Durante la comida, Mónica le explicó la reunión con el inspector Julián Ortega. Le dijo que en algún momento de la misma el policía llegó a dar a entender que la muerte de Krugman podía tener algo que ver con la venta de la agencia.

—Ya ves qué tontería. Al final estaba más interesado en conocer cómo funciona el mundo de la publicidad que en otra cosa…

Marín no le dio importancia. No le quiso contar la entrevista con Leire. De hecho, tampoco se atrevió a decirle nada referente a su matrimonio y a la infidelidad de ella. No se sintió preparado. Simplemente comieron mientras ella le ponía al día del traspaso de papeles en la agencia y le decía lo contenta que estaba en su nueva situación. Por la tarde vieron dos películas sentados en el sofá. Mónica recostó la cabeza sobre el hombro de Carlos y se quedó dormida. Carlos silenció el móvil para no despertarla.

A eso de las nueve de la noche vibró el iPhone de Carlos Marín. Era la policía. Le dijeron que era un asunto urgente y delicado y que era necesario que pasara por la comisaría a primera hora del domingo. Marín apenas acertó a balbucear lacónicamente:

—Sí, claro, por supuesto. Pero ¿de qué se trata?

El oficial que se identificó como Fernando Barreta le dijo que no podía comentar nada por teléfono. Le esperaba a las nueve de la mañana del domingo en la comisaría de la Travessera de les Corts.

Capítulo 13

*E*l sábado por la tarde Leire decidió pasarse por la redacción. El fin de semana libraba, pero había recibido una alerta en su móvil del departamento de comunicación de la policía. Llamó a Rafa López, el jefe de prensa, para recabar más información: se trataba de un robo con violencia perpetrado en el despacho de un detective en la calle Floridablanca. En el momento del asalto a su oficina, un tal Luis Fernández, investigador privado de poca monta según Rafa López, se hallaba en ella y le fue propinada una buena paliza. Como resultado de la misma había sido trasladado al hospital Clínic de Barcelona y se encontraba en coma. No sabía muchos más detalles, pero al parecer la secretaria del detective, a la que habían avisado, tenía un ataque de ansiedad y estaba histérica: decía que se habían llevado todos los archivos de los casos más recientes y estaba preocupada porque no había hecho copias de seguridad; pensaba hacerlas el lunes, y su jefe le pegaría una buena bronca. Pero, según Rafa le dijo a Leire, este ya tendría bastante con sobrevivir; su estado era crítico según los médicos.

En el periódico había dos redactores de deportes. La liga había empezado hacía un mes, pero aún andaban con los rumores de nuevos fichajes para el Barça. Scream, el redactor jefe de espectáculos, trataba de sacar adelante con dos becarias una doble página con las críticas de los estrenos de las películas del viernes. Una de las chicas, la más joven, estaba llamando a las distribuidoras para hacer un ranking de los cines y la otra hacía la página de televisión y tenía el encargo de corregir las dos crónicas sucesivas sobre la programación que Mario Canela iba a enviar, como siempre, con un estilo tan propio que necesitaba de una edición bastante exhaustiva. El resto del periódico que aparecería el domingo estaba ya hecho durante la semana: se trataba de descongelarlo y, si era necesario, «darle una pasada por la sartén», como solía decir Gavela, para que fuera más digerible.

A media tarde solo quedaban un par de páginas abiertas. Daniel Soler, el jefe de cierre, pasaría a última hora para echar un vistazo como cada sábado. Lo fuerte de la edición dominical ya estaba cocinado. La crónica de Krugman no se había sustituido de momento, pero había bastante material en el suplemento de economía que procedía de un acuerdo de sindicación con *Los Angeles Times*: se trataba de traducir y pegar. Decenas de artículos sobre la crisis económica solían quedarse fuera por falta de espacio; los analistas de bolsa ofrecían sus piezas literarias gratuitamente por el mero hecho de aparecer en el diario y así conservar los pocos clientes que tenían, pero el periódico no tenía suficiente espacio para albergarlos dado el recorte de páginas al que se le sometía por la escasez de la publicidad.

Gavela prefería orientar *El Universal* del domingo hacia los temas que llamaba *soft*. Quería que las páginas de «Gente» salieran bordadas. Así, Manuel Trapero, el jefe de sociedad, era el que disponía de más redactores; la mayoría becarios y colaboradores durante el fin de semana, redactores a tanto la pieza que le pudieran traer algo de cotilleo novedoso más allá de lo que le llegaba por las agencias especializadas en el corazón. Trapero solía apoyarse, también, en los tertulianos del *No me lo creo*, un *reality-show* sobre el mundo de los famosos que era el programa de máxima audiencia en Universal Televisión.

Desde hacía un año la sección de cultura había quedado engullida por la de espectáculos. Scream, que no era muy lector de libros pero sí un apasionado por el arte, tanto por la escultura como por la pintura, solía hacer personalmente los textos recorriéndose la mayoría de galerías de la ciudad, sobre todo aquellas situadas en el entorno de la calle de Petritxol, cerca de la plaza del Pi, en el Barrio Gótico de Barcelona. Lo de los libros lo dejaba para media docena de *free-lancers* a los que daba plena libertad para que criticaran a placer las novedades que aparecían en las librerías; solo les ponía la condición de que, en conjunto, aparecieran tantas críticas positivas como negativas. Esa era la absurda manera que tenía de «equilibrar» la cultura. Por descontado hacía ya tiempo que el suplemento semanal de libros había sido desterrado por falta de rentabilidad.

Internacional y política también estaban bajo una sola batuta desde el último expediente de regulación de empleo. Lo que sucedía fuera de España se cubría con las agencias Reuters y EFE; habían caído en el último ajuste de personal todos los corresponsales en el extranjero y algunas agencias como France Press o Associated Press; el presupuesto no daba para más. Así es que a su jefe, Vílchez, lo llamaban Dios porque tenía que estar en todas partes y en todos los husos horarios. Vílchez contaba con una tropa de doce redactores que en fin de semana se quedaba en media docena escasa.

Sucesos dependía directamente de Daniel Soler, pero este aún no había llegado al diario. Leire abrió su ordenador y empezó a teclear el tema del robo con violencia al detective Luis Fernández. Volvió la cabeza hacia la sección de Internet, la que estaba dotada de más recursos en el diario. Por lo menos había diez personas actualizando las noticias en la web y otras tantas incluyendo temas nuevos. Los *community managers* estaban cerca, pero en mesas aparte; eran los que, según su propio criterio, interactuaban con las redes sociales haciéndoles llegar los enlaces a las informaciones que consideraban que podían tener más gancho para sus seguidores. También contestaban los tuits y efectuaban los comentarios en Facebook. Total, en la página web Leire contó no menos de treinta personas.

Se dirigió hacia el despacho de Cristina, la responsable de aquel tinglado, a quien apodaban *la Paloma* en *El Universal*. Cuando Leire la conoció pensaba que era por su blanca palidez y porque solía vestirse con colores claros y desvaídos; luego le aclararon que su mote le venía por ser un canal de mensajes y relación con el exterior a través de la Red, como una paloma mensajera.

La Paloma había estado trabajando para Google en Madrid. Llevaba el área de relaciones institucionales de la multinacional para España y Portugal. Le explicó que eso en Google se llamaba *policy counsel* y se trataba, al fin y al cabo, de influir en gobiernos e instituciones en lo que concernía a la legislación sobre propiedad intelectual y derechos de los ciudadanos en general en lo que pudiera representar una oposición para los desarrollos presentes y futuros de la compañía. Se vino a Barcelona porque se enamoró de un abogado catalán algo más joven que ella al que intentó convencer de que retirara una demanda contra Google por atentar contra la privacidad y el honor de su cliente. La negociación dio sus frutos y hacía menos de un año que se habían casado.

Lo cierto es que Leire se fiaba de la Paloma más que de cualquiera de las diezmadas huestes de redactores, que estaban a media tarde del sábado exhaustos y sacando como podían adelante el diario. Sobre todo le proporcionaba una última hora de lo que acontecía que la descargaba de tener que buscarlo en la Red innecesariamente.

—Hola, Cris —dijo Leire—. ¿Cómo va?

La Paloma levantó la cabeza por encima del ordenador: una pantalla de más de veinticinco pulgadas que a su vez tenía dividida en varias que le permitían controlar desde la labor de los *community managers* hasta las actualizaciones en las secciones, todo un compendio de información en tiempo real.

—Pues es un sábado demasiado tranquilo. Oye, que no te he dicho que yo también siento lo de Krugman. A mí me parece que ya no quedan periodistas así. Y aunque sé que no estaba por las nuevas tecnologías, siempre me trató con respeto… Alguna vez echaba un vistazo de reojo a mi pantalla, la llamaba «el Ojo de Dios»… ya ves.

—Sí, creo que era un gran tipo. No se sabe nada de los asesinos, todavía —dijo Leire.

—¿Sabes? En el diario el tema de su muerte es lo más visto en la página web. Aunque hay cientos de comentarios en contra de él; hemos tenido que moderarlos. Era un tipo muy controvertido y además las webs de la derecha han aprovechado para cargar contra el gobierno por las supuestas influencias que Krugman tenía en él.

—Sí, ya he visto. No tengo nada nuevo sobre la investigación y se me fue la olla escribiendo que lo seguiría de cerca… Bueno, ahora he venido al diario por lo del asalto a un detective privado. Voy a redactar una nota por si acaso llega Soler y lo quiere publicar, aunque está muy acartonado y no sé si dará para un breve.

—Oye, a mí el tema me interesa. Vamos algo aburridos: sin fútbol, con los mercados bursátiles cerrados y sin convulsiones, los del 15-M parece que descansan hoy también y los políticos haciendo mítines de precampaña. Si quieres hazme una crónica y la subimos a la página web. ¿Tienes algo interesante sobre ese detective?

—No, nada. Acabo de llegar y solo está la nota oficial. Haré alguna llamada, creo que lo llevan los de robos… Tengo un conocido ahí.

—Si quieres te miro lo que hay en la Red sobre ese tipo y con lo que tú averigües hacemos un buen tema. ¿De acuerdo?

—Ok, perfecto. En menos de una hora hablamos.

—No te preocupes. Me parece bien. Nosotros ya hemos subido la noticia de alcance, pero, si podemos dar algo interesante un sábado por la tarde, cuando todas las webs están dormitando, mejor, ¿no te parece? —Cristina le guiñó un ojo de complicidad.

A Leire le caía bien la Paloma. Era de fiar y una buena profesional, y estaba convencida de que gran parte del mérito de los más de doce millones de usuarios que tenía la web de *El Universal* era suyo.

Eran las ocho de la tarde cuando llamó a uno de los policías especializado en robos con violencia que había participado en el desmantelamiento de una red de criminales procedentes del este de Europa que asaltaban casas con los inquilinos dentro. Seguro que él sabría algo del caso si estaba de servicio. Efectivamente estaba en ello, pero le dijo que no le habían dado muchas explicaciones y que el asunto había pasado a ser coordinado por homicidios, concretamente por la brigada central de investigación criminal. Cuando Leire le preguntó qué inspector de la brigada llevaba esa coordinación se quedó sin habla ante la respuesta del policía.

—Julián Ortega lo lleva. ¿Le conoces?

Colgó y seguidamente llamó a Julián. No le cogía el teléfono. Estuvo insistiendo pero no consiguió hablar con él. Le dejó varios mensajes. Luego, muy nerviosa y llena de rabia porque Julián no le había dicho nada, le dijo a Cristina que le había salido un asunto urgente, que no podía hacer la pieza del detective y se marchó del diario. Quedó con Paola para cenar algo por el centro y luego le propuso ir a bailar al Luz de Gas.

La discoteca estaba a reventar, así que de vez en cuando salía a tomar aire afuera o subía al salón privado a tomar una copa. En una de las incursiones al piso de arriba perdió de vista a Paola, a la que había visto tontear con un chico. A cada instante miraba el teléfono por si tenía algún mensaje de Julián. Un hombre muy atractivo se le acercó a la barra del bar y la invitó a tomar una copa. Le dijo que era abogado penalista y que se había fijado en ella desde que había entrado en la discoteca. Acabaron besándose en uno de los sofás del recinto privado. Cuando bien entrada la madrugada él le propuso que fueran a su casa, Leire se levantó mareada y se disculpó azoradamente. Había bebido, que ella recordara, por lo menos tres gin-tonics. Se sentía despechada por Julián y al mismo tiempo rabiosa por no ser capaz de acostarse con aquel chico que acababa de conocer. Le envió un SMS a Paola y tomó un taxi hasta casa. A las seis de la mañana se metió en la cama y lloró desconsoladamente hasta que se durmió.

Capítulo 14

*L*a tarde del sábado Julián Ortega estaba en la comisaría con Barreta. Trataban de averiguar quién estaba detrás de la General Advertising. No encontraban suficientes referencias sobre Jeff Halton, el presidente de la compañía, a pesar de que Mónica Lago le había dicho que se trataba de un prestigioso ejecutivo que había gestionado empresas en medio mundo. Apenas alguna entrevista en *The New York Times* de hacía tres o cuatro años hablando de los nuevos medios y la publicidad y la escasa, y hasta opaca, información que aparecía en la web de la compañía norteamericana con sede en Nueva York. Se trataba de una empresa que no cotizaba en Wall Street y sus accionistas eran desde una fundación hasta varios fondos de inversión, pero no aparecían nombres propios en el consejo de administración.

Julián no tenía claro lo que trataba de encontrar, aunque intuía que Krugman, tanto por lo que había escrito en su último artículo en *El Universal* como por el interés en hablar con Mónica antes de que cerrara la operación de venta a los americanos, sabía algo que quizás a alguien podría no interesarle que publicara. Además estaba el teléfono de Nueva York del post-it al que Leire había llamado; a lo mejor era una coincidencia, pero Ventura estaba tratando de vender su empresa a una compañía norteamericana.

—Lo que está claro es que este tal Halton no es el asesino de Krugman —dijo Barreta con sorna exhibiendo ante Julián la fotografía del americano que ilustraba la entrevista del *Times*—. Se parece como un huevo a una castaña al puto retrato robot del vecino.

Julián le echó un vistazo. En ese momento entró el comisario Rojas. No tuvo inconveniente en hablar delante de Barreta, quien hizo ademán de salir, pero se lo impidió con un gesto.

—Puedes quedarte. Sé que le echas una mano a Julián… y mientras no se me quejen los de administración y la burocracia siga su curso yo no voy a poner pegas —dijo con tono amable, aunque se le notaba algo preocupado—. He vuelto a recibir una llamada de Domènech, el de Interior; al parecer Ventura le llama cada vez que vas a verle. Es una puta mierda: Estos políticos pierden el culo por la prensa, pero ándate con cuidado que este cabrón me está apretando las tuercas. Somos un equipo, Ortega, pero solo hasta que empiecen a llover las hostias de verdad y cada uno tenga que salvar su crisma. ¿Verdad que lo entiendes?

Julián guardaba silencio y asintió con preocupación. Mucho le tenían que presionar a Rojas para que dejara a uno de los suyos en la estacada, pero el momento era delicado con las elecciones de por medio y era consciente de que tendría que andar con mucho tiento. El comisario continuó:

—Pero no he venido a eso. Me dijiste que estabas investigando lo de la venta de Marín&Partners, ¿verdad? Y que buscabas una relación entre eso y el periodista asesinado, ¿no es así?

—Eso es. No tengo nada en concreto, comisario, pero todo apunta a que pudiera haber cierta conexión que me gustaría confirmar —dijo Julián.

Rojas le interrumpió:

—Bien, pues quizá yo tenga algo que te pueda interesar…

—¿Sí? ¿De qué se trata?

—Han asaltado el despacho de un detective privado llamado Luis Fernández. Le han dado tal paliza que está entre la vida y la muerte. Le han desvalijado toda la oficina, los archivos de los clientes, los ordenadores, todo patas arriba… En la comisaría de Via Laietana tienen el teléfono del detective, ¿y a que no sabes de quién es el último mensaje que tenía grabado? Nada menos que de Carlos Marín. Aquí tienes una transcripción.

Julián Ortega leyó en voz alta:

—«¿Alguna novedad? Carlos Marín.»

—Ortega, puedo hacer que coordines el asunto del detective, pero solo si esto conduce a lo del periodista. De lo contrario nos meteremos en otro problema: el comisario de Laietana es amigo y está dispuesto a hacernos el favor, pero solo si en menos de cuarenta y ocho horas encuentras algún hilo conductor. ¿Qué dices?

Julián contestó al instante.

—Por supuesto, me lo quedo. Aunque he de decirle que no le veo, de entrada, relación… pero me pongo a ello.

—Eso significa que has de coordinarte con el inspector de Laietana que ha estado en el lugar de los hechos. A él no le hará mucha ilusión porque no sabe de qué va todo esto…

—No hay problema.

—Bien, pues en ese caso es todo tuyo. Ponte en marcha y manténme informado. Quiero saber qué relación tenía ese Marín con un detective privado que se debe dedicar a fisgonear en las camas de la gente.

Cuando se quedó a solas con Fernando Barreta estuvo dudando en llamar a Carlos Marín en ese mismo instante, pero pensó que debía dejarlo reposar unas horas: le pidió a su compañero que lo citara al día siguiente a las nueve de la mañana porque quería tener tiempo para pensar en cómo afrontar el interrogatorio. Mientras tanto Barreta buscaría otras llamadas que Marín hubiera hecho al detective y rastrearía también las de Mónica Lago. No podían pinchar los teléfonos sin una orden judicial, pero sí obtener extraoficialmente un listado de las llamadas.

Barreta «barrería» la Red en busca del perfil profesional de Carlos Marín y se lo haría llegar por correo electrónico a Julián durante la noche.

Necesitaba despejarse y se acordó de que al día siguiente había quedado con Leire para tomar algo en El Xampanyet y luego comer en casa de su madre. Quería pasar por La Viniteca de Quim Vila para buscar un buen vino italiano con el que acompañar la lasaña. La lluvia había cesado: bajaría en moto y la aparcaría cerca de la catedral, en el Barrio Gótico, para luego ir caminando hasta la tienda de vinos. Precisaba ordenar las ideas.

Durante el trayecto con la moto recibió varias llamadas de Leire. Escuchó los mensajes que le había dejado en el contestador: se había enterado de que le habían asignado el caso del detective y le reclamaba información. Estuvo dudando en llamarla, pero no quería complicar más las cosas y optó por no contestarle. Al día siguiente ya se verían. Sonrió pensando en lo buena periodista que era.

Capítulo 15

$\mathcal{A}$ las nueve en punto de la mañana Barreta acompañaba a Carlos Marín hasta el despacho del inspector Ortega. Marín llevaba un traje azul oscuro y camisa blanca con corbata. Julián pensó que no era la forma de vestirse en domingo, salvo que tuviese alguna reunión importante a continuación o quisiera dar una imagen de persona seria y ocupada; se inclinó por lo último.

Le invitó a sentarse. Barreta los dejó a solas. Julián notó a Marín nervioso: cruzaba los dedos de las manos continuamente y cuando se apercibía de ello no sabía dónde colocarlas. Hizo además de sacar un paquete de cigarrillos pero al momento cayó en la cuenta de que estaba prohibido fumar y volvió de nuevo a juguetear con sus manos.

—Tranquilícese, señor Marín. ¿Sabe por qué le he mandado llamar?

—Pues... realmente no. Sé que está investigando lo de Krugman; mi mujer me dijo que estuvo usted ayer en su despacho. ¿Se trata de eso?

Julián pensó que era normal que su mujer le hubiese comentado la entrevista que tuvieron y, al mismo tiempo, no pudo evitar compararle con ella, tan desenfadada y desenvuelta y él tan acicalado e inquieto. Supuso que eran un matrimonio bien dispar. Optó por asegurarse de que no sabía por qué estaba allí.

—¿No ha leído los periódicos hoy?

—La verdad es que no he tenido tiempo. Suelo hojearlos mientras desayuno, pero hoy... —se justificó Marín.

—No se preocupe, eso no es un delito —dijo Julián intentando bromear para que se tranquilizase—. Entonces no sabrá que han asaltado el despacho de un detective privado en Barcelona.

A Carlos Marín le cambió el semblante. Se desanudó ligeramente la corbata y sacó un pañuelo blanco del bolsillo para limpiarse las gotas de sudor que se deslizaban por su frente.

—¿Tiene calor, señor Marín? Puede quitarse la chaqueta. En la comisaría nos obligan a tener el aire acondicionado a 22 grados. Ya sabe, ahorro de consumo y esas cosas del medio ambiente…

Marín colgó su chaqueta en el respaldo de la silla y pareció relajarse algo.

—No. No me he enterado de nada, pero en cualquier caso sigo sin saber…

Julián le interrumpió.

—Ese detective se llama Luis Fernández, y al parecer tenía tratos con usted, señor Marín.

Carlos pasó del nerviosismo a la irritación, pero prefirió ponerse a la defensiva.

—Inspector, creo que se equivoca. Yo no tengo tratos con detectives privados. Y en cualquier caso, no sé qué tiene que ver ese robo conmigo.

—Mire, Marín, tomemos esto como extraoficial. Nada de lo que diga le perjudicará. Me gustaría que la conversación fuera sincera; si en algún momento entiende que va en contra de sus intereses la dejamos y se busca usted un abogado… Por el momento nada de eso es necesario, pero es imprescindible que colabore. Estoy convencido de que usted no tiene nada que ver con ese robo, pero tenemos pruebas de que estaba en contacto con el detective Fernández; de lo contrario no le haría perder su tiempo.

—¿Pruebas? En ese caso, inspector, le ruego que me explique por qué estoy aquí. Dígame lo que le ha dicho ese detective sobre mí y yo le diré si es o no cierto.

Julián no quiso seguir dando más rodeos; Marín era de los que iban directamente al grano y no le interesaba que se bloquease y acabara por no sacar nada en claro de él. Pero de momento no quería decirle toda la verdad y jugó de farol.

—Fernández nos ha dicho que usted le hizo un encargo sobre un asunto digamos que... delicado. ¿Me lo va a contar, señor Marín, o prefiere que se lo diga yo?

Julián consiguió desarmarlo: debió de creer que el inspector estaba al corriente de la infidelidad de Mónica. Marín pensó: «A saber lo que habrá hablado con ella». Ya todo le daba igual. La tensión de las últimas horas pudo con él.

—¿Usted cree que Krugman estaba liado con mi mujer? Ese detective Fernández, al que contraté para que la siguiera, fue incapaz de sacar una buena foto... —Se derrumbó. Se cubrió la cara con el pañuelo e hizo como si se sonara la nariz.

Más tarde, cuando se hubo calmado, le contó con detalle desde las primeras sospechas sobre su mujer hasta los encuentros con el detective privado y el robo del maletín y su devolución posterior sin las fotos de Mónica haciendo el amor con un desconocido. Le dijo que el detective había recibido una llamada de alguien que estaba interesado en saber quién había hecho el encargo y que en ningún momento le había pedido dinero por las fotos. Julián le pidió que describiera a la persona que había tropezado con él en la terraza de la cafetería y se había llevado el maletín. Luego le enseñó el retrato robot del supuesto asesino de Krugman.

—¡Es él! —dijo Marín—. Se parece mucho al hombre que me robó las fotos. Lo vi por un instante, pero es él seguro. Inspector, ¿tiene las fotos? ¿Quién es ese hombre?

—No, no las tenemos. Se han llevado la mayoría de archivos. Y en cuanto a ese hombre, de momento es sospechoso de la muerte de Krugman.

—¡Dios mío! Llamaré a Fernández y...

—No va a ser posible, señor Marín; Fernández está en coma. Le han dado una buena paliza. Los médicos creen que no saldrá de esta.

Marín se cubrió la cara con las manos horrorizado.

—Pero ¿qué está pasando inspector? ¿Por qué yo?

—No lo sé todavía, pero quisiera que estuviera en contacto conmigo. Cualquier cosa que vea o de la que sospeche debe decírmela inmediatamente. No quiero asustarle, pero creo que, mientras esto no se aclare, su vida puede correr peligro. ¿Se lo ha dicho a su mujer? Me refiero a lo que ha descubierto de ella...

—No, no he sido capaz, inspector. Lo he intentado, pero no he tenido valor. No sé cómo afrontarlo. ¿Cree que Krugman era su amante? —Volvió a repetir Marín con ansiedad por saber su opinión.

Julián lo había pensado pero, si bien no lo tenía descartado, para él la infidelidad de Mónica Lago apuntaba hacia otra dirección. No quiso especular con ello, de todas formas.

—Me temo que, por ahora, solo le puede responder ella. Si fuera así sería muy relevante para nuestra investigación. ¿Se lo va a preguntar usted?

Marín bajó la cabeza: era un hombre deshecho e incapaz de tomar iniciativa alguna. Julián interpretó que prefería que lo averiguase él.

—Inspector, de hombre a hombre, estoy hecho un lío. Jamás me había pasado algo igual. Yo quiero… bueno, no sé, quería a Mónica. No sé qué ha podido pasar. Tampoco sé si debo salvar mi matrimonio. Estoy pillado. Si lo nuestro se rompe puedo perder la mitad del valor de mi empresa… No sé qué decirle. ¿Usted que haría?

Julián se quedó pensativo y finalmente respondió:

—Buscar la verdad: buscarla cueste lo que cueste, señor Marín. Saber con quién y por qué su mujer le ha sido infiel. Si no lo hace usted, lo haré yo. Es mi obligación. Ahora dígame: me ha contado que el hombre que le robó el maletín tropezó con usted en la cafetería; está claro que le seguía desde el despacho del detective. ¿Le dijo algo?

—Solo se disculpó. Me dijo que lo sentía. Me derramó el vaso de whisky intencionadamente… Recuerdo que me pareció extranjero; sí, hablaba un mal castellano, quizá su acento era inglés, pero no le puedo decir…

—¿Y el que llamó al detective Fernández interesándose por quién había contratado los servicios para seguir a su mujer, le dijo si tenía acento extranjero, también?

—No me lo dijo, pero seguro que de ser así me lo hubiese comentado. Me dijo que le parecía un caballero educado y ya le he explicado que no le pidió dinero. ¿Cree que no era la misma persona que robó mis fotos?

—Seguramente fue otra persona.

—¿Y qué podía buscar? No pidió dinero. No volvió a contactar con Fernández nunca más... ¿Qué podría querer? ¿Por qué me devolvió el maletín sin las fotos?

Julián no le contestó. No tenía la respuesta. Empezaba a tener algunas de las piezas del puzzle pero no sabía qué imagen había que formar.

Despidió a Carlos Marín, que se fue arrastrando los pies por las dependencias de la comisaría de Les Corts, con la chaqueta colgada del hombro y la mirada perdida. Le dijo que pasara el lunes para hacer una declaración: el hecho de que el posible asesino de Krugman y el que le había sustraído el maletín con las fotos pudiera ser la misma persona le llevaba a pensar que, a su vez, este podía ser el que había dejado fuera de juego a Fernández.

Se quedó pensando en que él jamás le preguntó a su mujer por qué ya no le quería, y quizá no lo hizo porque no le apetecía conocer la respuesta: no deseaba saber la verdad. Entendió mejor a Carlos Marín.

Para Julián el caso de Krugman empezaba a tomar cuerpo: definitivamente su muerte tenía que ver con el entorno de los Marín y el periodista sabía algo que le costó la vida.

Consultó la libreta donde había anotado el contenido del post-it de Krugman y garabateó con el bolígrafo un círculo sobre las letras «L. F.»: coincidían con las iniciales de Luis Fernández y supuso que no era por pura casualidad.

Si todo era como pensaba, Belarmino Suárez, alias Krugman, sabía de la infidelidad de Mónica Lago y pudo ser él mismo quien llamó al detective con el fin de averiguar quién le había encargado su seguimiento.

Llamó al hospital Clínic para ver cómo seguía el detective Fernández; era necesario que hablase con él en cuanto estuviera algo repuesto. El médico de cuidados intensivos le dijo que acababa de fallecer.

Capítulo 16

Leire estaba bien dormida cuando sonó el timbre de la puerta. Lo oyó pero esperó a que quienquiera que fuese dejara de tocarlo. Volvieron a insistir un par de veces más y se tapó la cabeza con la almohada. Luego escuchó los pasos de Paola dirigirse hacia la habitación.

—Joder, Leire, ¿estás esperando a alguien? Es la una del mediodía, tía…

Leire miró su iPhone y comprobó horrorizada que efectivamente era esa hora. Dio un respingo que sobresaltó a su amiga, quien estaba apoyada en el quicio de la puerta vestida con una camiseta ajustada que apenas le cubría las braguitas.

—¡Hostia, hostia! Es domingo y he quedado con Julián… Joder, no me puede ver así, por favor abre la puerta y dile que voy en cinco minutos. —Hizo un esfuerzo por incorporarse de la cama y sintió un pinchazo en la cabeza; todavía le duraba la resaca de anoche. Se apretó con las manos las sienes y se metió en el baño.

Leire se había acostado desnuda. Cuando llegó del Luz de Gas se sintió mareada y en el piso hacía mucho calor, pero prefirió abrir la ventana de su habitación, que daba a la plaza del Palau, antes que poner el aire acondicionado, que le irritaba la garganta.

El piso era grande, con un amplio salón que integraba una cocina americana y dos habitaciones con sus correspondientes baños. Formaba parte de un edificio de cinco plantas con más de cien años de antigüedad. Restaurado hacía cinco por una pequeña inmobiliaria con mucho gusto, le habían encajado a duras penas un pequeño ascensor en el hueco del patio interior y tanto la fachada, con balcones de piedra y barandillas de hierro forjado con ornamentos, como las vigas interiores de madera que sobresalían del techo y alguna pared de piedra caliza habían sido sancadas y respetadas. Leire y Paola habían ocupado la tercera planta hacía unos meses, aprovechando que los precios de los alquileres en el barrio del Born habían bajado por la crisis económica.

Si bien la zona era muy animada y ruidosa sobre todo los fines de semana, ellas se habían acostumbrado al trasiego de la gente del restaurante de tapas, la pizzería y hasta de la media docena de bares de copas que rodeaban la plaza, en uno de cuyos laterales se levantaba el edificio neoclásico de la Llotja de Mar, hasta hacía poco sede de la Bolsa de Barcelona. Estaban a escasos doscientos metros del mar, donde comenzaba el barrio de la Barceloneta. Cuando se construyó el edificio, la plaza del Palau era el lugar más comercial de Barcelona, ya que era el más cercano a los barcos que arribaban al puerto.

A regañadientes, Paola, que se había acostado hacía menos de cuatro horas, fue a abrir la puerta. Julián, que no esperaba encontrarse con una chica ligera de ropa, vaciló antes de entrar en la casa.

—¿Te vas a quedar ahí? —le dijo ella dándole un repaso de arriba abajo—. Tu princesa aún está en la cama, pero saldrá enseguida. Anda, pasa, pasa…

—Si acaso la espero abajo… Siento haberos despertado, habíamos quedado…

—Que no, que pases. Oye, que a mí ya me apetecería que me rescatara del sueño un hombre apuesto como tú… aunque fuera solo para abrirle la puerta ¿Te apetece un café mientras tu princesa se da una ducha fría? Ayer salimos de marcha y la perdí. Siempre me monta el mismo numerito, no hay manera de que podamos volver juntas: sale huyendo como la Cenicienta… Por cierto, soy Paola.

A Julián le pareció que Paola era una mujer atractiva. No era guapa en el sentido convencional, sus facciones eran algo duras: sus ojos negros y grandes contrastaban con una boca pequeña de labios delgados y rectilíneos, y la nariz algo huesuda le hacía aparentar cierta seriedad que se disipaba en el momento en que hablaba de manera desenfadada. En cambio tenía un cuerpo escultural: morena con el pelo corto, algo más alta que Leire, con las caderas pronunciadas, la camiseta que vestía le marcaba unos pechos redondos y abultados. La siguió por el pasillo hasta el sofá del salón, donde le obligó a sentarse mientras preparaba el café.

—Me ha contado Leire que eres poli —le dijo—. Yo tuve un novio de la Urbana, ¿sabes? Era buen chico, pero todo el día estaba contándome batallitas de sus hazañas contra el crimen… y resultó que hacía controles de alcoholemia en el Paralelo. Eso y redadas a las pobres putas. Un día un compañero suyo me paró con la moto y según él y el puto aparato de soplar di positivo. Lo llamé y me dijo que no podía hacer nada, que tenía que dejar la moto y eso… Le dije que era un calzonazos y se acabó. ¿Qué te parece? ¿El café te gusta *ristretto* o lo quieres con leche?

—Corto, por favor. Leire me dijo que eres editora…

—Uy, editora, ya me gustaría a mí. Lo que soy es una negra que pone las comas y arregla las faltas de ortografía de mucho escritor inculto; eso es lo que soy. Las editoriales me piden informes de lectura, leo los manuscritos y los puntúo: argumento, 2; estilo, 0; valoración comercial, 10. Observaciones: La novela es una puta mierda, pero, como trata de vampiros que enamoran a las tías y hay algo de sexo tórrido, tiene más posibilidades de vender que García Márquez… solo hay que cambiarle el ochenta por ciento de las páginas y darle otro final. Resumen de la editorial: está bien, cámbialo y lo publicamos. Eso es lo que hago, ya ves. —Hablaba mucho y a gran velocidad.

—Dicho así suena interesante —dijo Julián siguiéndole la corriente—. ¿Y tú no escribes?

—¡Ja! Yo tengo cierta dignidad. Sé cuáles son mis limitaciones. Si todo el mundo se las pusiera las librerías tendrían más huecos en sus estanterías; cada día les llegan más de doscientas novedades y no saben dónde ponerlas. En este país todo el mundo quiere escribir o tiene un libro escrito que, por supuesto, es fantástico.

Paola se sentó en el sofá frente a él y sorbió la taza de café. Cruzó sus largas y esbeltas piernas y Julián se sintió cohibido ante la desnudez que exhibía. Se oyó el ruido de la ducha en una de las habitaciones. Reparó en que en el salón había varios post-it de diferentes colores y enganchados por todas partes; varios de color amarillo sobre la larga estantería de madera que cubría todo el paño de una de las paredes, donde los libros se apilaban hasta en tres hileras; dos azules sobre la mesita donde tomaban el café; uno de color anaranjado en la lámpara metálica de pie y otro más del mismo color en el respaldo de una de las cuatro sillas de la mesa del comedor. Sintió curiosidad y preguntó:

—¿Qué apuntáis en los post-it?

—Es cosa mía. Leire dice que estoy como un cencerro, pero es la manera de que las cosas funcionen cuando compartes un piso con alguien. Los amarillos son recordatorios para mí: buscar un libro, citas que no debo olvidar aunque estén en mi agenda, y hasta recordatorios de que he de comprar tampones… Los azules son para Leire: cosas de las que hemos convenido que se ocuparía ella y le recuerdo constantemente. Este, por ejemplo, lleva aquí una semana. —Tomó uno de los que estaban sobre la mesita del café—. ¿Ves? Todos tienen su fecha. Quedó en que ella se ocupaba de llamar al servicio de reparación del lavavajillas y llevo lavando platos a mano diez días…

—¿Y los de color naranja? —preguntó divertido Julián.

—Ah, esos de ahí, ¡jaja! Esos son peligrosos. Esos solo los pego cuando estoy enfadada o se trata de algo muy urgente que requiere actuación inmediata. Suelen durar horas o pocos días, pero es mi manera de decirle que eso no se hace o que ya está bien y que todo tiene un límite.

—El de la lámpara de pie…

—Ese lo renuevo continuamente. Ayer me dejó plantada en el Luz de Gas, hace unos días no acudió a una cena con amigos que había montado ella misma porque dijo que tú la llamaste para tomar una copa… En fin, quiero mucho a Leire, pero es un pequeño desastre y no he de dejar de decírselo.

—Es un curioso lenguaje este de los post-it —reflexionó Julián en voz alta.

—¿Tú también crees que estoy chiflada? Me lo enseñó mi madre. En casa, de pequeños, no había nunca gritos: mis hermanos y yo íbamos a golpe de post-it: lavarse las manos antes de comer, llegar no más tarde de las diez los sábados que salía, encuadernar los libros del colegio, llamar a la abuela… Una vez hechas las tareas que nos escribía, ella misma los destruía y los renovaba por otros. Resultaba hasta divertido, salvo que…

De repente Paola se puso seria.

—¿Salvo qué? —preguntó Julián.

—Un día empecé a ver post-it de color naranja, ya sabes, los que significan peligro. Los colocaba en la habitación de matrimonio para que los viera mi padre: eran para él. Yo me colaba y los leía, aunque no los entendía bien. Mi madre le decía que estaba harta de él. Se los pegaba en el maletín cuando iba al trabajo y hasta sobre la taza del café con leche en el desayuno. Un día nos explicó que se iban a divorciar. Mi padre se había liado con una mujer más joven… ya ves. A partir de ese momento mi madre escribía todas sus reglas y órdenes en adhesivos naranjas: se le amargó el carácter y siempre estaba huraña, aunque nunca nos alzó la voz. ¡Vaya! ¡Creo que esto da para un cuento y hasta para una novela! No sé por qué te lo estoy contando.

Julián notó cómo le brillaban los ojos a Paola mientras recordaba la historia. Cayó en la cuenta de que el post-it de Krugman también era de color naranja. Pensó que era imposible que hubiese un código universal para estos adhesivos y que se trataba de una mera coincidencia. Miró el reloj; ya habían pasado quince minutos. Desde el interior de la habitación de Leire se oía abrir y cerrar puertas de los armarios. Paola lo advirtió y le dijo:

—No sabe qué ponerse, seguro. Dejará la habitación hecha unos zorros. Pero ese es su territorio. Ahí no entran ni los post-it. ¿Vais a tomar unas cervezas?

—Sí, hemos quedado para ir a El Xampanyet. ¿Nos acompañas?

—No, no, gracias. Tengo que corregir una novela romántica de una autora española. La editorial quiere publicarla el mes que viene y necesita una limpieza. Hoy me quedo en casa. Pero te tomo la palabra para la próxima vez.

Por fin apareció Leire. Llevaba una falda que le cubría hasta la rodilla y una blusa blanca abotonada hasta el cuello. Calzaba unas sandalias plateadas con poco tacón y tenía el pelo recogido en una coleta. A Julián le pareció que estaba muy guapa. Paola se giró para contemplarla.

—¡Joder tía, si te has vestido como una monja! ¿Vais de comunión? —Se rio.

Leire le hizo un gesto mohíno y le sacó la lengua.

—¿Y tú? Mírate, pareces un pendón exhibiendo las piernas... ¡Huy, si te está saliendo celulitis en el culo!

—Bueno, ya veo que estás torcida... Yo os dejo, me voy a la ducha. Trátala con cuidado, poli, ya ves que está que muerde. —Riéndose, Paola se encerró en su habitación y los dejó a solas en el salón.

—No le hagas caso, estás muy guapa. Tu amiga es muy simpática, me ha caído muy bien, y tenéis un piso estupendo —dijo Julián.

—Es mi mejor amiga —dijo Leire—, pero a veces es un coñazo con su perfección. La quiero un montón. No sabía qué ponerme, si vamos a casa de tu madre...

—Claro que vamos, por supuesto. He quedado en avisarla con media hora para que vaya metiendo la lasaña en el horno.

—Pues no sé yo si debo ir. Estoy muy enfadada contigo. ¿Tú crees que no me tienes que coger el teléfono en toda la noche? Te dejé dos mensajes. Eres un capullo: a mí no me trates así.

—Oí los mensajes. Cuando vi que se trataba de sacarme información confidencial preferí que lo habláramos personalmente. Ya te dije que esto no es un juego: corremos un riesgo si se enteran de que estamos hablando de ello...

—Entonces ya me dirás con quién he de hablarlo. Llamo a un poli y me entero de que llevas el robo de la oficina del detective privado. Me dicen que has pedido el caso a los de la comisaría de Laietana y yo, que soy periodista, ¿te enteras?, pe-rio-dis-ta —repitió en voz más alta— no puedo hablar con la fuente. Esto es una mierda. ¿Tiene algo que ver lo del detective con lo de Krugman? ¿Me vas a responder?

—Bueno... eso creo. No estoy seguro del todo, pero pudiera ser...

Leire cruzó los brazos de pie frente a Julián. Este hizo ademán de levantarse del sillón, pero le pareció que con la mirada ella le conminaba a permanecer sentado: quería dominar la situación mirándolo desde arriba.

—Espero impaciente que me cuentes esa teoría tuya. No me moveré de aquí hasta que me digas qué relación había entre el detective privado y Krugman.

Julián se sintió acosado y supo que no tenía escapatoria; al fin y al cabo las circunstancias los habían llevado a un grado de complicidad de difícil retorno. Leire había descubierto lo del post-it de Krugman y, a partir de ahí, veía complicado esconderle información. Así, tras pedirle la máxima discreción, le contó lo que había averiguado sobre la infidelidad de Mónica, investigada por el detective Fernández que había sido contratado por Carlos Marín. Le explicó lo del robo de las fotografías, perpetrado seguramente por el mismo hombre que había matado a Krugman, y le contó también que las iniciales «L. F.» del post-it de Krugman coincidían con las de Luis Fernández, por lo que le llevaba a suponer que aquel estaba enterado del asunto del adulterio y habría estado en contacto con el detective.

Leire puso cara de sorpresa y conforme Julián iba relatándole los hechos se dejó caer en el sofá frente a él.

—Joder, Julián, esto se pone interesante. ¿Y por qué crees que mataron a Krugman? ¿Porque se enteró de una infidelidad? ¿Solo por eso y porque lo iba a publicar? No tiene sentido.

—Krugman estuvo investigando la venta de Marín&Partners. Estoy seguro de que descubrió algo que todavía no sé qué es y por medio se cruzaron las fotos de Mónica Lago en la cama con un desconocido. Ella me dijo que Krugman la llamó varias veces antes de su muerte, pero que no pudo quedar con él. Estoy convencido de que le quería advertir de algo… Puede ser que tenga que ver con el último artículo que publicó en *El Universal*.

—¿Lo de las agencias de calificación?

Julián le explicó lo de la pregunta al margen del reportaje que de forma enigmática lanzaba a los lectores el periodista: «¿Qué institución que se jacta de tener el mundo bajo control invertirá en sectores estratégicos en España? Puede que nunca lo sepamos, ni siquiera cuando lo hayan hecho». Eso le estaba llevando a investigar a la General Advertising y al presidente Jeff Halton, sin demasiado éxito por el momento.

Leire se sintió mal por no haberla leído con detenimiento y recordó que en alguna ocasión Krugman le había dicho que los periodistas escribían para otros periodistas, aunque entre ellos muchas veces ni siquiera se leían.

—Deberíamos irnos, se nos hace tarde —dijo Julián.

—Sí, sí, pero una última pregunta: ¿quién es el amante de Mónica Lago?

—Marín piensa que pudo ser Krugman. Está hecho un lío, pobre hombre. Yo no lo creo. El detective tomó, al parecer, unas fotos infames en un hotel de Barcelona en la que no se distinguía al amante... Se llevaron los originales y me acaban de decir que Luis Fernández ha fallecido.

Bajaron por las escaleras hasta la plaza del Palau y cruzaron por una bocacalle hasta la iglesia de Santa Maria del Mar, luego giraron por la calle Montcada hasta El Xampanyet, una pequeña y antigua bodega con una barra y unas pocas mesas de mármol blanco. De las paredes colgaban botas, barriles de madera y viejas botellas de vino. También curiosos azulejos con refranes y carteles antiguos de publicidad y algunas portadas originales de periódicos antiguos de la ciudad. Pidieron unas anchoas, la especialidad de la casa, y dos cervezas a presión. El local, como siempre, estaba lleno; apenas había sitio para acceder a la barra y se colocaron en una discreta segunda fila. Juan Carlos, el propietario, reconoció a Julián y le preguntó con un gesto si le encontraba hueco en una mesita. Era algo tarde y prefirieron abrirse paso en la barra y tomar allí el aperitivo.

—¿A que están estupendas las anchoas? —le dijo Julián a Leire.

—Tenías razón, son buenísimas. Con lo cerquita que está de casa y nunca había entrado. Siempre está lleno de guiris...

—Sí, desde que sale en las guías de la ciudad los turistas no paran de venir. Antes era más familiar, pero Juan Carlos sigue manteniendo la calidad de sus tapas. Tiene unas almejas y una cecina impresionantes... ¿Quieres que las probemos?

—Quizás en otra ocasión. Tu madre nos estará esperando y no es cuestión de no acabarse su lasaña. —Leire le guiñó un ojo y le sonrió.

—Sí, tienes razón. La voy a llamar para decirle que llegamos en treinta minutos. Tengo la moto aquí cerca...

Un joven que estaba con unos amigos en el extremo opuesto de la barra se acercó hacia ellos.

—Vaya, ¡qué casualidad! Tú eres Leire, ¿no?

Leire quería que la tierra la tragara: el abogado penalista del Luz de Gas estaba frente a ella sosteniendo un vermut en la mano. No podía ser tanta coincidencia.

—Hola… Mira, este es Julián —dijo nerviosa—, ya nos íbamos. Encantada de haberte visto.

—¿Cómo que encantada? —El abogado parecía que iba algo entonado con la bebida—. Ayer me dejaste tirado. ¿Eres una calientabraguetas o es que me estás tomando el pelo?

Leire no sabía dónde meterse y se agarró del brazo de Julián empujándole hacia la calle, pero este se zafó de ella y le dio un empujón al abogado que le hizo tambalearse y derramar la copa.

—Haz el favor de pedirle perdón —le dijo.

—Déjalo, Julián, déjalo estar —suplicó nerviosa Leire.

Al momento acudieron dos amigos del abogado, que le plantaron cara a Julián. Juan Carlos, desde detrás de la barra, contemplaba con horror lo que podía significar una pelea en medio de tanta gente y gritó:

—¡Salid a la calle, salid a la calle, por favor!

—No te preocupes, no va a pasar nada, ¿verdad? —dijo Julián mirándolos desafiante mientras la gente se apartaba milagrosamente, dejando espacio donde no lo había.

El más fuerte parecía el abogado, que, repuesto de la sorpresa del empujón, estaba dispuesto a pelear. Se situó frente a Julián con los puños en alto, cubriéndose la cara, y sus amigos, flanqueándole ambos costados. Entonces Leire gritó:

—¡No, no lo hagas! ¡Es policía! ¡Es inspector de la brigada criminal!

Se hizo un silencio en la bodega como jamás se había visto antes, estando llena a rebosar. El abogado y sus amigos miraron atónitos a Leire, que se interpuso entre ambos con los brazos en cruz dándole la espalda a Julián, quien también se quedó paralizado.

El abogado y los amigos se hicieron a un lado y abrieron un pasillo hasta la calle, por el que pasaron Leire y Julián cogidos de la mano. Al salir por la puerta la gente se había vuelto a juntar y los murmullos dieron paso, de nuevo, a la algarabía que producían las decenas de conversaciones entre los clientes.

—¿Por qué lo has hecho? —dijo extrañado Julián mientras caminaban hacia la moto.

—Joder, Julián, porque estás loco. No puedes ir por ahí metiéndote en líos.

—¿Quién era ese tipo?

—Es un abogado que conocí anoche. Estaba rabiosa porque no me cogías las llamadas y… no pasó nada. Unas copas y ya está…

—No me tienes que dar ninguna explicación. Tú y yo no somos nada…

—Somos amigos, Julián. ¿Sabes? Me ha gustado que me defendieras. Eres un cielo, pero a veces no piensas… —Le dio un beso en los labios y se puso el casco para subir a la moto.

Durante el trayecto hasta el barrio de la Sagrada Familia donde vivía Luisa, la madre de Julián, este sintió cómo Leire le rodeaba con fuerza la cintura y apoyaba la cabeza en su espalda. Se había quedado sorprendido cuando lo besó levemente en los labios y le vino a la memoria el primer beso que él le dio el mismo día en que se conocieron. La seguía queriendo; de hecho, no había conseguido olvidarla en todo el tiempo en que no tuvieron contacto, pero algo le impedía retomar una relación que creía condenada al fracaso una vez más. No quería volver a hacer daño a Leire. Ella era auténtica, fresca, divertida, y muchas veces inocente, y en cambio él se sentía demasiado atado a los convencionalismos de su trabajo, al orden y al rigor, a una vida sin horarios ni descansos programados. Ya se habían frustrado dos de sus relaciones de pareja, tres contando la de Leire. Empezaba a asumir que su estado natural era el de la soledad y que la convivencia con una mujer no estaba hecha para él.

Luisa dejó entreabierta la puerta del primer piso de la calle Padilla después de abrirles con el portero automático y se fue a la cocina a controlar que todo estaba en orden.

—Pasad, pasad. Estoy en la cocina… acabo enseguida —dijo al oírles.

Era una mujer menuda de unos setenta años con el pelo y

los ojos negros, como Julián. Su cara tenía un aspecto saludable, delgada pero con los pómulos sobresalientes y la piel fina y sin apenas arrugas. A Leire le pareció una mujer que se cuidaba. Julián se inclinó para darle un beso y la presentó.

—Vaya, eres muy guapa —dijo Luisa—. Ya iba siendo hora de que este hijo mío trajera alguna amiga. —Le dio dos besos y la estrechó con un abrazo.

—Pongo el vino un rato a enfriar en la nevera. Lo llevo en la moto desde anoche y con el calor que hace… ¡Oye, mamá, te tengo dicho que no dejes la puerta abierta cuando llaman por el portero automático! Un día tendrás un disgusto…

—Este hijo mío siempre está pensando en que la gente es mala por naturaleza, y digo yo que hay más honestos que ladrones. ¿No lo ves así? —preguntó a Leire.

—Sí, claro que sí, pero Julián tiene razón: no cuesta nada prevenir. ¡Hum, huele muy bien, señora Luisa!

—¡Pues a la mesa ya! Y no me llames señora que me haces mayor. Llámame Luisa y de tú, ¿vale? Así engaño algo a estas piernas que empiezan a fallarme —contestó riendo.

Se sirvieron un buen trozo de lasaña y brindaron con el vino tinto italiano a la salud de todos. Luisa no dejaba de mirar de reojo a Leire y luego con complicidad a Julián, a quien le hacía de vez en cuando gestos de aprobación. Leire se daba cuenta y a duras penas aguantaba la risa.

—¿Y a qué te dedicas, Leire? —preguntó Luisa.

—Soy periodista de sucesos. Trabajo en el diario *El Universal* desde hace solo unos meses…

—Vaya, como Margarita Landi.

—¿Quién es Margarita Landi?

—Era, hija, era. Murió hace unos años. Creo que fue la primera reportera de sucesos de España. Era rubia como tú y viajaba en un coche descapotable allá por los años sesenta… ya ves.

—¿Usted la conoció? —preguntó Leire intrigada.

—Sí, una vez, en Oviedo. Ella era asturiana como yo y coincidimos en una boda de amigos comunes. Era muy amiga de la Guardia Civil y de la policía, había estudiado criminología y se ganó el respeto de los cuerpos de seguridad. Trabajó en un diario de sucesos que desapareció, *El Caso*, luego en *Inter-*

viú y hasta tuvo un programa en televisión. Era un personaje curioso, siempre aparecía fumando en pipa.

—¿Y la policía colaboraba con ella? ¿Le facilitaban información a una mujer que iba en descapotable y fumaba en pipa? —preguntó mirando a Julián con cierto descaro.

—Por supuesto. No había puesto de la Guardia Civil que no la conociera ni crimen en el que no se personara en el lugar de los hechos. Entonces no había las comunicaciones de ahora: ni teléfono móvil, ni Internet… nada de nada. O estabas en el lugar donde se producía la noticia o hablabas de oídas.

Julián intervino.

—Mamá, eran otros tiempos. Entonces a la policía le interesaba hacer llegar a los ciudadanos lo más rápido posible que los delincuentes pagaban por sus crímenes, y utilizaban a periodistas como la que tú dices… Hoy hay ruedas de prensa instantáneas, tuits con vídeos y fotos en tiempo real… Es distinto, hay más transparencia…

Leire le cortó.

—Deja que siga tu madre. Yo tampoco creo que hoy en día la policía sea un dechado de transparencia informativa.

Luisa prosiguió:

—Bueno, pues llegó un momento en que Margarita Landi, que no era su verdadero nombre, era una colaboradora más de la justicia. Hubo algún crimen en el que gracias a sus investigaciones la policía pudo dar con el asesino… No recuerdo exactamente cómo fue, pero un día, consciente de que unos delincuentes seguían las actuaciones de la policía por lo que publicaba Margarita en *El Caso*, en connivencia con la policía publicó información falsa que, al seguirla, supuso una encerrona para los malhechores. Margarita Landi les había puesto una trampa.

—¿Y no corría peligro? Los delincuentes podían ir tras ella… —dijo Leire.

—También sucedía lo contrario. Más de una vez libró de la cárcel a algún inocente al que la policía le había imputado crímenes que no había cometido. Tengo un libro dedicado por ella en algún lado.

Se levantó de la mesa y de un aparador acristalado y cerrado con llave extrajo un ejemplar de un libro cuyas tapas estaban bien conservadas pero el papel interior amarilleaba: *Crímenes sin castigo*, de Margarita Landi. Leire lo abrió y miró la dedicatoria de la cubierta: «A Luisa, para que la curiosidad no sea un castigo sino un aliciente en la vida». Junto a la firma había hecho un pequeño dibujo con la silueta de alguien fumando en pipa.

—¿Lo habías visto? —preguntó Leire a Julián mostrándole el ejemplar.

—No. ¡Mamá, no me habías hablado nunca de ella y de que la conocías!

—Bueno, ya sabes cómo era tu padre, estas cosas no le gustaban. Decía que eran chismorreos y que olían a podrido. No le gustaba que *El Caso* anduviera por el piso… Si viera los programas de televisión de hoy en día se volvía otra vez para la tumba el pobrecito.

—Era genial —dijo Leire—. Una periodista con licencia para husmear en todos los papeles de la policía y en los lugares de los delitos…

—Eso es imposible y tú lo sabes —replicó Julián—. Cada uno ha de estar en su sitio. Ya se cometen demasiados errores y se filtran medias verdades como para que los periodistas hagan de policías.

Luisa, que vio que ambos iban a entrar en una discusión, cambió de tema.

—¿Cómo estaba la lasaña?

—Estupenda, la mejor que he probado en mi vida —contestó Leire.

—De primera, como siempre —añadió Julián.

—Pues voy a traer la tarta de manzana y los cafés.

Leire y Julián hicieron ademán de levantarse para ayudarle a recoger la mesa.

—No, no os mováis. Puedo con ello. Quedaos aquí, pero sin discutir, ¿eh? —Se fue con los platos y una sonrisa, y la fuente de lasaña vacía hasta la cocina.

—Tienes una madre genial. Es lista y además un encanto. No me importaría tenerla como suegra… Que es broma, anda que me iba a casar yo con un tozudo perfeccionista como tú —Leire rectificó al ver la cara que ponía Julián.

—Leire, ya hemos hablado de lo de colaborar y eso… Yo te

he contado todo lo que he ido avanzando, y te considero suficientemente inteligente como para publicar solo aquello que no nos perjudique... Eres libre. Ya está dicho. Solo faltaba mi madre con sus historias...

—Pero lo del detective no lo puedo ligar con Marín. Tengo que escribir algo ya sobre Krugman, me comprometí con los lectores...

—No tenemos nada. Nada nuevo excepto...

—Excepto ¿qué? —preguntó Leire.

—Excepto el retrato robot del asesino. ¿Cómo no se me había ocurrido antes? Podrías publicarlo y sugerir que según tus fuentes se trata de un extranjero. Eso nos ayudaría a difundirlo y a dar con él. Hemos casado el retrato con todas las entradas extracomunitarias en España en los últimos tres meses y de momento ninguna coincidencia.

—¿Y si es europeo? No tendría necesidad de tener visado o el pasaporte registrado, ¿no? Tú lo que quieres ahora es que haga de Margarita Landi. ¿Quieres también que publique algo para tenderle una trampa?

—No es mala idea: podrías explicar a los lectores cómo te hiciste con el post-it de Krugman, sustrayéndole pruebas a la policía, y cómo según sus notas está relacionado con Luis Fernández y hasta con alguien en Estados Unidos al que has llamado por teléfono...

—¿Estás de guasa?

—Por supuesto. Lo he dicho en voz alta para que seas consciente de que tienes que andar con prudencia en este asunto.

—Bien, pero me quedo con lo del retrato robot y que seguramente se trata de un extranjero.

Luisa llegó con una tarta de manzana casera y una jarra de café.

—Puedes llevarte el libro, te lo presto —dijo a Leire mientras le servía una pedazo de tarta.

—Oh, no, muchas gracias. Se lo agradezco, pero no creo que los métodos periodísticos de antes, como dice Julián, sirvan para hoy.

—Seguramente no. Este es un libro, además, en el que los crímenes que describe no han sido resueltos hasta la fecha. Muchos delitos habrán prescrito y otros la policía ya habrá dejado de investigarlos. Pero en todos estuvo Margarita, de todos habla con conocimiento de causa. Viajó con su descapotable a todos los lugares del crimen. Nunca hablaba de oídas, le podía la curiosidad.

—En ese caso Leire se le parece, mamá —dijo Julián sonriendo—. No he visto a alguien tan persistente cuando está sobre un tema. No hace falta que la animes.

—Si es así, estáis hechos el uno para el otro —dijo Luisa guiñándole un ojo a Leire—. Este hijo mío solo vive para su trabajo y cuando está sobre algo no se acuerda ni de su madre…

—¡Mamá!

Tomaron los cafés y estuvieron buena parte de la sobremesa hablando de Julián, de su infancia y de cómo de joven en la universidad era un conquistador que enamoraba a todas sus compañeras de clase. Su madre explicaba anécdotas de él y Leire reía divertida. Se notaba que estaba orgullosa de su hijo.

Cuando se despidieron le dijo a Leire que no dudara en venir a verla cuando quisiera. La joven supo que lo decía de corazón. Lo había pasado estupendamente.

Julián la dejó en la puerta del periódico. Al separarse ella esperaba un beso en los labios, pero él se lo dio en la mejilla y se fue hacia la comisaría como una exhalación.

Leire entró en el diario y abrió el ordenador. Tenía un mensaje de una desconocida, Patrizia Newman. Decía: «Abre una cuenta en Hotmail y envíame un correo, soy la del número de teléfono de Nueva York y necesito hablar contigo».

Capítulo 17

*L*a actividad del domingo en *El Universal* no difería sustancialmente de la del sábado: el mismo número escaso de personas en cada sección y, si acaso, mayor limitación de páginas que la edición del lunes, en la que los deportes acaparaban la mayor parte. Los deportes y la política, porque Gavela quería que en el primer día de la semana se recogieran los mítines de los candidatos y la opinión de articulistas de distintas tendencias.

Habitualmente Gavela se pasaba a media tarde por el diario y revisaba personalmente las crónicas de política; sabía que al día siguiente lo llamaría algún dirigente para quejarse del tono, la forma o el contenido de lo publicado, o de las tres cosas a la vez. Nadie quedaba satisfecho, pero en el fondo el director se sentía complacido por la importancia que los políticos le daban al diario. Pensaba que el día que estos cuestionaran la verdadera influencia que *El Universal* tenía en sus lectores empezaría el final de su periódico. Era consciente de que ellos ya lo habían hecho: cada vez se recibían menos cartas en la redacción y algunos temas de contenido social, que creía hechos a medida del interés general, carecían de repercusión. La participación de los lectores se había trasladado a la edición digital.

Gavela había luchado hasta la extenuación —y perdido la batalla— con Ventura para que estableciera una suscripción de pago para la página web de *El Universal,* pero el editor quería incrementar el número de usuarios y la gratuidad era la fórmula por el momento. Al parecer le estaba sacando cierto rendimiento a las direcciones de los usuarios registrados y el equipo comercial de Internet era mucho más activo que el del diario en papel, en el que se habían quedado los publicitarios más antiguos tanto en edad como en las formas de vender los anuncios.

Aunque el director de *El Universal* también figuraba en los créditos del periódico como máximo responsable de la edición on-line, las críticas de Gavela a Ventura le habían valido para que en realidad Cristina, *la Paloma,* fuese la que dirigiese la web con plenas competencias.

Leire iba dispuesta a escribir sobre los avances en el tema Krugman y a dar, por separado, la nota del fallecimiento del detective Fernández, pero el mail de Patrizia Newman trastocó momentáneamente sus planes.

Abrió una cuenta de hotmail como le pedía la desconocida. El primer nombre de usuario que quedaba libre era *leirecaste-llo79*, que coincidía con el año de su nacimiento. Lo validó con la dirección de e-mail y al instante ya respondió al correo de la enigmática desconocida con un escueto: «¿Quién eres?». Se quedó mirando un par de minutos a la pantalla, esperando una respuesta que no llegó. Añadió la nueva cuenta de hotmail a su iPhone por si recibía el mensaje estando fuera del diario y se puso a elaborar la información de Krugman.

Pensó en llamar a Julián para que le facilitara el retrato robot, pero prefirió ir por la vía convencional y llamar a Rafa López, del departamento de prensa de la policía. Sintió rabia cuando le dijo:

—Esperaba tu llamada. Julián me advirtió de que me pedirías el retrato robot. ¿Es eso lo que quieres?

—Sí, claro, eso es. Ya veo que estáis bien sincronizados los dos —contestó con retintín.

—Ya sabes que la comunicación es lo mío —le respondió siguiéndole la corriente, pero a ella no le hizo gracia alguna.

—¿Me lo envías por mail en un archivo? ¿Sabrás hacerlo? ¿Sabes qué es un archivo en pdf o le tienes que preguntar a Julián?

—¡Huy, cómo estás de sensible! Haré un esfuerzo, tengo un manual de informática aquí… no me llevará más de dos o tres horas estudiarlo y hacértelo llegar.

—Oye, ni se te ocurra, que cerramos la edición en menos de dos horas —replicó Leire cayendo en la broma del policía.

—Bueno en ese caso te lo envío en dos minutos, pero te costará un café un día de estos, ¿eh?

—Hecho. Hasta dos, a ver si no duermes en toda la noche. Te crees muy listo, ¿eh?

—¡Venga, que no aguantas ni una broma! Yo no entro en lo tuyo con Julián, pero sois un poco raros, ¿no?

—No hay nada con Julián. Nada de nada ¿Te enteras, listillo? Anda, envíame eso de una vez. —Le colgó.

A los cinco minutos ya tenía el archivo con el retrato robot del supuesto asesino de Krugman y posiblemente también de Luis Fernández. Lo imprimió y se fue a ver a Gavela, que estaba con Vílchez, el jefe de política e internacional, y con Foncillas, uno de los analistas políticos de más peso y solvencia de la prensa española.

Leire abrió la puerta del despacho y asomó la cabeza. Estaban absortos discutiendo sobre si era mejor dar por arriba y destacado un tema de corrupción que había surgido en el ayuntamiento de Barcelona o esperar a recabar más información a costa de que la competencia se adelantara con la noticia.

Leire no se cortó.

—Perdón por interrumpir. Es que tengo un tema…

—Háblalo con Soler, ¿no ves que estamos liados? —dijo Gavela de manera tajante.

—Pero es que es sobre Krugman… y tú dijiste que querías ver personalmente lo que tuviese… —protestó Leire.

—Sí, eso dije, pero salvo que hayan encontrado al asesino hoy no cabe nada en el diario… Para acabar de joderme el espacio los de publicidad me acaban de meter media docena de esquelas. ¿Es que la gente no se puede morir entre semana? ¿Tienes al asesino o no lo tienes?

—No. No lo tengo, pero… —Hizo ademán de exhibir el folio impreso con el retrato robot del presunto homicida. Gavela la cortó.

—Pues lo que sea para mañana. Hoy no puedo. Tenemos un tema gordo y no se aún a estas horas cómo lo voy a encajar.

Leire fue enfureciéndose y cuando estaba a punto de lanzarle sobre la mesa el folio impreso con la cara de la cicatriz dio media vuelta y cerró el despacho con un portazo. Si Gavela hubiese estado solo no hubiera renunciado a pelear por publicar la información, pero no quería montar una escena delante de los otros dos.

Le parecía, además, que el periódico del lunes era infumable de tan aburrido y encorsetado como quedaba. Los deportes en portada y en el centro, la política abriendo en la página dos hasta la dieciséis y como guinda una entrevista de un político en contraportada. Leire no podía entender cómo se avasallaba al lector con una información que cada vez le resultaba menos interesante.

Tal y como salió del despacho del director se fue a ver a Cristina, en la sección de Internet, que le «compró» inmediatamente la información.

—¡De puta madre, tía! Haz la pieza que lo colgamos en la portada de la web. ¡Este tío es horrible! —exclamó la Paloma examinando el retrato.

—Voy a hacer lo de Krugman y lo del detective. Tendrás las dos cosas en menos de una hora. ¿De acuerdo?

—De acuerdo. Vamos a darlo bien grande. Tengo ganas de darle una patada hacia abajo en el *scroll* a los putos políticos y sus estúpidas declaraciones.

—Solo hay un problema.

—¿Qué pasa, Leire?

—Que Gavela se puede enfadar. He ido a verle y…

—Eso lo dejas de mi cuenta, no te acojones ahora —dijo Cristina con firmeza.

Leire salió corriendo hacia su ordenador y empezó a teclear: EL PRESUNTO ASESINO DE KRUGMAN. «Este es el hombre que busca la policía. Se trata de un varón de mediana edad, alto, de constitución fuerte y con una gran cicatriz en la frente. Podría ser extranjero. De momento no consta cuánto tiempo lleva viviendo en España y si es un asesino profesional. Según hemos podido averiguar podría tener relación con otro homicidio que tiene entre manos la brigada de investigación criminal.»

Abrió una pieza aparte sobre el asalto al detective Luis Fernández, informando de que finalmente había fallecido como consecuencia de los fuertes golpes que recibió con un objeto contundente. Como no disponía de mucha información, buscó en Internet la dirección del detective en la calle Floridablanca. La página web del despacho era muy sencilla: contenía dos tipos de servicios diferenciados, uno para empresas y otro para particulares.

Leire navegó por un apartado que enumeraba los servicios más solicitados: bajas fingidas, localización de personas, infidelidades matrimoniales, control de directivos y empleados, competencia desleal... En otra sección el detective Fernández había insertado un eslogan poco creativo, «Controlar es saber», y debajo aparecía el número de teléfono del despacho y la frase «Veinticuatro horas a su servicio».

Marcó el número instintivamente, sonaron tres tonos y el cuarto fue diferente y más prolongado, como si la llamada estuviera desviada a otro teléfono. Cuando se disponía a colgar surgió una voz femenina.

—¿Sí, dígame?

—Hola, me llamo Leire Castelló y soy periodista de *El Universal*. Estoy haciendo una crónica sobre lo que le ha pasado al detective Fernández. ¿Es usted su mujer?

—No. Soy su secretaria. Tengo el teléfono desviado a mi móvil y con el lío me he olvidado de desactivarlo. ¿Qué es lo que quiere? La policía me ha dicho que no hable con nadie de esto. Estoy muy nerviosa, señorita...

—Siento lo que le ha pasado a su jefe, de verdad. Pensaba que a lo mejor podríamos charlar usted y yo sobre ello. No le robaría mucho tiempo, señora... ¿cómo me ha dicho que se llama? —Leire habló con mucho tiento y amabilidad para ver si se ganaba la confianza de la secretaria.

—No se lo he dicho, pero me llamo Carmen. ¿Sabe que llevaba casi veinte años con Luis? Prácticamente yo le monté el despacho y ahora... ahora está muerto. —La secretaria emitió un sonoro gemido.

—Tranquila, Carmen, cálmese. Si no quiere que hablemos ahora, podemos hacerlo más adelante. ¿Qué tal si mañana usted y yo tomamos un café?

—No sé, estoy muy afectada y confundida. La policía no para de hacerme preguntas y yo no sé quién puede haber hecho una cosa tan horrible. Pobre Luis, pobre de mí. —Esta vez rompió a llorar.

Leire vio que en ese momento no podría sacar gran cosa de ella pero no quería dejarla escapar.

—Mira, Carmen —la tuteó para que se sintiera más confiada—, ¿qué te parece si a eso de las diez desayunamos en el Café del Born? Está frente al antiguo mercado. Invito yo, y prometo no publicar nada que tú no me autorices previamente. ¿De acuerdo?

—Bueno, pero yo no sé en qué puedo ayudarla. Ya le he dicho todo lo que sé al inspector de policía…

—Sí, supongo que es el inspector Ortega. Pero entre mujeres es más fácil que podamos sacar algo en claro, ¿no crees?

—No lo sé. Mira, ahora estoy muy cansada. No sé lo que haré, no me presiones. Lo pensaré está noche. Si voy… ¿cómo la reconoceré?

Leire dudó unos segundos

—Llevaré mi diario, *El Universal*. Lo tendré abierto sobre la mesa de la cafetería y lo reconocerás porque pegaré en la portada un post-it de color naranja. Soy rubia y tengo treinta años.

—Qué joven eres, qué joven… Ya veremos. Ahora no puedo seguir hablando. Adiós.

Leire acabó las crónicas y se las envió a Cristina, que le enseñó cómo quedarían maquetadas. Efectivamente desplazó las noticias de los mítines y las declaraciones de los políticos a la parte más baja de la portada e incluso eliminó alguna de ellas. Dio el titular de Krugman por arriba y el retrato robot a cinco columnas ocupando todo el espacio superior del primer *scroll* de la edición digital. Se sentía satisfecha, aunque temía la reacción del director.

Luego se quedó meditando sobre lo que le había dicho Julián de la infidelidad de Mónica Lago y la coincidencia de que la persona que robó las fotos hubiese sido identificada por Carlos Marín como la misma que vio el vecino de Krugman saliendo apresuradamente del apartamento del periodista. Miró hacia la mesa vacía de Belarmino Suárez y preguntó, como si estuviera aún ahí: «¿Pero qué coño sabías que te costó la vida? ¿Dónde te habías metido esta vez?».

Al ir a desconectar el ordenador vio que tenía un mensaje en su nueva dirección de hotmail. Era de Patrizia Newman.

«Soy Patrizia Newman, vivo en Nueva York. Fui novia de Belarmino y quisiera hablar contigo, pero tendrás que venir aquí a Manhattan. Nada por teléfono, y solo cuando tengas arreglado tu viaje contactaremos a través de esta dirección de correo. Es urgente.»

Sintió que le temblaban las piernas y la sangre le subía a la cabeza. Cerró el ordenador y dio un enorme suspiro. Le vino a la memoria la imagen de Margarita Landi con su descapotable acudiendo a un puesto de la Guardia Civil.

Capítulo 18

Julián extrajo el suplemento central de deportes de *El Universal* y se concentró en buscar la sección de sucesos para ver lo que Leire había publicado. Como tenía previsto, Rafa López le puso al corriente de su llamada pidiéndole el retrato robot del supuesto homicida de Krugman. Se sorprendió al no encontrar ninguna información en el diario. La llamó, pero su móvil estaba apagado.

Leire había decidido desconectar el teléfono después de escuchar el mensaje que Gavela le había dejado en el contestador al filo de la medianoche. El director había visto la página web del diario y estaba fuera de sí: la citaba a primera hora en *El Universal*, pero a esa hora tenía la entrevista con Carmen, la secretaria del detective, y quería probar suerte. No era seguro que se presentara, pero algo le hacía presumir que si acudía a buen seguro valdría la pena.

Llegó cinco minutos antes de las diez y buscó una mesa a la entrada de la cafetería, donde su presencia fuera más visible. Colocó el post-it anaranjado que Paola había pegado en la lámpara de su casa en la portada de *El Universal*, pidió un café expreso y un donut y se dispuso a esperar.

Ni siquiera abrió el periódico. Estaba pensando en el correo de Patrizia Newman y en cómo haría para ir a Nueva York, porque para entonces ya había decidido que haría el viaje a pesar de que sentía cierta inquietud. No tenía la seguridad de que esa mujer fuera quien decía ser y podía meterse en un buen embrollo. Dudaba, también, en contarle a Julián lo del e-mail; sin embargo, finalmente valoró que tenía que hacerlo.

Pasaban cinco minutos de las diez cuando una mujer de estatura mediana y bastante rolliza se acercó a su mesa mirando la portada del diario. Llevaba un vestido ancho y acampanado con rayas horizontales azules y verdes que a Leire se le antojó horroroso y que acentuaba su gordura.

—¿Eres Leire Castelló? —dijo.

—Sí. Hola, Carmen. Siéntate por favor.

Se acomodó con dificultad y su trasero se desparramó por la silla.

—He estado dudando en venir. La verdad es que aún no se por qué estoy aquí. Hasta mi novio me ha aconsejado que no lo hiciera.

Leire intentó tranquilizarla.

—Ya te dije que lo que hablemos no se publicará si tú no lo autorizas. Puedes estar tranquila conmigo.

—Eres muy guapa. Podías ser una actriz de esas... y tan delgada...

Carmen pidió un cruasán, una ensaimada y un batido de cacao.

—He estado viendo vuestra página web... Un trabajo interesante el que hacéis, ¿verdad? —dijo Leire.

—Me alegro de que lo veas de esa manera. La mayoría de la gente cree que los detectives privados somos unos fisgones metomentodo y que no respetamos la privacidad de los demás.

—Yo no lo creo así. Tener un buen control de lo que hacen nuestros seres queridos o incluso de los que trabajan en nuestro entorno ayuda a conocerlos verdaderamente y hasta... a comprenderlos mejor. —Leire estaba sobreactuando y ella misma se sorprendía por no sentirse incómoda haciéndolo.

—Sí, eso es exactamente. Nuestro lema es «controlar es saber». Lo hice yo, ¿sabes? Estudié comunicación corporativa hace años y eso nos ha ido bien hasta que... —Carmen rompió a llorar—. Todo se ha acabado con la muerte de mi jefe. Dios santo, qué crueldad... tanto esfuerzo...

—Dime, ¿cómo es que estaba trabajando un sábado en su oficina?

—Normalmente no lo hacía. Debió de quedar. Yo tengo la teoría, se lo he dicho a la policía, de que alguien lo llamó para quedar con él. Estoy segura.

—¿Algún servicio urgente? —preguntó Leire.

—No, no creo. Yo tenía el teléfono de la oficina desviado a mi móvil y si se hubiese tratado de una cita la hubiera pasado para el lunes. Más bien debía de ser algo que se traía ya entre manos.

—Os robaron la mayoría de archivos. Quienquiera que lo hiciese buscaba eliminar alguna prueba. ¿Teníais algún caso delicado que pudiera poner en peligro a tu jefe?

—Eso mismo me preguntó el inspector, y le contesté lo que te digo a ti: no había nada que nos pudiera poner en peligro. ¿Tú crees que algún demente que ha sido descubierto con una falsa baja en su empresa o trabajando para la competencia se hubiera querido vengar matando al detective que le ha pillado? Eso es del todo improbable.

Leire pensó que tenía razón. Era difícil que eso sucediera, más aún conociendo las sospechas que tenía Julián sobre que el asesino de Fernández era el mismo que el de Krugman.

—¿Y líos de faldas? Ya sabes, infidelidades y esas cosas.

—Todavía más difícil. ¿Cómo se iba a enterar la pareja cogida in fraganti? Nosotros somos detectives privados y la discreción es la base de nuestro negocio; de lo contrario no hubiésemos aguantado más de veinte años.

—Y entre los últimos servicios que prestasteis, ¿había alguno especialmente comprometido? Quiero decir alguno que considerases que podría conllevar cierto riesgo.

Carmen se puso de repente a la defensiva.

—No te voy a contar los trabajos que hacíamos. Eso es secreto profesional. ¿No lo llamáis así vosotros, los periodistas? ¿Darías tú tus fuentes a un tercero, incluso aunque fuera la policía o un juez?

—No, no las daría jamás, a menos que...

—A menos, ¿qué? —repitió Carmen con la boca llena de ensaimada.

—Salvo que se tratara de fuerza mayor y creyera que con eso voy a salvar a alguien, o a encontrar a un asesino que anda suelto. —Conforme lo decía, Leire pensaba que ni en ese supuesto tenía claro que las llegara a desvelar.

Por un momento Carmen dudó y se quedó pensativa. Leire vio en ello la oportunidad de insistir:

—Si hubiese algo que llevara a encontrar al asesino de Luis Fernández, Carmen, yo en tu lugar me saltaría todas las normas. Estaría plenamente justificado. Quizá tu jefe te lo agradecería.

Los ojos de Carmen brillaron al pensar que aún podía hacer algo por su jefe después de muerto. Leire la estaba conduciendo a su terreno.

—Pero es que no consigo recordar nada que no fuera lo habitual. Nada en especial. Yo no controlaba todas las llamadas que recibía Luis; el día anterior a su muerte solo vinieron dos personas al despacho, que yo recuerde.

—¿Quiénes eran?

—A primera hora una pobre mujer que se estaba divorciando cuyo marido le había levantado todos los bienes. La quería dejar en la calle sin un euro. Nosotros investigamos las operaciones fraudulentas del marido para aportar las pruebas en el juicio.

—¿Y la otra?

—El otro era un cornudo. Ya sabes: el típico caso en que la mujer tiene un amante y nosotros la seguimos, le hacemos fotos y todo eso... Toda la documentación la han robado... No sé qué les diré a los clientes; pagan una pasta por este tipo de servicios y se van con el rabo entre las piernas... aunque este se lo merece, no me cae bien.

—¿Por qué?

—Era un gilipollas, se puso como un energúmeno con Luis. Le empezó a gritar porque no se veía bien la foto del tío que se tiraba a su mujer. Joder, ¿no le bastaba con saber que se la follaba otro y quién sabe si cien más?

—¿Se pelearon? ¿Hubo violencia?

Carmen hinchó el pecho y miró a Leire con suficiencia.

—¡Qué va! En cuanto oí que pegaba un puñetazo sobre la mesa entré en el despacho de Luis y le lancé una mirada que lo desarmó. ¡Ese imbécil!

—¿Ese imbécil cornudo es Carlos Marín y su mujer Mónica Lago?

Carmen se quedó paralizada y balbuceó:

—¿Tú cómo lo sabes? Oye, mira, lo vamos a dejar, ¿eh? Esto ya no me gusta. Le dije a la poli lo de las visitas y demás, pero si esto ahora va a ser de dominio público... yo me voy.

—Espera, espera. Cálmate. —Leire la cogió del brazo para retenerla porque hacía ademán de levantarse de la silla—. ¿Quieres tomar algo más, quizás otro batido? Vamos a tranquilizarnos, ¿eh?

—Me tomaría un carajillo de coñac. ¿Puedo?

—Claro que sí, faltaría más. Yo me pediré otro café.

—No puedes publicar nada de todo esto. Es información confidencial y no te autorizo...

—Piensa un poco, Carmen: tú no me has dicho nada, he sido yo quien te ha dado los nombres, y si lees el periódico verás que no he escrito una palabra sobre todo ello. Creo que he sido muy respetuosa con la figura de tu jefe, tú no estás delatando a nadie ni saltándote ninguna norma. Estamos tratando de saber quién y por qué acabó con la vida de Luis Fernández.

Llegaron el carajillo y el café. La secretaria del detective le dio un sorbo con fruición.

—Visto así tienes razón, pero a este Marín, aunque sea un gilipollas, no le veo con la sangre fría para matar a Luis. ¿Por qué razón iba a hacerlo? A menos que... —Carmen se detuvo dubitativa.

—¿Qué pasa?

—No, nada. Cosas de Luis con las que yo no estaba de acuerdo. Él no me las contaba, pero yo no soy tonta: estaba allí todo el día al pie del cañón. ¿Te he dicho que yo le monté el despacho?

—Sí, me lo has dicho. Debías de ser muy valiosa para él —respondió Leire.

—¿Valiosa? Él no lo reconocía, pero sin mí ese despacho hubiese sido un garito de mala muerte... Era listo, pero a veces hacía cosas que no me gustaban. ¿Te importa si pido otro carajillo? Este estaba flojo.

—Por supuesto. —Leire pidió un carajillo de coñac y un botellín de agua para ella—. ¿Qué tipo de cosas hacía tu jefe?

—Al principio, cuando el despacho apenas daba para pagarme un mísero sueldo y el alquiler, hacía lo que llamaba una doble venta del servicio con algún cliente.

—¿Doble venta? —preguntó intrigada Leire.

—No siempre, ¿eh? Que mi jefe era honesto, pero tenía

que sobrevivir… Por ejemplo, si le contrataba una empresa para recabar pruebas contra un directivo, luego contactaba con el empleado y le prevenía de lo que se le venía encima, y por una módica cantidad le armaba un dossier que le pudiera defender de las acusaciones de la empresa. Al final los dos estaban en igualdad de condiciones, decía él. No sé, yo no lo veía correcto, pero teníamos que tirar adelante…

—¿Quieres decir que con Carlos Marín hizo algo parecido? ¿Hizo una doble venta del servicio?

—Yo no lo sé a ciencia cierta, pero una no es tonta. Jamás se ha hecho un reportaje fotográfico en nuestro despacho en que alguien no salga reconocible, y en ese asunto de los cuernos de Marín las fotos las hizo el propio Luis. Tenía un interés especial en ello…

Leire le insistió, estaba convencida de que Carmen se quería desahogar y sobre todo desvincularse de las malas prácticas de su jefe.

—¿Qué crees que hizo en el caso de Carlos Marín y de su mujer?

Leire se lo preguntó con una dulzura exquisita mientras tomaba su mano rolliza con la suya. La secretaria sorbió de un trago medio carajillo.

—Un tipo vino a ver a Luis un par de veces. Era un hombre con el pelo blanco de mediana edad, bien vestido. Me pareció que se trataba de un pez gordo, quiero decir, un tipo importante con pasta. Parecía muy educado cuando le abrí la puerta, pero por el tono que empleó con mi jefe se notaba que era de los que mandan, ya sabes…

—Continúa por favor —dijo Leire asintiendo con la cabeza.

—Desde mi despacho lo oí todo. Ese tipo quería comprar las fotos de la mujer de Marín a cualquier precio para destruirlas, retirarlas del mercado, y mi jefe se negó.

—¿Se negó a vendérselas?

—Sí. Luis tenía un contrato con Marín que debía respetar. Este sabía que su mujer le engañaba, pero quería las pruebas y nosotros las habíamos conseguido. No podíamos decirle: «Mire, usted es un cornudo, pero no lo podemos demostrar». Otra cosa es que Luis pactara una especie de doble venta con el tipo ese del pelo blanco. ¿Me entiendes?

—No mucho. ¿Para qué iba a querer ese hombre las fotos de Mónica? Y, sobre todo, ¿por qué tu jefe no se las vendió a los dos? Le podría haber engañado diciendo que eran las únicas copias.

—Porque Luis hizo algo más inteligente: pactó con ese hombre que difuminaría la imagen del tío que se acostaba con Mónica Lago. Le haría un tratamiento de photoshop y nadie reconocería al amante. Con eso ese hombre se quedaba satisfecho y nos pagaba una pasta interesante.

—Ahora lo entiendo menos. ¿Por qué ese hombre quería que se alterara la imagen del amante de Mónica? Y otra cosa: ¿cómo se enteró de que existían esas fotos?

Carmen sonrió con suficiencia:

—Ay, niña, pareces tonta: porque el tipo del pelo blanco y modales finos era el que aparecía en las fotos; era el amante de Mónica, el que se tiraba a la mujer de Marín. ¿Lo entiendes ahora? Lo que no sé es cómo se enteró de que le habían pillado.

—¡Ah, claro! Y no quería bajo ningún concepto que Marín lo reconociese. A lo mejor eran amigos… Esas cosas pasan, ¿no?

—Eso ya no lo sé, pero, en cuanto ese hombre comprobó que los archivos fotográficos y las copias se habían adulterado y solo se reconocía a Mónica encima de un saco de patatas, se fue más contento que un perro con dos colas. Yo ya te digo que no estoy de acuerdo con eso; Luis seguro que lo justificaría con que había cumplido con los dos encargos, el de Marín y el del tipo ese… ¿Cómo se llamaba? Bueno, da igual.

—¿No recuerdas su nombre?

—Me dio un nombre falso al entrar en el despacho. Lo calé enseguida, pero como me dijo con decisión que el detective Fernández le estaba esperando lo anuncié y Luis le hizo pasar. ¿Cómo demonios le llamaba? Joder, esta memoria mía… Lo siento, no consigo recordarlo. Oye, de esto hemos quedado que no publicas ni una palabra, ¿eh? No me vayas a hacer una faena.

—Puedes estar completamente segura de que no publicaré nada.

—Confío en ti —dijo Carmen, y esta vez fue ella quien posó ambas manos sobre las de Leire.

—Solo una última cosa —añadió Leire—. ¿Os quedasteis en el archivo las fotos originales en las que se reconocía al amante de Mónica Lago?

—Por supuesto. Yo misma archivé en el dossier de Marín las originales que no vieron ninguno de los dos.

—¿Y esas fotos las han robado junto con los demás documentos del despacho?

—Sí, se las han llevado. ¡Joder, ahora que caigo, se puede armar una buena! Ya te he dicho que yo no tengo nada que ver con todo esto.

—Desde luego, Carmen, desde luego. No tienes por qué preocuparte.

Capítulo 19

*C*uando dejó a Carmen, a Leire le faltó tiempo para llamar a Julián y ponerle en antecedentes de la conversación con la secretaria de Luis Fernández. Lo hizo con prisas y sin excesivos detalles: estaba preocupada por llegar con rapidez a la redacción del diario y enfrentarse a la bronca del director; cuanto antes pasara el mal trago, mejor.

Julián la escuchó, atónito porque hubiese utilizado la información que le dio sobre la infidelidad de la mujer de Marín y el seguimiento del detective para entrar de nuevo en el terreno de la más pura investigación policial, en su propio terreno.

Pero apenas si le dio tiempo a reprenderla, estaba tan descolocado intentando asimilar que las fotos de Mónica y su amante habían sido manipuladas que cuando reaccionó y arrancó a hablar se dio cuenta de que ella ya había colgado. Volvió a marcar el número de Leire pero había desconectado el teléfono. Al cabo de unos minutos recibió un mensaje: «A las diez en mi casa, ¿ok? Me voy a Nueva York. Besos, Leire».

Leire subió al despacho de Gavela. La secretaria le dijo que estaba solo, escribiendo en el ordenador. Antes de que la anunciara ya se había colado. El despacho olía a alguna esencia que la mareaba, era como la de esos perfumes agridulces del jazmín en plena eclosión estival. Estuvo a punto de taparse la nariz, pero se contuvo.

—¿Puedo pasar? —le dijo con una sonrisa nerviosa por forzada.

—Ya lo has hecho. Llevo buscándote desde anoche. ¿Qué coño haces con el móvil apagado? ¿Sabes que el puto teléfono lo paga esta empresa para que estés a plena disposición y no para que ligues con tus novios?

—Disculpa, me quedé sin batería. En cuanto oí tu mensaje me vine directa…

—¿Sin batería? Vaya. Creo que te has quedado sin algo más que sin batería: ¡estás despedida!

Leire aparentó no inmutarse aunque las piernas le temblaron y el perfume del jazmín se le hizo tan intenso que pensó que podría llegar a perder el conocimiento. Cogió aire y le dijo con convicción:

—David, no me vas a despedir. Admito que estés cabreado porque he publicado en la web lo del asesino de Krugman, pero ayer no me hiciste ni puto caso cuando vine a contártelo y hoy… hoy tengo pistas que pueden dar un giro al caso.

—Estás despedida. Me importan un carajo de la vela tus pistas, nena. Lo dije muy claro: todo lo de Krugman ha de pasar por mí.

Bien, me iré. No me interesa trabajar en un periódico decadente que se está cavando su propia tumba contando las grandes e interesantes exclusivas del político de turno que nos va a llevar al pleno empleo, mientras su director despide a la gente y hace oídos sordos a los temas que les pueden interesar a los lectores, y su editor es un cabrón que tiene valorada la profesión del periodismo peor que las putas de un burdel a destajo…

Leire no se reconocía en el discurso. Conforme fueron brotando las palabras de sus labios, Gavela tragó saliva antes de farfullar:

—Joder, nena. Tienes huevos…

—Mira David, a mí no me llames nena. Soy una periodista que se toma esto en serio. A pesar de que la brújula de mi director está desorientada, pensaba que serías capaz de saber cuál es el rumbo que hay que tomar en cada momento.

Gavela se fue ablandando ante el ímpetu de Leire.

—¿Qué tienes? —preguntó.

—Tengo que ir a Nueva York; lo de Krugman me lleva allí. Su antigua novia me ha contactado. Sabe algo, pero no me lo va a contar si no voy a verla en persona…

—¿A Nueva York? ¿Ese sitio que está a seis mil kilómetros y al que llegar en clase turista debe de rondar los seiscientos euros? A los sicarios del dueño de este burdel no creo que les haga mucha gracia...

Leire intuyó que Gavela estaba por la labor. Estaba convencida de que no la iba a despedir; en sus ojos adivinó que le apetecía fiarse de ella. Para acabar de inclinar la balanza a su favor, le contó con detalle, desde el principio, cómo había encontrado las anotaciones de Krugman en el post-it y el correo electrónico de Patrizia Newman, pero no le comentó nada sobre su encuentro con la secretaria del detective Fernández; pensaba que eso tomaría otros derroteros, o quizá simplemente lo intuía.

Convinieron en que Leire tendría un permiso retribuido de una semana para ir a Nueva York y que, si bien el viaje y el hotel no irían por cuenta de *El Universal*, Gavela admitió que le pasase gastos de restaurantes y desplazamientos particulares que tuviese en el pasado o que pudiera generar en el futuro a fin de compensarle hasta una cantidad en torno a los seiscientos euros. Leire pensó que esa trampa administrativa demostraba que el diario estaba francamente mal y que tenía los días contados, pero en el fondo su director se rebelaba contra ello.

Tras jurarle que no volvería a publicar nada en la web de la Paloma mientras él no diera su autorización, no solo la reafirmó en su puesto, sino que le financió el viaje a Nueva York.

Cuando salió del despacho de Gavela un corrillo de periodistas desviaron despistadamente la mirada. Habían estado merodeando por los alrededores como cuervos sobre la inminente presencia de un cadáver. Scream, el jefe de espectáculos, había hecho correr que Leire olía a muerto por haberse saltado las normas del director.

La vieron salir sonriente y solo les faltó, para aplacar su morbo, que Gavela fuera detrás de ella para decirle en voz alta «que confiaba plenamente en ella y esperaba sus noticias». Los redactores se dispersaron como ovejas atemorizadas ante un lobo hambriento.

Leire bajó hasta su mesa, llamó a Paola y le dijo que iba a buscar billetes para Nueva York y que quería que la acompañara.

—Tú estás pirada, tía. ¿A Nueva York una semana? Joder,

es que estoy tiesa; ya sabes, hasta que no cobre de la editorial tengo lo justo para el alquiler...

—Yo me ocupo del hotel y te pago medio billete —le dijo Leire para convencerla—. Voy por un reportaje y el periódico me paga mi viaje. ¿Qué dices?

—Hostia, ¿ese periódico que no te envía ni la suscripción a casa porque le cuesta veinte céntimos diarios te va a pagar una semanita en Manhattan? ¿A quién se la has chupado, Leire?

—Deja de hacerte la ordinaria, por favor. Ya te contaré, pero te necesito. Necesito que estés a mi lado, Paola. Tengo miedo.

Lo dijo tan compungida que Paola se arrepintió al instante de haber bromeado con ella.

—Perdona, cariño, no pensaba... Ya sabes que puedes contar conmigo; ya me las arreglaré con la editorial. Nos vamos a Nueva York. No he estado nunca... ¡Hum! Desayuno con diamantes en Tiffany, King Kong colgado del Empire y Carrie haciendo el *brunch* con sus «manolos». Dime: ¿tendremos tiempo para todo eso en una semana?

—Yo tampoco lo conozco... Sí, claro que tendremos tiempo. Voy a mirar billetes para dentro de dos días, ¿vale? Luego lo hablamos en casa. Por cierto, he invitado a Julián. Iré pronto para preparar algo.

—Perfecto, yo estaré en casa perfumando de rosas esta fétida novela romántica, y luego he quedado con la editora a cenar. No os molestaré, os dejaré solitos —dijo Paola.

—No, que no es lo que te imaginas. Es que el caso de Krugman se complica y creo que a Julián no le gusta que nos puedan ver juntos por ahí, así que prefiero hablarlo en casa.

—Estupendo, cariño. Nos vemos, y no te preocupes por nada.

—¿Paola?

—¿Qué?

—Eres una amiga estupenda. Mi mejor amiga... Gracias.

—Anda, no te pongas romántica que ya tengo bastante con corregir cursilerías... Un beso, hasta luego.

Leire reservó dos vuelos para el miércoles con American Airlines directos desde Barcelona y con la vuelta para el martes siguiente. Le apareció en el buscador de vuelos un hotel en la calle 27 cerca de Madison Square Park que estaba en oferta. Le envió un mensaje a Patrizia Newman:

Llego pasado mañana a Nueva York, ya tengo los billetes en el vuelo AA061 de American Airlines y he reservado el hotel Gershwin que está en la 27 con Madison. ¿Y ahora qué?

Al minuto recibió la respuesta de Patrizia Newman:

Bien, tendrás noticias mías el jueves por la mañana en la recepción del hotel; por cierto bien escogido… es especial. No vuelvas a contactar conmigo. Te veo en NYC. Buen viaje.

Capítulo 20

Leire llegó a casa sobre las nueve de la noche. Antes se detuvo en La Ribera, un antiguo colmado del barrio, de los pocos que quedaban de la época en que el mercado del Born y sus tiendas aledañas constituían la lonja de abastos al por mayor de Barcelona, antes de que la actividad se trasladara a la Zona Franca, cercana al puerto industrial de la ciudad.

Compró algo de embutido y quesos para la cena. La Ribera conservaba el encanto de los años sesenta: era un gran almacén sostenido por columnas de hierro de gran altura ignifugadas con pintura granate. Del techo pendían decenas de jamones de Guijuelo. Las baldas, que contenían cientos de latas de conservas, quesos, variedades de aceitunas, fiambres y vinos, escalaban las viejas paredes hasta una altura de más de cinco metros. Media docena de empleados ataviados con batas grises despachaban la mercancía apuntando a lápiz en una libreta las referencias de cada producto. A Leire le maravillaba cómo podían recordar el código de barras de los artículos y cómo al dueño no se le ocurría poner un lector automático. Una vez preparado el pedido se pasaba por la caja, donde una empleada anotaba los códigos en un viejo ordenador e imprimía la factura.

Entró también en la pastelería Vilamala en la calle de Aguilers, frente a la Viniteca, y compró una barra de pan recién salida del horno y la coca de crema que servían en El Xampanyet, la bodega donde había estado con Julián.

La iglesia de Santa Maria del Mar todavía no estaba iluminada, pero una luz rojiza y natural acentuaba su majestuosidad. El calor sofocante del día estaba declinando ante los últimos rayos de sol.

Pensó que al llegar a casa tendría tiempo de darse una ducha rápida y cambiarse los tejanos por algo más cómodo.

Paola estaba sentada en la mesa del salón, de espaldas a la puerta, con los auriculares del iPhone puestos mientras tecleaba en el ordenador. No la oyó entrar. Leire tocó su hombro y Paola dio un respingo sobresaltada.

—¡Joder tía, me has dado un susto de muerte!

—Lo siento, pero un día desvalijarán la casa contigo dentro y no te darás ni cuenta. Estás todo el día enchufada a esos «pinganillos». He traído la cena. —Alzó las bolsas para que las viera.

—¡Hum, huele muy bien! Yo acabo enseguida. Me he dado una paliza. Llevo diez horas pegada a la novela y creo que con tanto escarceo y folleteo amoroso con vampiros tengo la libido por el suelo. Solo me falta la cenita con la editora… ¿Tú crees que de esta me hago lesbiana?

—Deja de decir barbaridades. Me alegro de que hayas avanzado porque pasado mañana nos vamos a Nueva York. —Leire sacó del bolso los billetes y los exhibió, brazo en alto, con una amplia sonrisa.

—¡Qué guay! —gritó Paola y se abrazaron saltando como unas chiquillas—. ¿Sabes qué? A tomar por culo la novela por hoy… Vamos a abrir un vinito.

—Vale, pero ve abriéndolo mientras me doy una ducha. No quiero que Julián me vea así. Llegará en menos de una hora.

—¡Uy!, que mi niña está coladita por su príncipe policía. Si quieres te regalo un par de frases romántico-cursis que lo dejarán desarmado…

—No seas tonta. No es eso. Tengo que hablar seriamente con él del caso Krugman y de lo de Nueva York…

—¡Ah! ¿Se trata de una cena de negocios? Vaya… —Paola acarició la cara de Leire partiéndose de risa—. Entonces lo mejor es que te pongas un buen escote y una minifalda. Unas buenas tetas y enseñar las piernas son el mejor argumento para que el negocio caiga de tu lado.

—Bueno, ya veo que estás muy inspirada hoy. Me voy a la ducha. Abre ese vino; no tardo ni cinco minutos. Y recoge el ordenador que tengo que poner el mantel en la mesa.

—A la orden —dijo Paola poniéndose firmes ante Leire.

Descorchó un vino blanco verdejo que estaba en la nevera y lo sirvió en las copas. Puso dos manteles individuales y distribuyó el embutido y los quesos sobre una tabla de madera. En la habitación de Leire se oía el abrir y cerrar de cajones del armario; debía de estar valorando qué ponerse para la cita con Julián. Paola pensó que la había sumido en un mar de dudas al decirle que debía vestirse provocativa y se sintió responsable.

—¿Quieres que te eche una mano? —alzó la voz apoyando el oído en la puerta de la habitación.

—No, no es necesario. Ya salgo.

Salió contoneándose con un vestido negro ajustado a la cintura que resaltaba su pecho y dejaba ver sus piernas unos centímetros por encima de las rodillas. Se paseó alrededor de Paola para que diera su aprobación.

—¡Uau! Leire, estás imponente: ni muy escotada ni muy corta. Marcas bien tu personalidad, sobre todo la de la cadera, las tetas y el culo… Bien escogido. El negocio es tuyo, ya verás. —Paola estalló en una carcajada.

Brindaron por Nueva York y Paola se empeñó en hacerlo también por el cuerpo de policía. Leire la siguió sin protestar: lo cierto es que se sentía más tranquila con la compañía de su amiga en el viaje y, sin embargo, conforme se aproximaba la hora de llegada de Julián le recorría un cosquilleo por el estómago que no era capaz de controlar.

Paola se cruzó con Julián en la puerta cuando salía de casa. Leire sabía que hacía lo posible por dilatar su marcha con la excusa de ayudarla a preparar la cena: colocó dos velas en el centro de la mesa y despegó los post-it que estaban adheridos al respaldo de las sillas. «Hoy debes estar tranquila y relajada, sin preocupaciones.»

Julián iba sin americana, con una camisa blanca y unos vaqueros negros. Al toparse con Paola esta le hizo un repaso de arriba abajo, le dio dos besos y le guiñó el ojo; luego salió corriendo hacia el ascensor.

—Tengo una cena, lástima porque me hubiera encantado hacer de carabina… No os preocupéis por mí, llegaré muy tarde.

—¡Pásalo bien y sobre todo no te líes con la editora, sería

una pena que te perdieras para el género masculino! —gritó Leire riendo.

—¿A qué ha venido eso? —preguntó Julián desconcertado.

—Nada, cosas de mujeres. Hoy Paola tiene las hormonas alteradas de tanta novela romántica como se ha tragado.

—He traído un vino… No sé si… Bueno, antes te gustaba el blanco.

—Estupendo, ya llevábamos dos copas. Lo pondré a enfriar. Siéntate, ponte cómodo y sírvete una copa del que está en la mesa.

—Estás muy guapa —dijo Julián.

—Vaya, gracias. Tú tampoco estás nada mal. Aunque esas ojeras…

—Sí, duermo poco, ya lo sabes. Oye, ¿qué es eso de que te vas a Nueva York?

—Bueno, el diario me paga el viaje. Voy a investigar un asunto…

—¿Krugman? —preguntó Julián al tiempo que se servía un poco de vino.

—Sí. Resulta que el teléfono del post-it de Krugman, ese al que llamé, es de una antigua novia. Se ha puesto en contacto conmigo por e-mail, me quiere ver.

—¿Cómo sabes que es ella y no otra persona? Es peligroso, Leire.

—Iré con Paola. No te preocupes. Creo que tengo algo grande entre manos.

—Leire, te he dicho que esto no es un juego. Estamos hablando de dos asesinatos que puede que tengan relación. No deberías…

—Mira Julián, vamos a hacer un pacto tú y yo. Estoy dispuesta a contarte todo lo que averigüe, pero no me vuelvas a decir lo que tengo que hacer. Sé que tengo que ir e iré, ¿vale? Hoy he tenido que plantarme con Gavela, me quería despedir y le he sacado el viaje y el empleo. O sea que deberías saber a estas alturas que no estás tratando con una chiquilla —lo dijo con tanta convicción que Julián tiró la toalla.

—De acuerdo, de acuerdo. No volveré a decirte nada. Pero prométeme que no te meterás en ningún lío y que me llamarás con lo que haya.

—Prometido. Te llamaré. ¿Cenamos? Estoy muerta de hambre.

—Vamos.

Se sentaron uno frente al otro. Julián le explicó que sospechaba que había un vínculo entre la venta de Marín&Partners y la posible venta de *El Universal* y que este los llevaba hasta Jeff Halton en Nueva York. Se reafirmó en que Krugman sabía algo de esas operaciones y esa fue la causa de que lo mataran. Lo que no acababa de ligar era que Carlos Marín hubiese identificado al ladrón de las fotos con el mismo que acabó con la vida del periodista y aún menos que ahora supieran que esas fotos habían sido manipuladas por el detective Fernández por encargo del amante de Mónica Lago.

—¿Te explico mis teorías? —dijo Leire untando un trozo de pan con el tomate—. Sospechoso número uno: Carlos Marín. ¿Cómo sabes que dice la verdad sobre el robo de las fotos? Es su palabra contra la de nadie. El único que dice que lo sabía era el detective Fernández y este ya no puede contarlo. Y si lo sabía Krugman, el pobrecito tampoco nos puede aportar nada. Marín descubrió que su mujer se la pegaba con otro, y ahora verás… —Leire hizo una pausa para dar un mordisco al pan con un trozo de queso y mantener la atención de Julián— …ese amante, ¿sabes quién era?

—No me lo imagino, pero creo que me lo vas a decir.

—El amante de Mónica Lago era Krugman. Él acordó que el detective distorsionara su imagen, pero Marín accedió a las fotos originales y lo cazó. La secretaria describió al hombre que se presentó en el despacho de Fernández como un tipo con el pelo blanco y buen porte: ese era Krugman.

—Vamos a ver, ¿quieres decir que Marín eliminó a Krugman porque se tiraba a su mujer y luego a Fernández para eliminar las pruebas de las fotografías? ¿Y el tipo de la cicatriz que vio el vecino?

—Está claro, Julián, ese tipo es el sicario que utilizó Marín para matar a los dos. Esta gente no se mancha las manos de sangre, y ya me dirás si ese retrato robot no corresponde al de un asesino a sueldo…

—Bien deducido. Solo tiene dos inconvenientes.

—¿Cuáles? —inquirió Leire.

—Que he mostrado esta misma tarde la fotografía de Krugman a la secretaria del detective y jura que esa persona no se parece en nada a la que estuvo en el despacho de Fernández.

—Has dicho dos inconvenientes... ¿Cuál es el otro?

—Que creo saber quién es el amante de Mónica Lago.

—¿Sí? ¿Y quién es?

—Hemos hecho un pacto, princesa: tú me lo cuentas todo, pero yo no te diré lo que sospecho por lo menos hasta que no tenga la absoluta certeza.

—Eso es injusto —protestó Leire.

Acabaron la botella de vino que habían empezado con Paola y descorcharon la de Julián, que estaba divirtiéndose con las conjeturas de Leire y reconocía en su interior que él se había planteado lo de Marín.

—Has dicho que tienes teorías. ¿Qué otras posibilidades se le han ocurrido a la gran investigadora de sucesos?

—La otra se refiere a mi segunda sospechosa, Mónica Lago, una mujer ambiciosa y perfeccionista. Conduce la operación de venta de la empresa. Krugman se entera no solo de alguna irregularidad en la venta que está dispuesto a publicar, sino de que se está tirando a ese tal Halton para conseguir el mejor precio. Ella contrata a un sicario y acaba con el periodista y con el detective. La verdad es que esta segunda teoría me gusta menos porque me resulta demasiado machista; creo que esta mujer es inteligente y ha sacado buen partido de la venta del negocio por su capacidad de convicción... No sé. ¿También me lo vas a tirar por tierra?

Julián no podía disimular su sonrisa. Si bien estaba frivolizando con el caso con una copa de vino y una mujer por la que sentía una extraordinaria atracción, por un momento estaba consiguiendo despegarse de la seria formalidad de su trabajo.

—Bien. No vas mal. Desde mi punto de vista los asesinatos, ya te lo he dicho, tienen que ver más con la venta de Marín y Lago que con un crimen pasional. Siento ser machista, pero creo que Mónica Lago sabe más de todo esto de lo que dice...

—¿Crees que ella es la asesina?

—Yo no lo publicaría mañana —contestó Julián sonriendo.

—Eres un capullo. Me estás dejando especular y solo te estás riendo de mí. —Leire demostró sentirse ofendida.

—Princesa, no te enfades. Solo son conjeturas. Necesito hablar con Halton y tengo algunas preguntas para Mónica Lago. He de reconocer que cuando la vi se me escurrió como una anguila.

—Me has vuelto a llamar princesa. Es guapa esa Mónica, ¿verdad?

—Yo diría que es atractiva y tiene algo…

—¿Qué tiene, eh? Dime, ¿qué crees que tiene?

Por un momento Julián pensó que Leire estaba celosa y se sintió extrañamente complacido.

—Nada que no superes tú con creces.

—Eres un tonto. A los tíos os van las maduritas que son capaces de poneros firmes… En el fondo os va que os den un poco de caña.

—Eh, esto se está poniendo interesante. Ahora resulta que te vas a poner celosa de una presunta asesina, según tus teorías…

—¿Celosa yo? Oye, si crees que porque me llamas princesa voy a volver contigo estás muy equivocado. No lo haría por nada del mundo. Eres un engreído y aburrido policía que no deja nada al azar y que no tiene más vida que…

Julián se incorporó de la silla y se puso detrás de ella, rodeando con los brazos su cintura. Le tapó los labios con la mano y la besó en el cuello suavemente; luego buscó su boca y la besó con pasión. Ella se dejó llevar cuando la levantó en brazos y la condujo hasta el sofá. Sus labios no se despegaban mientras Julián le acariciaba los pechos y la desnudaba despacio. Leire se estremecía de placer mientras le desabotonaba con torpeza la camisa. Hicieron el amor hasta bien entrada la madrugada. Ella se quedó profundamente dormida y Julián la tapó con su propio vestido; luego, procurando no hacer ruido, se marchó de la casa.

El viento le traía el perfume de Leire. Esta vez no quiso pensar en el día siguiente, sino disfrutar del momento. Se sentía feliz.

Capítulo 21

El martes por la mañana Carlos Marín se despertó sobresaltado por el ruido que provenía de la habitación. Miró adormecido hacia el vestidor y allí estaba Mónica, descolgando perchas del armario y colocando las prendas de vestir sobre la cama.

—¿Qué haces? ¿Qué hora es? —preguntó a su mujer.

—Tengo que hacer la maleta, me voy a Londres dos días. Me ha llamado Halton, quiere que vaya a ver a unos clientes… Duerme, son las siete y media. Luego te llamo.

—Espera, espera, ¿te vas a Londres? ¿Cuántos días?

—Creo que solo un par. Halton cree que es bueno que vaya a ver a los de Nike. No se fía de que tengamos la cuenta bien amarrada; han recibido una contraoferta y es mejor asegurarse.

—Ya. ¿Y vas a ir sola? No me habías dicho nada.

Carlos Marín se incorporó y se sentó en la cama apoyando la espalda en la almohada.

—Sí, voy sola. ¿Quieres acompañarme? El vuelo sale a las doce, pero quiero pasar antes por la oficina para recoger el *briefing* de la campaña. ¿Te animas?

—¿Seguro que quieres que te acompañe? —preguntó él con intención.

—Bueno, no te obligo. Si vienes podemos cenar juntos en aquel sitio que te gusta de Piccadilly… Voy a estar ocupada, pero tendré algo de tiempo. Tú puedes ir a la Tate Modern; hay una exposición de Warhol magnífica…

—Sí, estaría bien una escapadita a Londres, pero seré una molestia para ti. Quizá prefieres ir sola, ¿no? —insistió con retintín.

Mónica tiró al suelo, de golpe y de mala manera, la ropa interior que había sacado del cajón. Con los brazos en jarras y el semblante hosco miró a los ojos a su marido y le dijo a viva voz:

—Carlos, estoy harta de tu comportamiento. No sé qué te pasa estos últimos días; desde que hemos vendido la empresa estás de mal humor conmigo… ¿Me puedes explicar qué te sucede? Si quieres venir a Londres te vienes, pero si vas a tener esa actitud prefiero que no lo hagas…

—Ah, en el fondo prefieres que no vaya, ¿verdad?

—Mira, no estoy para tonterías. Si quieres me explicas lo que te pasa y si no ya lo hablaremos a la vuelta. Tengo que acabar la maleta…

—¿De verdad no sabes qué me pasa? ¿Estás dispuesta a seguir manteniendo esta farsa, Mónica?

—Pero ¿de qué farsa hablas? ¿Quieres ser claro de una vez?

Carlos Marín se armó de valor: respiró hondo y le soltó de sopetón:

—Mónica, no juegues más conmigo, ¿de acuerdo? Sé que tienes un amante. Lo sé y también imagino que vas a Londres con él. ¿Por qué me has hecho esto?

Carlos Marín sintió que sus músculos se aflojaban como si hubiesen sido masajeados a conciencia. Se sentía liberado, pero le costó esfuerzo mirar a la cara a su mujer para ver cómo reaccionaba ante lo que le acababa de decir. Mónica tardó en reaccionar varios segundos, que a Marín se le antojaron eternos.

—Pero, cariño, eso es una locura. No sé de dónde sacas esa barbaridad. Es totalmente falso, no tengo a nadie. ¿Cómo puedes decirme eso? Me dejas de piedra… eres, eres… —No pudo acabar la frase. Se sentó en el borde de la cama de espaldas a su marido y se tapó la cara con ambas manos. Marín oyó un gemido, seguido de varios sollozos que hicieron temblar el cuerpo de su mujer.

Estaba desarmado. No había previsto esa reacción de Mónica. Cabía la posibilidad de que lo negara, pero la interpretación era tan creíble que por un momento se sintió angustiado por haberle producido dolor. Se sentía como un canalla hasta que se le cruzó la imagen de las fotos con Mónica desnuda y volvió a la carga.

—Mónica, te han visto en la habitación del hotel Juan Carlos I con un hombre, y no una sino varias veces. ¿Quién es? ¿Por qué?

De repente Mónica reaccionó con rabia. Volvió la cabeza

hacia su marido y con los ojos enrojecidos por las lágrimas le dijo:

—¿En un hotel? No sé quién te ha dicho eso, pero es mentira. No he estado en la habitación del Juan Carlos I con nadie, ¿te enteras?, con nadie. No tengo ningún amante. ¿Quién ha sido el cabrón que te ha contado esa insidia? ¿Quién?

Mónica estaba siendo muy convincente, pero Carlos había decidido que no iba a dejarse llevar por su interpretación. Pensó que había fallado en preguntarle por su amante; tenía que haber dado por supuesto que él lo conocía y hacerla caer en su propia confesión. Ahora que la tenía en el anzuelo no podía soltarla: debía seguir hasta el final. La policía estaba al corriente de todo y estaba convencido de que aquel inspector que le interrogó volvería a hablar con su mujer. Así que prosiguió, fingiendo no inmutarse por su aparente tristeza.

—Te mandé seguir, Mónica. Lo hice porque me alertaron. Sé que estuvo mal y me siento un miserable por ello, pero tengo fotos…

—¿Que tienes fotos de qué? —preguntó con estupor.

—Bueno, fotos tuyas… No lo hagas más difícil, todo esto es muy violento para mí. Oye, si se trata solo de un ligue, de un desliz, ya sabes… podemos hablarlo. Pero quiero la verdad. Necesito saberla, Mónica.

—¡Enséñame esas fotos!

Marín se zafó como pudo.

—No es el caso. Además, no las tengo aquí. Pero créeme, eres tú haciendo… bueno, haciendo el amor con otro.

Mónica pareció aliviarse y pasó a la ofensiva.

—Carlos, todo esto me parece un despropósito. —Se enjugó las lágrimas con las manos—. No voy a reconocerte algo que no he hecho y si tienes fotos espero verlas: o no soy yo o te han engañado con un montaje. No sé a qué has estado jugando. Y si lo que pretendes es tenderme una trampa no acierto a entender por qué, me parece que estás enfermo. No tengo nada más que decirte. Ahora voy a hacer mi maleta, pero prefiero que no vengas a Londres conmigo. No en esta situación. Ya hablaremos a mi vuelta si hay algo que hablar. Jamás pensé que pudieras desconfiar de mí. Esto no será fácil de llevar. No quiero seguir con ello.

Carlos Marín asistió atónito al discurso de su mujer. Por un momento le sobrevoló la duda de que todo fuera un montaje del detective Fernández, pero ¿con qué intención? Estaba tan confundido que no sabía si quería creer eso o realmente su mujer era tan fría y desalmada como para negarle lo evidente.

Cuando Mónica se fue sin despedirse se quedó en la cama pensando «nada es una verdad absoluta y, si lo es, es susceptible de ser modificada». Había visto unas fotos de su mujer desnuda encima de alguien irreconocible, pero las imágenes no eran claras. La cara de aquella mujer de pelo rubio era la de Mónica o quizá la de alguien que se parecía a la de ella... Intentaba recordar la escena que había fotografiado Fernández y ahora le asaltaba la duda. Volvió a reconstruir todo el proceso que lo llevó a dudar de su mujer: las sospechas y recelos que tenía con respecto a los viajes relámpago de Mónica y su manera de vestir, mucho más juvenil y extremada que antes, y hasta la manera en que le hacía el amor últimamente, tomando la iniciativa y queriendo incorporar nuevas posturas que le sorprendían. Todo ello le había animado a ponerse en manos del detective privado. Pero ¿y si no era Mónica? ¿Y si ese detective le hubiera engañado? ¿Con qué intención lo habría hecho? Y en ese caso, ¿por qué y quién le robó las fotos de su maletín y luego acabó con los archivos y la vida de Fernández?

Carlos estaba inmerso en la confusión. Ahora se sentía como un villano por lo que le había hecho a su mujer. En el fondo la quería. Sí, llegó a la conclusión de que la quería y acababa de echar por tierra su matrimonio. En realidad hubiera preferido que le confesara que se trataba de un desliz, de algo sin importancia... «¿Hubieras sido capaz de perdonarla?», se dijo, y al momento se contestó, con un nudo en la garganta, que sí.

No había forma de enmendar aquella situación. No tenía manera a su alcance de cerrar aquella brecha que había abierto en la relación con Mónica. Ya estaba todo patas arriba y descontrolado, justo lo que a él más le incomodaba de las situaciones. «Reconducirlo debería ser una prioridad, pero ¿cómo lo voy a hacer entre un mar de dudas?»

Miró en el billetero: tenía la tarjeta del inspector Ortega, que le había animado a buscar la verdad con su mujer y, sin saber muy bien por qué, descolgó el teléfono y lo llamó. Le pasaron al instante y le contó que pensaba que quizás todo era una trampa, que había hablado con ella y que intuía que podía estar diciendo la verdad.

—Estoy hecho polvo, inspector. Usted no lo entiende: acabo de tirar por la borda mi matrimonio, y seguramente sin razón alguna. Tiene que averiguar por qué me han hecho esto. ¿Por qué me han querido hundir?

Julián Ortega se sentía escéptico ante lo que le decía Marín, pero entendió que no era el momento de hurgar más en sus sensaciones, a pesar de que para su investigación seguía siendo determinante saber si esas fotos existían, si la que aparecía era Mónica, quién era el amante, si el que robó el maletín era el mismo que asesinó a Krugman y si todo eso tenía relación con la venta de Marín&Partners. Sabía por la secretaria de Fernández que las fotos habían sido manipuladas y cabía cualquier especulación. Sin embargo le dijo:

—Señor Marín, yo no puedo entrar en los sentimientos. Solo quiero conocer la verdad de lo que pasó. No le puedo ayudar. Estaremos en contacto. Cuídese.

Capítulo 22

*L*eire se despertó al alba. La luz que entraba por la ventana iluminaba tenuemente el salón, pero era suficiente para que se sintiera incómoda en el sofá donde se había quedado dormida. Le dolía la espalda. Se incorporó y el vestido que la cubría cayó por un costado hasta el suelo. Su desnudez le hizo tomar conciencia de dónde se hallaba.

En la calle reinaba el silencio. La sirena de una ambulancia, que se iba apagando conforme tomaba distancia, parecía el único signo de vida en el exterior.

Colgó el vestido de su antebrazo y se dirigió a la habitación. Antes miró en la de Paola: la puerta estaba abierta y no había nadie. No había venido a dormir. Sonrió pensando que lo habría hecho a propósito para dejarla a solas con Julián.

No entraba en sus planes hacer el amor con él, pero se sentía feliz de que hubiera tomado la iniciativa, aunque se dijo enseguida que no debía hacerse ilusiones. Ambos se sentían atraídos por el otro y ello no significaba que su relación sentimental tuviera que llegar más allá. Sin embargo, no pudo evitar recordar sus caricias, que la transportaban a una época pasada a la que sabía que no debía volver.

Nadie había conseguido que el mero contacto con su piel le transmitiera las emociones incontrolables que sentía con Julián. Más de una vez llegó a pensar que su vida amorosa no tendría la plenitud que había conseguido durante el tiempo que estuvo con él. De hecho, cuando había hecho el amor con alguien después de su ruptura se sentía vacía y a veces hasta dolida e insatisfecha.

Le había hecho el amor como nunca antes. Se había dejado llevar, extasiada, abandonándose al placer. Recordó que le había susurrado varias veces que la quería y se sintió culpable por haberle puesto, quizás, en un compromiso que ella había rehuido por mucho que lo hubiera deseado.

Decidió que lo llamaría e intentaría que lo de aquella noche no le condicionara ni comprometiera. Sabía que mantener una relación con Julián sería poco menos que imposible y no quería que se sintiera mal por ello.

Dudó entre acostarse un rato más en la cama —solo eran las siete de la mañana— o, por el contrario, ponerse en marcha para hacer los preparativos del viaje a Nueva York del día siguiente. Al final optó por darse una ducha y hacer un café para despejarse.

Encendió la televisión. En la pantalla apareció un vidente ataviado con una cinta dorada en la frente que estaba haciendo tiempo con un discurso ininteligible esperando que le entrara alguna llamada telefónica.

La imagen de la televisión le trajo a la memoria la de aquel morfopsicólogo argentino que había intentado ligar con ella en el curso de criminología. Trató de recordar su nombre y desplegó la agenda del iPhone. En la «H» encontró su nombre y teléfono: Hernan Saray. Le envió un mensaje; quizá ya no se acordaría de ella. No estaba convencida de lo que hacía, pero a los pocos minutos le contestó que la invitaba a desayunar en su despacho y le enviaba la dirección.

Se puso nerviosa. Pensaba que lo que había hecho era una tontería, pero ya estaba hecho. Abrió el ordenador y buscó las fotos en Google de Mónica Lago, las amplió y las imprimió. Las metió en una carpeta junto al retrato robot del presunto asesino de Krugman.

El despacho de Hernán Saray estaba en su propio domicilio. Cuando Leire llegó él le abrió la puerta y la invitó a entrar en un loft diáfano de una sola planta en el que la cama estaba separada por un biombo a media altura. En un rincón del salón había una amplia mesa rectangular que hacía las veces de mesa de trabajo y reuniones.

Hernán Saray tenía el deje porteño de Buenos Aires pero no empleaba el vocabulario de su país, cuidando de utilizar el «tú» en lugar del «vos». Llevaba varios años en España. Había cursado estudios de psiquiatría y psicología, aunque no había acabado ninguna carrera. Con poco más de cuarenta años, una perilla cuidada, los ojos negros azabache y el cabello oscuro, era muy delgado y alto. La barba le confería seriedad y una edad que no aparentaba.

Se ganaba la vida, al parecer bastante bien, trabajando para las empresas en la selección del personal. Hacía tests psicológicos, pero sobre todo analizaba las facciones de los candidatos a un empleo y determinaba tanto su grado de capacidad para un trabajo como la honestidad y fidelidad del aspirante.

—Vaya sorpresa, Leire. Mi alumna preferida, y la más guapa, me envía un mensajito. Es la mejor manera de empezar el día que podría haber soñado. He comprado unos donuts, ¿te siguen gustando? —dijo Hernán invitándola a sentarse.

—Hola, Hernán. Tienes una casa muy bonita —dijo Leire echando una rápida mirada al interior.

—Y bueno, ¿a qué se debe el que te hayas acordado después de tanto tiempo de uno de tus principales fans?

—Soy periodista. Trabajo en el diario *El Universal*, llevo la sección de sucesos y estoy con un tema. No sé, a lo mejor es una locura, pero he pensado que quizá me podrías ayudar.

Hernán le sirvió café y Leire le dio un bocado al donut.

—He leído lo de la muerte de ese periodista de tu diario, Belarmino. ¿Se trata de eso?

—No exactamente. O quizá sí. Ya te digo que no quiero que te rías de mí, ¿eh? ¿Sigues llevando temas de análisis de las caras para determinar la personalidad de la gente? Eso me impresionó cuando lo contaste en el curso de criminología…

—Sí, es una buena forma de resumir lo que hago. Últimamente estoy trabajando más para los políticos —rio—. Están haciendo sus fotos de campaña y yo les digo a los fotógrafos cómo tienen que hacer los retoques para que transmitan confianza a los ciudadanos, ya ves. La selección de personal ha caído en picado; casi nadie contrata a nadie… es la puñetera crisis.

—Ya, todo está fatal. ¿Sigues también con la policía?

—Sí, de vez en cuando me llaman, pero eso ya sabes que es *top secret*. La policía científica no lo admitiría jamás. Suelo ver a los delincuentes que han cumplido ya sus penas y hago un informe sobre las posibilidades que tienen de reincidencia. Lo llevan escrito en su cara…

—¿Y aciertas siempre?

—Está mal que yo lo diga —dijo Hernán con una sonrisa—, pero en mis dictámenes solo he tenido un fallo y ese ha sido contigo.

—¿Conmigo? —Leire puso cara de sorpresa, aunque adivinó a qué se refería.

—Sí, te dije que tú y yo éramos la pareja ideal y hemos perdido el tiempo. No has querido escucharme. —Prorrumpió en una carcajada.

—Claro, ya sé. Supongo que mi cara muestra una cosa y mi interior algo distinto —bromeó Leire.

—No hay nada en contra de eso si se es capaz de rectificar con el tiempo. Nunca es tarde. Además, déjame mirarte —escrutó con sus ojos a Leire—; tu cara no ha cambiado, sigues siendo muy guapa.

—Ya, vaya ligón que estás hecho. Oye, Hernán, necesito que mires unas fotos…

—Ya me imaginaba que venías por lo profesional. No te preocupes, es un buen comienzo. Eso significa que me tienes en consideración y que lo demás ya vendrá, ¿no? —Leire hizo caso omiso del comentario y abrió su carpeta mostrándole primero las fotos de Mónica Lago.

—Bueno, ¿qué ves en su cara? ¿Cómo es esta mujer?

—Alto, alto, Leire. Yo hago mis diagnósticos viendo al natural la cara de las personas. Las fotografías engañan: no recogen bien los matices y la expresión de alguien como cuando estás frente a él. Sería muy aventurado decir algo. ¿Quién es?

—Te diré quién es cuando tú me digas qué rasgos de personalidad ves en ella. No importa que no puedas definírmela en su conjunto, pero algo te dirá su cara, ¿no? Mira, tengo un par de fotos más. —Le mostró una de perfil y otra más de frente.

—Bueno, lo intentaré, pero que conste que esto es un atraco y poco serio ¿eh? ¿Recuerdas los tres niveles del rostro de una persona? La parte superior, de la frente hasta la nariz, es la cerebral; la franja de la nariz hasta los pómulos describe las relaciones afectivas y, por último, la boca y el mentón nos hablan de la parte instintiva…

—Sí, recuerdo tus clases. Y de cómo hablabas de las asimetrías en el rostro que permitían conocer el comportamiento de una persona ante diferentes situaciones. Eso es lo que busco, quiero saber qué piensas de esta mujer.

—De entrada he de decirte que esta señora se ha operado la nariz, pero eso no importa para saber que sus receptores, tanto los olfativos como los de la visión, sus ojos, son grandes. Consume mucha energía; es por lo tanto muy activa y tiene una gran necesidad de relacionarse con terceros. Con todas mis reservas, yo diría que tiene una profesión de ejecutiva, sin duda es una mujer con carácter. Su rostro ovalado y liso marca que además es extrovertida y muy comunicativa. ¿Voy bien?

—Lo estás haciendo de maravilla, continúa por favor —dijo Leire, embelesada.

—Bien. Quizás es su parte cerebral la que más destaca. Su frente amplia denota inteligencia y, a su vez, el hecho de que la distancia del cuero cabelludo hasta sus cejas sea importante…, yo diría que es muy lista. Es capaz de prever los acontecimientos y reaccionar con frialdad, controlando sus emociones.

Leire se creía a pies juntillas las explicaciones del morfopsicólogo. Había oído decir a la policía científica que le hicieron una prueba con diez presos por diferentes delitos y que adivinó en nueve de ellos los crímenes que habían cometido.

—Háblame de su parte sentimental, de sus instintos y emociones —dijo Leire.

—Tiene una boca voluptuosa…

—¿Está operada? —le interrumpió.

—No me lo parece. Sus labios son gruesos, sus pómulos pronunciados y erguidos, y si te fijas en ese hoyuelo… Además tiene un mentón algo delgado y picudo, y sus ojos, aunque grandes, están más bien a poca distancia… Si me he de fiar en que estas fotografías no están retocadas su parte instintiva está conectada con la afectiva. Eso significa que es, ¿como lo diría?, bastante liberal… ¿Es eso lo que querías oír?

—¿Podrías concretar más? ¿Qué quieres decir con que es emocionalmente liberal?

—Quiero decir que puede no respetar sus compromisos emocionales; vamos, que es el típico rostro de una persona con inclinaciones hacia la infidelidad con su pareja. Si fuera infiel lo sabría llevar con naturalidad, ¿me explico?

—¡Joder, Hernán, eres un crack! —dijo con admiración.

—Leire, esto no es un juego. Yo no digo que sea infiel, pero su rostro marca esa tendencia en su personalidad. No saques conclusiones de un análisis tan poco riguroso. Esto es en lo que no quiero que se convierta mi profesión. Si supieras a cuántos *realities* de televisión he renunciado para no convertirme en un efímero millonario charlatán que analiza la personalidad de los famosos por su cara… Otros lo hacen y se están cargando la personología…

—No, no te enfades, te entiendo… Disculpa que te haya asaltado así, pero tenía mis dudas y lo que me has dicho me ayuda, ¿sabes?

Saray se había puesto serio. Llevaba tiempo defendiendo el empirismo de una pseudociencia que se basaba en las raíces de la psicología y que pocos tenían en consideración. Muchos de los empresarios que recurrían a él lo hacían a escondidas y en secreto. Había escrito varios libros y seguía dando cursos en algunas academias privadas de criminología, lo que le reportaba los suficientes ingresos para vivir con cierta holgura.

—¿Tenías otra fotografía? Tengo una visita en unos minutos y tendré que dejarte. ¿Podemos quedar mañana a cenar?

—No puedo, Hernán me voy de viaje. Estaré fuera una semana. Ya acabo. No se trata de una fotografía, quizá no vas a querer… —Leire se sentía avergonzada de enseñarle el retrato robot; si ya había puesto inconvenientes con las fotos esto le parecería un despropósito, pero se animó a hacerlo.

—¡Uf! ¡Un retrato robot! Eso ya condiciona. —Le echó una mirada detenida y con una regla de madera dividió las tres áreas del rostro—. Este hombre es capaz de matar, pero no es un asesino —dijo al momento.

—Eso es contradictorio…

—No lo creo. Este hombre podría matar, como un policía o como cualquiera en defensa propia, pero no le veo como un asesino.

Llamaron a la puerta y Hernán se levantó a abrir. Una pareja de mediana edad entró hasta el salón mientras Leire recogía las fotos y el bolso. Hernán Saray acomodó a sus clientes y acompañó a Leire hasta la salida. Le dio dos besos.

—Queda pendiente la cena, ¿eh? Te voy a cobrar esto —dijo bromeando.

—Sí, claro que sí, en cuanto regrese te llamo. Muchas gracias, Hernán, me has ayudado mucho.

—Solo una cosa más, Leire.

—¿Qué?

—Leí tu reportaje y vi el retrato robot que publicaste. También apareció en tu diario una foto de esa mujer: es la que vendió su empresa por una millonada, ¿no?

—Sí. ¿Y qué quieres decir?

—Que, a pesar de que ya había visto esas imágenes antes, no me han condicionado; lo que te he dicho es mi opinión profesional. Me puedo equivocar, pero es lo que pienso.

Leire soltó a bocajarro desde el quicio de la puerta:

—Hernán, ¿te parece que esa mujer es tan sibilina como para organizar un crimen?

El morfopsicólogo se quedó desconcertado. Se acarició la perilla con los dedos y contestó:

—Podría. Sí, seguramente en un momento determinado sería capaz, pero para saberlo tendría que verla en persona. Eso ya es más grave, Leire. Necesito ver su cara y cómo reaccionan sus facciones ante determinadas situaciones...

Capítulo 23

No le iba a contar a nadie la visita al morfopsicólogo, y menos a Julián, que no solo la tomaría por loca, sino que al enterarse de que la policía científica utilizaba los servicios de ese hombre acabaría alimentando la animadversión que tenía hacia los discutibles métodos de sus compañeros.

De hecho, Leire se sentía algo avergonzada por estar intentando construir una teoría que demostrara que Mónica Lago era inocente y no estaba implicada en el asesinato de Krugman. Admitía que hubiese podido ser infiel a su marido y hasta su capacidad de medrar en un contexto empresarial dominado por hombres, pero en el fondo reconocía cierta admiración por esa mujer. Decidió que era hora de concertar una entrevista con ella. Julián le había comentado que era inteligente y correosa y, tal como se lo dijo, le pareció que se había sentido algo incómodo y subyugado por su personalidad y atractivo físico.

Llamó a Marín&Partners desde el periódico, pero le dijeron que Mónica Lago estaba de viaje y que regresaría en dos días. No tendría la oportunidad de verla hasta su vuelta de Nueva York, así que se sentó a su mesa y se dedicó a actualizar las noticias de agencias de tribunales y sucesos. Aparentemente era un día tranquilo; nada que destacar. Había una rueda de prensa del consejero de Interior al mediodía en la que por enésima vez tendría que justificar la desproporcionada actuación policial en las nuevas manifestaciones de los «indignados» del 15-M. La Guardia Urbana había detenido a media docena de carteristas en el metro de Barcelona y el juicio por estafa en una organización de captación de dinero piramidal se había aplazado por indisposición del juez.

Tecleó «Patrizia Newman» en el buscador de Google. Había más de ocho millones de páginas con ese nombre, pero en todas ellas aparecía con «c», ninguna con «z». Restringió más la búsqueda añadiendo «Manhattan, Nueva York». Se abrió una página web de American On Line con las *White Pages*, el equivalente anglosajón de las *Páginas Amarillas*, en donde se recogían un centenar de Newmans junto a rangos de edades, pero también con la «c» de Patricia. Pensó que era posible que le hubiese dado un nombre falso y volvió a sentir un escalofrío. «Te estás metiendo en la boca del lobo», pensó. Sin embargo, tenía claro que al día siguiente viajaría a Nueva York. Todo lo que podría pasar es que su contacto no apareciera. Debía esperar noticias suyas en el hotel y no volver a comunicarse a través del e-mail. Estuvo dudando en marcar de nuevo su número de teléfono; finalmente se decidió y un contestador automático en inglés le anunció que había sido cancelado por el usuario.

Sus compañeros iban llegando a cuentagotas a la sala de redacción: Gavela tenía convocada la primera reunión del día a las 11:30 y faltaba poco más de media hora. Conforme pasaban cerca de su mesa y la saludaban no podía evitar la hilaridad que le producía solo pensar qué diría Hernán Saray de la cara cadavérica de Scream o de la nariz aguileña de Manuel Trapero. No había reparado en que algunos de los redactores tenían facciones realmente peculiares. Pensó en que Krugman era distante, pero en el fondo tenía un punto de bonhomía que a ella le hacía sentirse cómoda a pesar de la escasa relación que tuvo con él. Daniel Soler, el redactor jefe de cierre, se acercó a su mesa.

—Buenos días. Me ha dicho Gavela que te vas una semanita a Nueva York; no está nada mal. ¿Te lo paga la empresa?

Leire se puso en guardia.

—No, qué va. Voy por placer. Tenía unos días pendientes de vacaciones y me surgió un viaje baratito…

—Ya. Nueva York es mi sueño. Cuando todo esto se vaya a la mierda yo también haré ese viajecito. Algún día… ¿Te puedo pedir un favor?

—Claro, lo que quieras. —Leire esbozó una sonrisa forzada.

—¿Si te doy la pasta para una cámara digital me la comprarías? Allí vale 200 dólares y aquí no baja de 300 euros; es un dinero el que me ahorro… —Soler se puso rojo como un tomate y le dio un folio impreso de la web de B&H de la Novena Avenida donde aparecía una Canon señalada con un círculo. Luego le soltó 160 euros y le dijo que ese era el cambio que había calculado.

Leire cogió el dinero y el papelito con la dirección.

—No sabía que eras aficionado a la fotografía.

—Sí, me gusta. Y bueno, ahora, ya sabes… voy a tener mucho tiempo por delante —dijo apenado.

—No sé a qué te refieres…

Soler tragó saliva y Leire notó en él, por primera vez, cierta vacilación y desasosiego.

—Lo dejo después del verano. He llegado a un acuerdo con la empresa. Ya voy a cumplir 58 años y me hacen un buen trato. Además, no creo que esto dure mucho más tiempo.

—No lo sabía, no sabía que te ibas. ¿Quién va a asumir tus funciones? Tú eres una pieza clave en el diario…

—Pobre Leire, eres muy inocente. Te ruego que no comentes nada. No lo sabe nadie excepto Gavela, claro. No quisiera que a última hora se me torciera lo de la pasta… Y no hay sustitución que valga. Aquí a rey muerto, entierro del cargo. Vamos, que amortizan mi puesto.

—Sí que lo siento, joder. Pero ¿qué está pasando en este diario? Es que se lo van a cargar…

—No te preocupes por mí, haré alguna cosilla. Tengo un amigo en una agencia de comunicación… No se me dará mal redactar notas de prensa después de haber estado haciendo una cruzada con todos estos —miró hacia el infinito de la redacción— en favor del libro de estilo del periódico.

—¿Crees que van a cerrar el periódico? —preguntó Leire.

—Yo no he dicho eso. No sé lo que quieren hacer, pero lo cierto es que todo lo que invierte el Grupo Universal lo hace en sus sistemas informáticos, en las redes sociales y en todo eso que llaman interactividad; al periódico lo están debilitando a marchas forzadas. Es como si le sacaran la sangre y se la transfundieran a esa especie de nube virtual que están alimentando desaforadamente.

—¿A qué te refieres, Daniel?

—Pues a que desde hace tiempo todo se orienta a captar registros de los lectores del diario y de los espectadores de la televisión. Se interactúa con ellos, se los sigue en las redes sociales, se los motiva con promociones, se averiguan sus gustos y tendencias y se les abre una ficha completa...

—Pero ¿para qué?

—Imagínatelo. No creo que sea solo para felicitarles en el día de su cumpleaños. Eso se acaba vendiendo a las marcas, pero cuando tienes más de quince millones de usuarios y cinco millones de registros, como es el caso, estás en disposición de influir más allá de las consideraciones económicas. Da vértigo, ¿no?

—Ya. Puedes llegar a intoxicarles. Yo paso de eso. Hace tiempo que me borré de Facebook. Y lo de Privalia y Groupon está bien, aunque son pesaditos...

—¡Qué ingenua eres! Eso es lo de menos, lo más rentable es lo que no ves. Te siguen cada vez que entras en Twitter o abres tu móvil para buscar una dirección... En fin, muchas gracias por lo de la cámara. Tengo que subir a la pecera, empieza la reunión... Ah y tú tendrías que ir a la rueda de prensa del consejero de Interior...

Daniel Soler ascendió las escaleras con pasos cansinos y Leire lo observó con lástima. Aquel jefe de redacción que exhibía cada noche su látigo en las secciones a la hora del cierre de la edición, que llevaba la carga del diario y que lo tenía en su cabeza como un puzzle al que no le podía faltar una sola pieza, estaba desencantado y derrotado.

Cuando se disponía a salir hacia la rueda de prensa recibió un mensaje de Julián en el móvil: «Estuvo genial ayer, estaré liado todo el día. ¿Quedamos en el Milano esta noche a las 9?».

Leire le contestó «OK, besos» y salió del periódico.

Capítulo 24

La comisaría de Les Corts estaba en tensión desde primera hora de la mañana. Al consejero de Interior se le había ocurrido, pocas horas antes de la rueda de prensa, que debía contrarrestar las críticas por las desproporcionadas cargas policiales contra el movimiento de los «indignados» con los éxitos logrados en la lucha contra la delincuencia criminal.

El comisario Rojas estaba encerrado en el despacho con los analistas de la brigada de investigación y el jefe de gabinete de la consejería sacando las últimas estadísticas que le permitieran al político dar dos o tres titulares que calmaran a los periodistas.

El nerviosismo traspasaba la puerta del despacho del comisario y se instalaba en las mesas de los policías de la brigada, que intentaban aguzar el oído para enterarse de lo que sucedía. Tanto era así que estaban como alelados y hacían caso omiso de los teléfonos, que no paraban de sonar.

Barreta fue al despacho de Julián Ortega con un sobre marrón entre las manos.

—Bueno, ya las tenemos. No ha sido fácil, pero ya hemos dado con las fotos originales del detective Fernández.

—No esperaba menos de ti —le dijo Julián con una sonrisa.

—Vaya marrón que se está comiendo Rojas. Este consejero los tiene cuadrados: da la orden de disolver a toda costa y ahora se caga en los pantalones…

—Sí, pero tranquilo: el comisario tiene tablas suficientes para no perder los nervios… ¿Cómo pudiste acceder al servidor del detective?

Francisco Barreta alzó las manos con la intención de decirle a Julián que no preguntara.

—Uno tiene amigos… Mejor dejémoslo así; con uno que lo sepa es suficiente.

—¿Es quien creo que es el amante de Mónica Lago? —preguntó Julián empujando el respaldo del sillón hacia atrás.

—Compruébalo tú mismo. Estaba todo grabado en el servidor: las fotos originales y las manipuladas. Entre ambas no habían transcurrido ni 24 horas.

Julián abrió la carpeta y fue mirando unas cuantas fotos del más de un centenar que Barreta había impreso. Sonrió satisfecho por lo que veía, luego cerró la carpeta y dijo:

—Bien, el que haya acertado no significa que tengamos el asunto encarrilado. Esto, al contrario, nos va a traer problemas. Eres consciente, ¿verdad?

—Sí, me lo imagino. Ve con cuidado; tú sabes como manejar estas cosas, pero ya ves como está el patio de alterado…

—¿Cómo te va con los de sistemas del periódico?

Julián le había pedido a Barreta que intentara averiguar en qué estaba trabajando el departamento de programación y sistemas de *El Universal*. Tanto Mónica Lago como el editor, Ventura, le habían comentado que eran punteros en los desarrollos informáticos y, con la excusa de rastrear el ordenador de Krugman en el servidor del diario, Barreta había conseguido simpatizar con el jefe del área.

—Lo de Krugman está confirmado: su ordenador había trabajado menos que el ratoncito Pérez en un asilo de ancianos. Solo estaban grabadas sus crónicas y punto… Llevaba más de una semana sin escribir. Ahí no hay nada que merezca la pena, salvo…

—¿Salvo qué? —preguntó Julián.

—Bueno, estoy en ello. Mi contacto no acaba de soltar prenda, pero están trabajando en un desarrollo de seguimiento de las redes sociales que ya lo quisiéramos aquí… No quiero liarte, pero me da la sensación de que están construyendo una macrobase de datos cruzando informaciones transversales a través de sus diferentes medios de comunicación. Tienen millones de usuarios y no desperdician ni la monda de la patata.

—Joder, Barreta, ¿de qué estás hablando?

—Ya te he dicho que no me tomes al pie de la letra, dame un poco de tiempo. Lo llevan en secreto y se les caería el pelo si me lo contaran, pero en breve sabremos algo más…

—Ya ha vencido nuestro tiempo. Mañana Rojas me preguntará por el caso Fernández y, de momento, no puedo enseñarle estas fotos ni vincularlo al caso Krugman… Intenta moverte rápido, ¿vale?

—Sí, soy consciente. No te preocupes. Me enteraré exactamente de qué están tramando.

Capítulo 25

*E*l consejero de Interior había puesto un límite máximo de una hora a la rueda de prensa, pero ya se había sobrepasado con creces y algunos periodistas, espoleados por los gritos de dimisión de cerca de un millar de «indignados» que se concentraban en las inmediaciones de la consejería, no estaban dispuestos a que el político se fuera sin responder a las preguntas, que cada vez eran más duras y punzantes.

Parecía también que la crítica a la prensa que venían haciendo los manifestantes del movimiento del 15-M desde que este se iniciara cuatro meses atrás por su connivencia con el poder estaba siendo un revulsivo para que los informadores actuaran sin complejos ni sumisión.

El jefe del gabinete del consejero de Interior repetía hasta desgañitarse que tenían toda la información en el dossier de prensa que habían repartido previamente y que no iban a hacer ningún comentario más, a lo que los redactores presentes en la sala respondieron todos a una lanzando al aire los papeles entre abucheos y silbidos.

El político abandonó la sala por la puerta de la salida de emergencia, situada a sus espaldas, evitando así tener que pasar entre los exaltados periodistas. Leire estaba en primera fila junto a Tatiana, la compañera de Universal Televisión, que se aprestó a recoger el micrófono de la mesa y a prepararse para conectar en directo con los informativos del mediodía.

En otras comparecencias el responsable de Interior hubiera departido con los periodistas de forma amigable, buscando la aproximación con comentarios graciosos que todos le reían.

Leire solía quedarse a solas con él un par de minutos y le sacaba algún titular y hasta alguna entrevista especial, pero esta vez lo vio desaparecer nervioso y al mismo tiempo enfurecido por no haber podido controlar la rueda de prensa. Pensó que alguien del departamento acabaría pagando las consecuencias.

Escribió la crónica en la misma sala de prensa y se la envió a Soler. Luego llamó para comprobar que había llegado correctamente y se fue a comprar una maleta para el viaje; quería prepararla con tiempo. El vuelo de American Airlines a Nueva York salía al día siguiente a las diez de la mañana, y debía estar en el aeropuerto con dos horas de antelación. Estaba inquieta y al mismo tiempo ilusionada por emprender el viaje.

Trataba de imaginarse cómo sería Patrizia Newman y no alcanzaba a entender el secretismo que le había impuesto al encuentro en Nueva York. Con seguridad, Krugman se habría enamorado de una mujer inteligente y refinada. La imaginaba en algún despacho de un piso elevado del distrito financiero de Manhattan. Krugman iría a recogerla al mediodía para almorzar en menos de una hora en alguna cafetería próxima a Wall Street y comentarían los últimos acontecimientos políticos y financieros, lo que él utilizaría para matizar sus crónicas de corresponsal. Recordó que Patrizia, si ese era su verdadero nombre, le había escrito en perfecto español, aunque eso no significaba nada porque podía haber utilizado un traductor de la web, como solía emplear ella cuando quería asegurarse de que sus textos en inglés no contenían faltas de ortografía. Leire se defendía bien con el idioma, solía ver las películas en versión original que programaban en los multicines Icaria en la barriada de la Villa Olímpica y también se atrevía, de vez en cuando, con alguna novela que le recomendaba Paola, quien opinaba que algunos libros perdían más sensibilidad y matices al ser traducidos que la voz de los actores en las películas.

Llamó a Paola por si quería acompañarla de compras y quedaron en un almacén barato cerca de casa donde se compró una maleta. Luego tomaron unos pinchos en una de las tascas vascas del Born.

Parecían dos niñas ilusionadas con el viaje que iban a emprender, como si se tratara de una colosal aventura. Paola se había ocupado de descargarse las páginas de tiendas y ocio de

The New Yorker, que informaban sobre lo más chic del momento.

Leire se reía con ella. Le dijo que había reservado una noche en el restaurante Buddakan, en Chelsea cerca del Meatpacking, donde habían ido Carrie y sus amigas en la película *Sexo en Nueva York*. Después tendrían que conseguir tomar una copa en el bar de la terraza del hotel Gansevoort, con unas vistas impresionantes y los chicos más guapos de Manhattan.

Estaba encantada con que la acompañara y sobre todo por verla tan animada y feliz. Paola aparentaba ser una mujer frívola y algo superficial, pero Leire, que la conocía bien, sabía que era solo un escudo protector con el que se defendía de una vida que no le había resultado especialmente fácil.

Se habían conocido en el instituto cursando el bachillerato y desde entonces no se habían separado. Aunque Paola había cursado filología hispánica en la facultad y Leire periodismo, solían verse cada fin de semana y se llamaban casi todos lo días hasta que decidieron compartir el piso del Born.

Paola no había llevado bien la separación de sus padres y el estado ausente y de crispación en el que se había sumido su madre. Su vida estaba marcada por las rupturas: la que se había producido al distanciarse de su familia, la del novio de toda la vida al que conoció con diecisiete años en el instituto y que un día descubrió que se acostaba con la profesora de filosofía o la de la rescisión del contrato de su primer trabajo en una editorial, donde sufrió el acoso sexual de su jefe y no lo pudo demostrar.

Ahora Paola había recuperado su autoestima, llevaba unos años trabajando por libre para varias editoriales y daba clases de escritura en un curso que se impartía en el Ateneo barcelonés un par de días a la semana. No tenía novio ni le apetecía establecer una relación estable por el momento; decía que los hombres que había conocido valían la pena solo en los momentos adecuados y no se veía conviviendo con uno que «le sobara el sofá acaparando el mando a distancia de forma permanente».

Las dos se fueron a casa e hicieron las maletas. Paola encendió el aparato de música y puso un CD a un volumen considerable. Era una recopilación de las canciones que más sonaban en Luz de Gas e invitaban a bailar. Se pusieron a contonearse como si estuvieran en la discoteca. Paola decía que algo tan aburrido como hacer una maleta se tenía que compensar con un poco de marcha. Después abrieron una botella de verdejo, se sirvieron dos copas y se repantigaron exhaustas en el sofá.

Leire había quedado con Julián en el Milano. Se dio una ducha y se vistió con una minifalda blanca y una blusa azul que se desabotonó hasta dejar ver buena parte del sujetador. Paola se había quedado adormilada y se fue sin decirle nada.

Capítulo 26

—Hola princesa. Estás estupenda —dijo Julián cuando Leire llegó al Milano.

—¿Estupenda? Querrás decir que me ves guapa, ¿no?

—No voy a discutir contigo. Estás muy guapa.

Sentados en sendos taburetes de la barra de la coctelería —las mesas estaban ocupadas— se sentían desprotegidos y faltos de intimidad, como si estuvieran expuestos a los curiosos ojos de los clientes. Se habían dado un beso en la mejilla y Leire sintió que incluso se ruborizaba, aunque fue la que rompió el hielo.

—Oye, quería decirte que lo de ayer no te compromete a nada. Lo pasamos bien y me gustó, pero no te pido ni aspiro a nada.

—Ya. Has cambiado, Leire. Yo tampoco te pido nada, solo un poco de tiempo. Sabes lo que siento por ti y no quisiera hacerte daño... de nuevo, quiero decir.

—Julián, ya no me harás daño, ¿vale? Parecemos dos chiquillos. ¿Sabes lo que pienso ahora? *Carpe diem*. Eso significa que no quiero desaprovechar el momento. Si eso te lo planteas a los treinta, se vive mucho mejor.

—Mañana te vas a Nueva York. Prométeme que no harás tonterías...

—Prometido, me comportaré como un poli sensato y aburrido. No has de preocuparte por mí.

—Puedes reírte si quieres, pero ve con cuidado y llámame si tienes algún problema. Tengo un compañero que está estudiando inglés allí; si precisaras ayuda contacta con él. —Le tendió un papel con un nombre y un teléfono.

—Perfecto, estaré a salvo con un inspector de la policía catalana en Manhattan. Tranquilo, no me va a pasar nada.

—Leire, te lo puedes tomar a broma, pero te has citado con alguien a quien no conoces y que posiblemente tenga que ver con el asesinato de Krugman. Eso no es un juego. Lo único que te pido es que seas prudente.

—Sí, lo entiendo. No te creas que yo no estoy preocupada. ¿Has averiguado algo más?

Julián estuvo tentado de comentarle lo que había descubierto Barreta sobre las fotos de Mónica Lago, pero se calló.

—Estamos algo estancados, por ahora. ¿Qué tal te va en el periódico? —terció para derivar la conversación hacia otra dirección.

—Yo estoy bien con Gavela, pero hoy me ha dicho Soler, el redactor jefe de cierre, que se va… Bueno, yo creo que lo echan… ya sabes, las cosas no van bien.

—¿Puedes tener problemas?

—No lo sé, soy la única que lleva sucesos en el diario, pero Soler es una pieza clave y mira lo que le ha pasado. Me dijo que en la empresa están solo por el tema digital…

—Sí, eso parece. Hemos estado investigando, están invirtiendo muchos recursos en lo que llaman interactividad y parece que a Ventura el diario le importa bien poco.

—La verdad es que no lo entiendo. Me dijiste que Ventura quería vender, pero si no invierte en el periódico no le va a sacar valor. ¿No es así como funcionan los negocios? ¿Quién se va a quedar un diario que está perdiendo cada vez más lectores?

—Quizá no quieran comprar el diario en especial, a lo mejor buscan otra cosa… que tiene más valor.

—¿A qué te refieres? —preguntó Leire intrigada.

—No lo sé exactamente, pero creo que tiene que ver con los desarrollos que viene realizando en sus sistemas de información y en las redes sociales. Ventura me habló de ello, Mónica Lago también…

—Pero todo el mundo sabe que, aunque el grupo tenga muchos usuarios en la Red, no los está rentabilizando. Hoy por hoy el diario gana más dinero, y no te digo la radio y la televisión —reflexionó Leire.

—Ya, la gente paga mucho hoy en día por las empresas de

Internet. No sé, Barreta dice que son sin duda el futuro, pero que solo dos de cada diez apuestas acaban siendo provechosas.

—Ellos sabrán. ¿Quieres otro gin-tonic?

—Vale, pero solo si tú te tomas otro margarita. No quiero que me pilles en desventaja.

La coctelería tenía un público diferente a esa hora tan temprana. Sonaba un cuarteto de jazz que tocaba en directo y en las mesas había gente algo mayor. Se veía a ejecutivos encorbatados antes de ir de retirada y a mujeres de mediana edad que charlaban animadamente.

Conforme transcurría el tiempo el público se iba renovando por otro más joven y los cócteles daban paso a las cervezas. En el trasiego de idas y venidas de los clientes encontraron una mesita vacía junto a las cortinas granates del bar, justo en el rincón donde estaba el cuarteto de músicos, que enseguida fue reemplazado por el saxofón de Charlie Parker que emanaba de los altavoces.

Julián acarició la cara de Leire, contemplándola con detenimiento como si la descubriera por primera vez, y tomando con suavidad su barbilla aproximó sus labios a los de ella y se besaron apasionadamente.

La acompañó a medianoche hasta su casa dando un paseo. Bajaron por las Ramblas cruzando por la fuente de Canaletas hasta el Liceo y de ahí tomaron a la izquierda la calle de Ferran hasta la plaza Sant Jaume y el barrio del Born. La gente se aglomeraba en las aceras de las calles fumando y tomando cerveza. El griterío era espectacular y contrastaba con los carteles que los vecinos habían colgado de los balcones, pidiendo silencio y respeto para su descanso.

Iban cogidos de la mano, la noche era cálida y la suave brisa hacía agradable el paseo. Se despidieron en la puerta de casa como dos enamorados que dejarían de verse por unos días. Cuando Julián trató de advertirle de nuevo de que fuera con mucho cuidado ella le tapó la boca.

—Sí, ya lo sé. Seré buena, no has de preocuparte por mí. Te llamaré.

Leire entró en casa y lo miró con tristeza antes de entornar el portón de la escalera.

Capítulo 27

*E*l Gershwin es un hotel vanguardista situado en la calle Veintisiete, muy cerca de la Quinta Avenida y de la céntrica Madison Square, en el neoyorquino barrio de Flatiron. Leire había reservado un pack de cinco noches que estaba de oferta y le salía por algo menos de novecientos dólares.

La página web decía que era un cuatro estrellas, pero difícilmente alcanzaría las tres en Barcelona. El hotel se había construido en 1928 y renovado, insuficientemente, varias veces. La habitación que les tocó, pequeña y con los armarios y mesillas de noche algo antiguos y desvencijados, no hacía justicia a la fachada pintada en llamativos colores rojizos de la que pendían lámparas como goterones blancos, irregulares y gigantescos que le conferían un aire romántico al establecimiento. En la entrada y en las paredes que conducían a los salones y la cafetería se podían contemplar obras de Andy Warhol y Stefan Lindfors. El Gershwin respiraba arte por los cuatro costados; arte bohemio y vanguardista a la vez.

La elección del hotel por parte de Paola y Leire había estado condicionada por su ubicación, y sobre todo por el precio. Se había confirmado en cuanto había obtenido el beneplácito de su contacto, Patrizia Newman.

El viaje había resultado pesado y, aunque habían intentado dormir durante el vuelo, solo Paola había conseguido hacerlo a intervalos interrumpidos por el llanto constante de un bebé a solo dos asientos de distancia. Leire había visto las dos películas que programaron en el avión y había leído un centenar de páginas de *Nueva York*, la novela de Edward Rutherfurd, en su iPad. No había pegado ojo.

Al llegar al hotel deshicieron las maletas, se dieron una ducha rápida y se dispusieron a dar un paseo por los alrededores. Eran las siete de la tarde y eran conscientes de que debían aguantar hasta la hora de dormir con objeto de acomodarse al nuevo horario.

Ambas tenían apetito, no habían probado nada más que la ensalada que habían servido en el vuelo, pues el pollo tenía un aspecto lamentable, impregnado de una salsa amarillenta elaborada con un sucedáneo del azafrán.

Muy cerca del hotel, delante del edificio de la «plancha» (el Flatiron: *flat iron*), descubrieron el Eataly, que ocupaba media manzana en Broadway con la Veinticuatro, en cuya fachada ondeaba una gran bandera italiana. Era un homenaje a la gastronomía italiana con un espacioso supermercado y varios restaurantes temáticos de pescado, carne, pasta y charcutería del país.

Tomaron un plato de pasta con un vino Lambrusco de Módena sentadas a una de las mesas, rodeadas de cientos de latas de conservas y botellas de diferentes salsas. A esa hora la gente que se hallaba en el local empezaba a cenar y se sintieron reconfortadas por no ser una excepción.

Hicieron planes para el día siguiente. Era martes y, en principio, Patrizia Newman no iba a contactar con Leire hasta el jueves por la mañana, con lo que tenían libre todo el miércoles. Paola desplegó un mapa y la guía.

—Creo que lo mejor es que mañana temprano vayamos al MoMA. Hay varias esculturas de Jaume Plensa y acaban de reponer la exposición de Tim Burton.

—Vaya, empezaremos por el arte. Buena idea —dijo Leire sonriendo.

—Bueno, enfrente del MoMA está la tienda de Manolo Blahnik. No significa que haya que comprarse zapatos, pero vale la pena verla, ¿no? Y luego, ya que estaremos en el meollo de la Quinta Avenida, ya sabes… Abercrombie, Tiffany, Armani…

—Es un buen plan para pasar la mañana. Podemos comer cualquier cosa por la calle si hacemos un buen desayuno. Al lado del hotel hay un *deli*, me he fijado al llegar con el taxi. No tenía mala pinta.

—¿Un *deli*? —Paola arrugó la nariz—. Nena, lo que vamos a hacer es un buen *brunch*. Cuando nos levantemos temprano por el jet lag, tomaremos un café y un donut, y al mediodía nos zampamos un buen *brunch*. ¿De acuerdo?

—Perfecto, veo que estás bien puesta en la vida neoyorquina. Lo que tú digas. Tú mandas, pero hemos de andar con cuidado de que no se nos acabe la pasta…

Pasearon hasta la calle Catorce bajando por Broadway para llegar a Union Square. Iban deteniéndose en cada tienda y haciéndose fotos con el teléfono móvil a cada momento, como si fueran turistas japonesas.

Estaban absortas contemplando los edificios y a la gente variopinta que caminaba desinhibida por las aceras. La ciudad desconocida para ellas se les hacía familiar a cada paso. Era como el gran plató del cine americano que habían visto en tantas películas: los taxis amarillos circulando a gran velocidad haciendo eses entre los carriles, las limusinas de diez metros, las escaleras de incendio emparradas a las fachadas o las bocas de incendio y las tapas humeantes de las alcantarillas sobre el asfalto resquebrajado. Y todo ello bajo el continuo ulular de las sirenas de los mastodónticos coches de bomberos y de los Chevrolets de la policía de Nueva York.

Entendieron el por qué del cliché de «ciudad que nunca duerme», no solo por las estridencias de las bocinas de los automóviles, sino porque una multitud de establecimientos de alimentación, belleza y videoclubs anunciaban su apertura las veinticuatro horas y los siete días de la semana.

Hacía calor, pero una gigantesca y panzuda nube se desplazaba con rapidez cubriendo gran parte de la ciudad y por momentos se levantó un viento del este acompañado de una lluvia intensa, pero efímera. El Empire State quedó cubierto por la niebla y al iluminarse de color verde y blanco su parte más elevada presentó una imagen casi fantasmagórica.

En los escasos diez minutos que duró el chaparrón aparecieron decenas de vendedores de paraguas por cinco dólares, apostados bajo las cornisas y marquesinas de las tiendas y los edificios.

Compraron uno que se les cuarteó en el instante de abrirlo, zarandeado por las ráfagas de viento. Protestaron al joven de origen hispano que se lo había vendido y al momento lo cambió por otro de la misma dudosa calidad.

Entraron en la librería Barnes&Noble de Union Square y subieron por las escaleras mecánicas hasta la cafetería, donde tomaron un café. La gente desfilaba hacia fuera tras la conclusión del acto de presentación de la última novela de Paul Auster, que aún estaba en la mesa atendiendo a las últimas personas que querían que les firmara el libro. A Paola le pareció sensacional estar a menos de cinco metros de uno de sus autores favoritos y estuvo tentada de ir a saludarle, pero Leire se lo impidió.

—No seas paleta, esto es normal aquí, espérate a que nos encontremos con Robert de Niro o Leonardo DiCaprio…

Estaban muy cansadas y decidieron volver al hotel caminando por Park Avenue hasta la Veintisiete, la calle del Gershwin; no les llevaría más de veinte minutos. A Leire le pesaban los párpados y se sentía espesa; Paola, a pesar de todo, aún intentaba convencerla de tomar una copa antes de irse a la cama.

—Solo una copa, ¿vale? —dijo Paola al pasar por el Barbounia, un restaurante en Park Avenue con la Veinte decorado con arcadas arabescas y una tenue iluminación, como mandaban los cánones en todos los bares y restaurantes neoyorquinos. Las mesas estaban ocupadas y había gente haciendo cola esperando a ser sentada, pero Paola localizó dos sitios en la amplia barra rodeada de taburetes rojos y acolchados. Era, sin duda, uno de los lugares de moda de Nueva York, donde daban los mejores *brunch* al mediodía, hora en que el establecimiento podía comenzar a servir alcohol. La gente solía tomar el desayuno fuerte con un cóctel de champán con zumo de naranja llamado mimosa —por quince dólares podías tomar todo el que quisieras, los camareros se ocupaban de rellenar las copas vacías—, mientras degustaban los mejores huevos benedictine y unas deliciosas barritas de pan recién horneadas.

Se sentaron, pidieron dos copas de champán y brindaron por Nueva York. El barman intentó ligar con ellas.

—¿Españolas? Vaya, no sabía que en España hubiera chicas tan guapas. ¿De vacaciones? —les dijo haciendo un esfuerzo con el español que les hizo reír—. El sábado es mi día libre, puedo llamar a un amigo y enseñaros cosas que no están en las guías.

Leire se excusó enseguida y se fue al hotel. Paola prefirió quedarse un rato más en la barra del Barbounia.

Cuando pidió la llave en recepción le entregaron un sobre, que abrió: «Bienvenida a Manhattan. Cambio de planes: mañana a las 12:30 te espero en el Bridge Café, 279 de Water Street. Patrizia Newman».

Había cambiado sus planes: la citaba para el miércoles en lugar del jueves. El cansancio de Leire pasó a ser excitación. Conectó el wi-fi del hotel a su portátil y buscó en el mapa la dirección. Le costó conciliar el sueño y cuando lo estaba consiguiendo llegó Paola, pero se hizo la dormida y no le dijo nada.

Capítulo 28

Julián Ortega llamó a la oficina de Ventura y exigió verle con urgencia, pero le dijeron que iba camino al aeropuerto del Prat para tomar el puente aéreo a Madrid. Le pasaron al móvil, y no lo cogió. Julián no se lo pensó y enfiló su moto a gran velocidad por la Ronda del Mig hasta la Gran Via para acceder a la autovía de Castelldefels, que llevaba hasta la terminal uno del aeropuerto. Los radares pertrechados en los paneles luminosos de la carretera se dispararon a su paso por lo menos en tres ocasiones.

Llegó a la terminal y dejó la motocicleta sobre la acera, exhibiendo ante un agente de tráfico su identificación. Saltó los controles de seguridad y de nuevo mostró su placa de policía. Entró con prisa en la sala VIP de la compañía aérea.

Francisco Ventura estaba con otras dos personas tomando un café sentado en una butaca. Se giró hacia Julián con cara de sorpresa y enseguida de disgusto.

—¡Inspector! Pero ¿qué coño hace aquí?

—Señor Ventura, tenemos que hablar —dijo Julián

—¿Ahora? Mi vuelo sale en diez minutos. ¿No puede esperar?

—No, no puedo esperar —respondió Julián con firmeza. Los acompañantes de Ventura se levantaron apresuradamente, como si los resortes de los sillones hubiesen estallado al unísono.

—Bien, Ortega, ya ha montado el espectáculo. ¿Está satisfecho?

Julián hizo caso omiso del enfado de Ventura y se sentó frente a él. Le entró directamente, sin rodeos:

—Acudió a un detective para que eliminara las pruebas fotográficas donde aparece usted con Mónica Lago. Ese detective, Luis Fernández, ha muerto asesinado y sospecho que este caso tiene que ver con el de Krugman. Necesito una explicación.

El semblante de Ventura cambió. Por instantes se descompuso. Se quitó las gafas de montura liviana y se puso a limpiarlas con un pañuelo; sus ojos eran pequeños y ligeramente achinados sin el aumento de las lentes. Carraspeó e intentó sobreponerse.

—No tengo nada que decirle. Eso forma parte de mi vida privada y, si me está acusando de algo, ruego que lo haga formalmente para que pueda avisar a mis abogados. Inspector, creo que se está jugando algo más que su trabajo...

—Mire, Ventura, deje de amenazarme. Yo no le acuso de nada, por ahora, pero le voy a contar lo que pienso: Krugman, aún no sé cómo, tuvo conocimiento de que usted tenía una aventura con Mónica Lago. Estaba siguiendo la venta de Marín&Partners; de alguna manera le llegó la información de las fotografías y se la dio a usted, que le pidió que averiguase quién había hecho el encargo del seguimiento de la señora de Marín y qué aparecía en las fotos. Así, Krugman llamó al detective Fernández, lo que este interpretó como un chantaje a Carlos Marín, pues además resultó que alguien le robó el maletín con las fotos al salir del despacho del detective. Y pienso, señor Ventura, que tanto acerca del robo de esas fotos como del que se produjo en el despacho de Fernández sabe usted algo. ¿No es así?

Ventura se sentía incómodo. Se desanudó la corbata a pesar de que el aire acondicionado de la sala estaba a baja temperatura y se pasó el pañuelo por la frente.

—No tengo nada que ver con eso, inspector. Yo no me dedico a robar maletines ni a asaltar despachos de detectives privados. Y eso me suena a acusación. ¿Me va a dejar volar o me va a detener por robar fotos? Resulta patético, Ortega.

—No le voy a detener, pero quiero una explicación de su encuentro con Luis Fernández. Si no me la da, le citaré oficialmente en la comisaría en menos de 24 horas.

—Está bien, está bien. Es cierto que estuve viendo al detective privado y es verdad, también, que Krugman tuvo la información de que nos habían seguido a Mónica y a mí y lo llamó

196

para saber quién había hecho el encargo. Intenté comprarle el material fotográfico a Fernández, pero este se negó y me sugirió que distorsionaría mi imagen para que no se me reconociera. Yo estaba preocupado; ya le dije que estoy cerrando la venta de mi grupo y lo que menos me convenía era un escándalo de faldas… Me puse nervioso, pero de ahí a robar las fotos o matar al detective… eso es una locura. Además, todo esto, como le he dicho, es privado. No le consentiré que lo utilice para perjudicarme a mí, a mi familia o a mis negocios… ¿Lo entiende, Ortega?

Por la megafonía de la sala anunciaban la salida del vuelo de Ventura. Julián sabía que no podía retenerle sin buscarse alguna complicación y le hizo una última pregunta mientras ambos se levantaban de los sillones:

—No me importa su vida privada y lo que haga con ella, señor Ventura, pero dígame: ¿qué relación profesional le unía con Mónica Lago y su empresa Marín&Partners para que un periodista como Krugman estuviera sobre la pista de la venta? ¿Qué fue lo que descubrió Krugman?

—Con Mónica hice un par de viajes a Nueva York, donde nos conocimos más íntimamente… ya me entiende. Yo era cliente de su agencia, pero nada más. Me llamó para decirme que el fondo de inversión que entraría en su empresa estaba interesado también en *El Universal* y yo acudí a varias reuniones con ella y los posibles inversores. No pasó nada fuera de lo normal, inspector; nos enrollamos y punto. No hay que buscarle más historia a eso. Y respecto a Krugman, no tengo ni idea de en qué andaba metido. Él estaba al corriente de que yo estaba hablando con los americanos y no sé cómo se enteró de que me había seguido el detective. No puedo ayudarle en eso, lo siento. Y ahora, si me disculpa… voy a perder mi avión.

Ventura cogió un maletín de cuero con una mano y con la otra deslizó el nudo de la corbata hasta el cuello de la camisa. Se encaminó hacia la puerta de la sala a paso rápido, dando la espalda al inspector Ortega. Este se quedó de pie, pensativo, mirando cómo se alejaba el editor. La sala se había quedado vacía. De pronto, Ventura se detuvo y giró medio cuerpo volviéndose hacia Julián.

—Inspector, ¿acaso no ha cometido usted alguna infidelidad en su vida? —preguntó en voz alta.

No esperó la respuesta. La puerta de la sala VIP se cerró automáticamente y Ventura desapareció al tiempo que sonaba por los altavoces el último aviso para el vuelo de Madrid.

Julián tenía el sobre con las fotos de Francisco Ventura y Mónica Lago en el bolsillo; los originales que Barreta había rescatado del disco duro del servidor, alojado en una empresa externa de poca monta. Había tomado la precaución de cotejarlas con Carmen, la secretaria de Fernández, quien había reconocido al instante a Ventura como el hombre que, con identidad falsa, había visitado al detective para adquirirle las fotos trucadas. Pero no tuvo necesidad de enseñárselas al editor, puesto que este acababa de confesar sin rubor que había mantenido una relación sexual con la mujer de Marín.

Le desconcertaba ese hombre tan pragmático y visceral. Tampoco había escondido que estaba negociando la venta del diario y posiblemente la de todo el grupo a la misma compañía que había adquirido la de Marín y su mujer.

Sólo le faltaba atar los cabos que unieran esas operaciones con la muerte de Krugman y de Fernández. La teoría de que Ventura podía haber eliminado a ambos porque le estorbaban en el proceso de venta de su empresa había tomado cuerpo: las fotos eran un obstáculo para la imagen de la operación de compraventa y, posiblemente, Ventura supo que el detective privado le había estafado con la manipulación y se había guardado los originales. Envió a un matón, el mismo que asesinó al periodista, con objeto de que le asustara y recuperara las fotos. Seguramente se le fue la mano, o el detective opuso resistencia, y acabó con la vida de Fernández.

Pero ¿por qué eliminó a Krugman? El periodista estaba al tanto de la venta a los americanos y estaría colaborando en ella con Ventura; parecía lógico que así fuera y el editor le pidiera el favor. Julián sabía por Gavela de las ayudas especiales que Krugman había prestado al empresario en múltiples ocasiones. A no ser que Ventura dijera la verdad y Krugman no fuera un asesor suyo. ¿Qué pasó entre Ventura y Krugman para que aquel acabara ordenando su asesinato? ¿De qué información disponía el periodista que podría perjudicar a Ventura? ¿Tenía que ver algo la misteriosa pregunta que se hacía en su último artículo?

Leire ya estaría en Nueva York y si la entrevista con la ex novia de Krugman no era una trampa le podría facilitar alguna respuesta a sus preguntas.

Pero Julián no las tenía todas consigo. Sentía la inquietud de que la investigación no transcurría por los cauces que a él le hubiera gustado desde el primer momento: desde el post-it de Krugman del que Leire se había apropiado y que él no había podido hacer aparecer como prueba para no perjudicarla, hasta ahora, que de nuevo Leire tendría una información de primera mano en Nueva York que tampoco podría controlar.

Era como si tuviera una agente no autorizada haciendo pesquisas en connivencia con él y además mantenían una relación íntima. Resultaba difícil escapar de esa situación. Leire no podía aparecer en la investigación porque, de enterarse en la comisaría, él sería apartado con seguridad del caso.

Volvió a la comisaría. Barreta le dijo que acababa de llamarle Mónica Lago desde Londres. Había dejado un número de teléfono para que contactara con ella con urgencia.

—Ah, también te busca Rojas, y no está de buen humor —añadió.

Llamó a Mónica Lago. Se oía un murmullo de voces al otro lado de la línea.

—Un segundo, inspector, que salgo de la reunión.

Julián oyó el taconeo de unos zapatos y cómo se cerraba una puerta. Se hizo el silencio y pensó que se habría encerrado en un despacho. Mónica lanzó un suspiro antes de hablarle.

—Inspector, Frank me ha dicho lo de las fotos…

—¿Quién es Frank?

—Bueno, me refiero a Francisco Ventura. Me ha contado que usted tiene unas fotos… ya sabe, de los dos. —La notó nerviosa y alterada.

—No sé de qué fotos me habla. ¿Qué son las fotos de los dos?

Quería hacerle pasar un mal rato y, sobre todo, oír de su propia voz que tenía una relación con Ventura. Estaba grabando la conversación.

—No me lo haga difícil, Ortega. —Julián reparó en que Mónica lo trataba de usted, a diferencia del encuentro que habían tenido en sus oficinas de Barcelona—. Me ha llamado y me ha contado que nos había seguido un detective y que nos había pillado en un hotel… Bueno, yo solo quiero decirle que eso se acabó. Solo fueron un par de encuentros, y se acabó.

—Es su vida privada, no tiene que darme explicaciones salvo que eso tenga que ver con el caso Krugman. ¿Tiene algo que decirme al respecto, señora Lago?

—No, le juro que no sé nada de eso. Ya me ha hablado Frank de sus sospechas, quiero decir Ventura, pero creo que se equivoca, inspector. Ni él ni yo tenemos nada que ver con lo que le pasó a Krugman ni al detective privado ese al que no conozco.

—Espero que sea así, pero entonces, ¿por qué me llama?

—Le tengo que pedir un favor… —Bajó el tono de voz, que se hizo suplicante.

—¿Un favor? ¿Cuál?

—No le diga nada a mi marido, por favor. No lo haga, se lo suplico. Deme tiempo hasta que vuelva de Londres y hablemos, pero sobre todo que no se entere de nada. Yo le quiero y esto dará al traste con todo… —A Julián le pareció que sollozaba.

—No le puedo prometer nada. No se lo diré, pero si perjudica la investigación del caso…

—Gracias, inspector, muchas gracias… Y ahora tengo que dejarle, me están esperando…

—Adiós, señora Lago, llámeme sin falta a su vuelta.

—Lo haré. Hablaremos.

No le había dado tiempo a colgar cuando vio la figura del comisario Rojas delante de él. Había entrado en el despacho de Julián sin hacerse notar, y allí estaba en mangas de camisa con los brazos cruzados. Parecía preocupado. Hizo un gesto con la cabeza, como si esperara alguna explicación que Julián no tenía previsto darle.

—¿No te han dicho que quería verte? —dijo por fin el comisario.

—Acabo de llegar. ¿Qué pasa? —preguntó Julián con tranquilidad.

—¿Que qué pasa? No gran cosa. Solo que tengo un problema y ese problema eres tú. ¿Se te ha ido la olla? Resulta que se te ocurre descubrir que ese tal Ventura tiene un rollo con una tía y, porque coincide que quién lo averigua es el detective que se han cargado, vas y le acusas de la muerte de Krugman y hasta de ser el responsable del efecto mariposa en el mundo… ¡No te jode, Julián!

—Yo no le he acusado de nada todavía, comisario.

—Le ha faltado tiempo para llamar a Domènech, y ahora tengo a toda la consejería de Interior encima. Dice que le acosaste en el puente aéreo. Va a presentar una denuncia para que te aparte del caso y los de asuntos internos quieren verme ya. ¡Y tú no le has acusado de nada! ¡Mierda!

Julián se mantenía tranquilo, a pesar de que no había visto nunca al bueno del comisario tan excitado.

—No tengo pruebas y no puedo acusarle, y por descontado no lo he hecho. Tuve una conversación con él, pero si es intocable…

—No hay nadie ni nada intocable, Julián, pero hostia, no me toques los cojones… Ya te dije que fueras con cuidado y que somos un equipo hasta que se me hinchen las bolas; después se acabó…

—He de atar cabos, pero creo que estoy en la buena dirección. Necesito un poco de tiempo. No me preocupa trabajar bajo presión, pero si voy a tener que aguantar la injerencia del todopoderoso Ventura y de su séquito de politicuchos lameculos prefiero que tome una decisión con respecto a mí.

Lo dijo con convicción. Rojas sabía que Julián no iba a tirar la toalla. Como no quería renunciar al caso ponía la patata caliente en manos del comisario.

—Te diré lo que vamos a hacer: tienes una semana para resolver el caso. Te doy tres días de vacaciones, porque has de hacer alguna mudanza en tu casa, ¿no? Y si no, la tendrás que pintar o yo que sé qué cojones, ¿de acuerdo? —Julián asintió—. Necesito apartarte de esta mierda, que no te vean por la comisaría. Y en una semana quiero a quien sea en el calabozo forrado de pruebas en su contra. ¿Queda claro?

Julián agradeció la confianza que depositaba Rojas en él. Era un buen comisario, sabía cómo torear a los políticos, pero también se la estaba jugando en un momento en que las elecciones y los conflictos sociales que estallaban en las calles les estaban desquiciando.

Se imaginaba a los de asuntos internos metiendo la nariz en su oficina, controlándole las llamadas, preguntando a los de la científica por las pruebas que había utilizado y hasta sometiéndole a un test psicológico para determinar su incapacidad para llevar el caso. Todo lo tenían perfectamente pautado cuando se trataba de eliminar a alguien de una investigación si recibían órdenes superiores. Eran sabuesos que cuando les ponían el señuelo no cejaban hasta hincarle el diente a la pieza. Era mucho mejor desaparecer y tomar precauciones. Se comunicaría con Barreta a través de unos secráfonos que este podía conseguir a través de alguno de sus amigos expertos en telefonía y se verían solo en lugares concurridos asegurándose de que no eran seguidos.

En cuanto tuvieron los equipos preparados, la primera llamada que hizo Julián fue a Leire. La pilló desayunando.

—¿Qué tal todo por ahí, princesa?

—Hola, cariño. —Leire sintió una alegría especial; quizá la distancia le hacía comportarse con mayor ternura. Le echaba de menos—. Todo estupendo, esto es muy guay. Te iba a llamar. ¿Tú qué tal estás?

—Bueno, de eso te quería hablar. Te enviaré un SMS con un número de móvil nuevo, y solo debes llamarme a ese número. Es por seguridad, ¿de acuerdo?

—¿Pasa algo, Julián? Me estás preocupando.

—Bueno, nada grave. Podría tener a los de asuntos internos encima y no quisiera que nos vincularan. Pueden causarnos problemas a los dos.

—¿Qué ha pasado? ¿Has descubierto algo nuevo?

Julián decidió contarle lo que sabía. Necesitaba que ella también le mantuviera informado de lo que averiguaba en Nueva York.

—Bueno, hemos comprobado que las fotos del detective fueron manipuladas y tenemos las originales: Mónica Lago tenía una aventura con tu editor, con Ventura.

Se hizo un corto silencio.

—Sabía que Mónica Lago era infiel, lo sabía, pero no me imaginaba que con Ventura… Joder, Julián, ¿y esto te lleva a lo de Krugman? —dijo Leire finalmente.

—Ahora porque te lo he dicho, pero tú pensabas que esas fotos a lo mejor no existían, que eran una invención de Marín y que Mónica era poco menos que una heroína.

—Era solo una impresión, pero luego pude comprobar que tenía todos los números para ser infiel y hasta para ser una gran manipuladora...

—¿Cómo lo comprobaste? ¿Qué te hizo cambiar de opinión?

—Prométeme que no te enfadarás conmigo.

—Lo prometo. ¿Qué has hecho esta vez?

—Fui a ver al morfopsicólogo. Le enseñé las fotos de Mónica y no tuvo ninguna duda: tiene un perfil de infidelidad acusado...

—No me jodas. —Julián pensó que su capacidad de sorpresa respecto a Leire era inagotable—. ¿Has ido a ver a un vidente?

—No, ¿ves?, por eso no te lo quería contar. No es un vidente, y entérate: trabaja para la científica.

—Eso ya me extraña menos. Esos, en cuanto se les acaban los polvos y las probetas, se van a ver a los brujos.

—Bueno, dejémoslo. Yo que tú iría a verle y le enseñaría la foto de Ventura. Te dará pistas. Te enviaré su número de móvil.

—Vamos, Leire, que no estoy de humor. Mira, no sé si Ventura está detrás de los homicidios, pero ten por seguro que si llevo como prueba la declaración de tu amigo morfopsicólogo seguro que me encierran en el psiquiátrico sin test que valga... De verdad que no te entiendo.

—¿Ves por qué no te lo quería decir? Ya sabía que te enfadarías. —Hizo una breve pausa—. Me veo en unas horas con Patrizia Newman. Nos hemos citado en un café. Ayer cuando llegué tenía una nota suya.

—Vale, ve con cuidado. ¿Te acompañará Paola?

—No, es mejor que no venga conmigo; a lo mejor si Patrizia nos ve a las dos no se presenta... Estará por allí cerca y estaremos conectadas por el móvil. No te preocupes. Te llamaré después.

—Perfecto. Escúchame: es importante que puedas grabar lo que te dice y que averigües si sabe que Ventura y Mónica Lago estuvieron en Nueva York en más de una ocasión, pero no te la juegues... Me gustaría estar ahí contigo...

—A mí también, cariño. A mí también me gustaría tenerte a mi lado.

Capítulo 29

*E*l Bridge Cafe estaba situado en los límites de Chinatown con Lower Manhattan, en el sureste de la ciudad. El puente de Brooklyn se erigía junto al pequeño establecimiento, construido en 1794, que tenía fama de ser el local más antiguo de Nueva York donde se servían bebidas alcohólicas.

Leire y Paola tomaron el metro hasta Spring Street para evitar hacer un transbordo. Caminaron desde el Soho hasta Chinatown, apenas quince minutos de agradable paseo hasta que llegaron al restaurante donde Leire había quedado citada con Patrizia Newman. El día era soleado, aunque una ligera brisa del este refrescaba el ambiente.

Habían salido con algo más de media hora de tiempo para explorar los alrededores del café y que Paola pudiera esperar en algún lugar próximo. Conectaron sus móviles a la itinerancia de datos por si era necesario transmitirse mensajes por e-mail e incluso WhatsApp si Leire se sentía en peligro.

Cerca del Bridge Cafe había una oficina de correos y en la manzana de enfrente un edificio de oficinas del ayuntamiento de Nueva York. Dieron una vuelta de reconocimiento pasando por delante del bar. Desde una de las ventanas que daba al puente de Brooklyn se veían en el interior tres o cuatro mesas ocupadas por algunas parejas y en la barra una camarera joven. El local, desde fuera, parecía agradable aunque un poco inhóspito y aislado de otros establecimientos. En la entrada de la calle Water, a unos cincuenta metros vieron una cafetería donde se servían perritos calientes y hamburguesas. Allí acordaron que se quedaría esperando Paola.

Leire entró cinco minutos antes de la hora convenida. La camarera se dirigió a ella con una sonrisa y con voz aflautada y amable la acompañó hasta una mesa. Le dijo que estaba esperando a una señora y le dio el nombre de Patrizia Newman confiando en que esta hubiese hecho una reserva, pero la camarera comprobó en una libreta que no tenía apuntado ese nombre. Aun así le dijo que no había problema: acomodó a Leire junto a la ventana que daba a la calle Water, le llenó un vaso de agua con una jarra que rebosaba cubitos de hielo y le entregó un menú y una carta de bebidas.

Leire dio un repaso al restaurante, que no tendría más de una docena de mesas de madera, calculó. Las sillas, también de madera oscura como la amplia barra del bar, tenían el respaldo en forma de medio círculo, lo que hizo que se le resbalara el bolso que había colgado. La camarera, atenta a sus movimientos, le ofreció un cuelgabolsos de metal que se ajustaba al borde de la mesa. La cocina estaba situada en el fondo del local; de ella salió otra chica con un par de platos de comida que sirvió a una de las parejas situadas junto a la ventana que daba al puente de Brooklyn.

Leire se fijó en el techo pintado de gris claro casi azulado, con artesonados y cenefas labradas a cincel, que daba un aire clásico al café. En la barra, llena de botellas de licores, cuatro lámparas con pantalla de metacrilato eran la única iluminación artificial del local. Por las ventanas entraba la luz que confería un claroscuro a la atmósfera de tranquilidad que se respiraba.

Se fue relajando poco a poco. Era un sitio agradable y pensó que discreto, pero no tan oculto como para que se pudiera sentir amenazada. Volvió la vista hacia la ventana, en cuya repisa había un macetero rectangular con varias flores plantadas que comprobó que eran naturales.

Cuando volvió la vista tenía frente a ella a una mujer de mediana edad, alta y esbelta.

—Eres Leire, ¿verdad? —le dijo en un buen español.

—Sí, soy yo. ¿Patrizia?

—Sí, soy Patrizia Newman. Te he reconocido enseguida: encontré fotos tuyas en la web de *El Universal*. Bienvenida a Manhattan. ¿Te gusta este sitio?

—Oh, sí, es un lugar muy agradable —respondió Leire, que escrutó a Patrizia mientras se acomodaba en la mesa frente a ella.

Tendría unos cuarenta y algo, pensó. La cara no presentaba arrugas y tenía unas manos delicadas y bien cuidadas. Era morena con el pelo largo, que le hacía parecer más joven. Se notaba que se cuidaba, tenía un cuerpo estilizado, seguramente a fuerza de horas de gimnasio.

—¿Y tu amiga? ¿Ha ido de compras? —soltó de repente Patrizia.

—Sí, bueno… Está por ahí…

—Ya, no te preocupes. Fui al hotel y comprobé que tenías una reserva a nombre de las dos. Debía asegurarme. Es un buen hotel, pero siempre necesita una renovación. ¿Pedimos algo de comer? Estoy muerta de hambre. Te recomiendo los calamares empanados, tienen un ligero toque de hierbas aromáticas, y los mejillones, algo picantes; si quieres los compartimos. De segundo tienen un sándwich de pollo o de pavo exquisito. Los huevos y las aves de este restaurante son ecológicos.

—Me parece bien. Lo que tú quieras.

Patrizia Newman ordenó la comida y tras estudiar la carta de vinos encargó un Zinfandel californiano.

—Es un vino de uva tinta. Dicen que lo hemos copiado de uno italiano… Yo no sé, pero está muy bien, es ligeramente afrutado. Creo que te gustará. ¿Sabes?, en este restaurante tienen la carta más extensa de whiskys y bourbons que te puedas imaginar. Los hay de todas las partes del mundo. Los turistas no suelen conocer este sitio; deberías traer a tu amiga.

—Patrizia, yo no te he encontrado en Google. ¿Es ese tu verdadero nombre? —dijo Leire, que se sentía con mayor aplomo y quería aclarar cuanto antes la situación.

Patrizia sonrió.

—Me olvidaba de que eres periodista. Me has estado investigando, pobrecita. Imagino que estabas preocupada por quién te ibas a encontrar en esta cita. Lo entiendo, pero comprenderás, cuando te lo explique, por qué he tenido que tomar mis precauciones. Mi nombre es Patricia con ce, no con zeta. Lo de la zeta es, digamos, un homenaje a Bel.

—¿Quién es Bel?

—Belarmino, tu Krugman. Cuando pronunciaba mi nombre siempre arrastraba la ce hasta exagerarla… Él y yo vivimos una apasionada relación, y llegamos a vivir juntos en un apartamento en el barrio de Chelsea hasta que volvió a España. Las cosas ya no iban bien entre nosotros antes de que se marchara, pero no sabes lo que he sentido su muerte. He estado llorando hasta más no poder… —Se la notaba emocionada.

—Lo querías, era un buen tipo. Yo le conocí muy poco, pero me caía bien; quiero que lo sepas.

—Lo sé, lo sé; me habló de ti en alguna ocasión. Me dijo que había entrado una chica en *El Universal* que tenía madera para hacer una buena talla, pero que se podía perder en medio de tanta mediocridad. Ya sabes, era muy crítico con la profesión y muy exigente… a veces.

—¿Estabais en contacto, entonces?

—Estuvimos bastante tiempo sin vernos ni hablarnos. Yo me casé, me divorcié y, bueno, la vida da muchas vueltas. Me localizó a través de un amigo común hace unos meses. Estuvimos hablando, poniéndonos al día. Tenía pensado venir a Nueva York para Navidad. Yo no sabía si era una buena idea… —Hizo una breve pausa—. Hace un mes me pidió que le buscara una información. Estaba trabajando en un tema para el diario y necesitaba que le compulsara algunos datos. No quería que le enviara nada por mail; todo iba por correo postal a una dirección de Barcelona. Me llamaba desde un teléfono encriptado. Por cierto, ¿cómo diste con mi número?

—Estaba anotado en un post-it en la mesa de Krugman. Probé a llamar y tuve suerte.

—Siempre quedan cabos sueltos… Pobre Bel; se metió en la boca del lobo y de ahí no se puede salir.

Llegó el vino con los calamares y los mejillones. La comida olía estupendamente. Se sirvieron una copa y brindaron por Bel. Leire recordaba que ya lo había hecho en varias ocasiones: por Krugman, por Belarmino y ahora por Bel. La misma persona, la misma buena persona que se había jugado la vida aún no sabía por qué, pero que estaba dispuesta a averiguarlo.

—Háblame de ti, si no te importa. Imagino que no puedo grabar esta conversación, pero me gustaría que me permitieras tomar notas. ¿Puedo?

—Por supuesto que puedes. Mejor no me grabes. Lo que te voy a contar es muy serio y puede acarrear serios problemas, pero lo hago por él. No se merecía acabar así.

Patrizia le explicó que sus padres eran inmigrantes cubanos que se habían instalado en Miami y por eso dominaba el español perfectamente. Era profesora de economía y finanzas en la Universidad de Columbia en Nueva York y miembro del consejo de gobierno de la misma. Había estudiado en Harvard y realizado varios másters de economía en Columbia hasta que la ficharon como profesora. Trabajó en transacciones de empresas para varias firmas y conoció a Krugman en el transcurso de una rueda de prensa en la que un fondo de inversión que ella dirigía había entrado de forma significativa en el capital de un banco español. Ella estuvo convenciéndole de la bondad de la operación hasta bien entrada la noche. Consiguió que Krugman no publicara nada en contra para su diario y acabaron pasando la noche juntos en una habitación del hotel Four Seasons, donde había tenido lugar la conferencia.

A Leire, Patrizia le encajaba perfectamente con su idea preconcebida de que el periodista debía de tener una novia del mundo de Wall Street, si bien no era exactamente así porque, en lugar de trabajar en una oficina de cristal en una planta alta y con vistas al río, ella estaba en el campus de una universidad en un primer piso con despacho de madera noble. Iba tomándole confianza y la conversación se estaba tornando fluida, ayudada por el vino que estaban bebiendo.

—¿En qué estaba Krugman? Quiero decir, ¿qué información es la que te pidió? ¿En qué boca del lobo se metió?

—Tranquila, tranquila, que me estás sometiendo a un tercer grado —dijo Patrizia—. Te contaré todo lo que sé, pero tienes que ser consciente de que lo que te diga puede resultar peligroso para ti una vez lo conozcas.

—No hay problema. Para eso estoy aquí. Quiero saber si alguien impidió con su muerte que Krugman publicara algo. No me importan las consecuencias.

—Bien, ¿has oído hablar de In-Q-Tel?

—No. ¿Qué es?

—Es un fondo de inversión sin ánimo de lucro; un conjunto de inversores que ingresan grandes fortunas en compañías avanzadas en tecnología y en sistemas de información. Es lo que llamamos una empresa de capital riesgo. Su sede está en el condado de Arlington, Virginia, y adquiere compañías en todo el mundo. Antiguamente se llamaba Peleo en referencia al padre de Aquiles, rey de Tesalia. Supongo que, como este rey era mortal, le cambiaron el nombre por otro más virtual como In-Q-Tel.

—¿Qué quiere decir sin ánimo de lucro? ¿Es como una ONG?

—No exactamente. Significa que los beneficios que obtienen de las compañías que adquieren los reinvierten íntegramente en nuevas empresas hasta que su saldo sea equilibrado.

—¿Y por qué ese altruismo?

—Sencillo: toda la tecnología que adquieren, todas las empresas e innovaciones de emprendedores que compran, tienen un solo destino: la seguridad nacional de Estados Unidos. Dicho de otra manera, y para que lo entiendas con claridad meridiana, In-Q-Tel es el brazo económico de la CIA. Han invertido hasta la fecha en más de un centenar de proyectos, desde Google y Facebook, las que más te sonarán, hasta Recoder Future. Cualquier sistema de información que pueda ayudar a la seguridad del país es analizado por ellos y, si es interesante, adquirido en todo o en parte.

—¿Qué seguridad aportan Google o Facebook?

—En el caso de Google han desarrollado conjuntamente productos como el famoso Google Maps, temas de geolocalización en el que el buscador ha invertido también millones de dólares. Con Facebook obtienen decenas de millones de comportamientos y archivos, escritos y gráficos que la gente va depositando segundo a segundo en la red social. Todo ello está al alcance y plena disposición de la Inteligencia americana; In–Q-Tel se encarga de ello. La colaboración de estas empresas con la CIA les da carta blanca para que el gobierno no les ponga excesivas trabas a su expansión. ¿Comprendes?

—Ya, pero ¿adónde quieres llegar? Eso, a menor escala, también lo hace la policía española siguiendo los tuits y los mensajes de la gente para conocer las convocatorias de manifestaciones y las consignas que se transmiten a través de las diferentes redes.

—Es cierto. La CIA adquirió hace un tiempo a través de In-Q-Tel una empresa que rastrea y monitorea más de un millón de sitios por Internet, desde blogs, programas de televisión, foros en línea, YouTube, Twitter, Flickr, Amazon, etc. Eso no es lo relevante; eso no es más que utilizar lo que se denominan «las fuentes abiertas de inteligencia», fuentes públicas que generamos cada uno de nosotros y que marcan las tendencias de lo que se cuece a nivel mundial. Lo que empieza a cobrar otra dimensión es grabar el futuro, predecirlo y anticiparse a lo que está por venir.

—¿Grabar el futuro? Suena a contradictorio.

—Recorder Future es una compañía adquirida por la CIA que ha permitido desde espiar a Hezbolá en el Líbano y advertir a Israel del lanzamiento de misiles con un mes de antelación, hasta conocer los planes de Hugo Chávez con la guerrilla colombiana; dicen que la liberación de Ingrid Betancourt fue gracias a ellos. Es un sistema secreto de *tracking* de comunicaciones especiales que permite descubrir los planes futuros de gobiernos y miles de organizaciones consideradas de riesgo para la seguridad nacional americana…

Leire no entendía a dónde quería llegar Patrizia Newman con tanta explicación sobre redes de espionaje tan avanzadas tecnológicamente, y aún menos qué conexión tenía todo ello con Krugman. Patrizia continuó hablando:

—La diferencia cualitativa con respecto a un monitoreo es significativa: analizan cantidades ingentes de información proveniente de personas, lugares y actividades, catalogando incluso el tono en que se han escrito los documentos. Los relacionan a través de sofisticados algoritmos y son capaces de individualizar millones de fichas de personas en las que se describe el perfil y la psicología de cada individuo al mínimo detalle.

—Quieres decir que pasan de la información en bruto de determinados colectivos, movimientos sociales y organizaciones a los más minúsculos detalles de los perfiles de los individuos que las componen. ¿Es eso?

—Eso mismo —respondió Patrizia, satisfecha de que su explicación hubiera sido comprensible.

—¿Eso era en lo que estaba trabajando Krugman? ¿Por eso te llamó?

—No exactamente. Él estaba al corriente de todo esto; conocía las actividades del fondo de inversión de la CIA y de sus procedimientos. De hecho todo esto ha sido desvelado por tus colegas periodistas aquí en Nueva York. Este tipo de espionaje es una herramienta para la seguridad nacional comúnmente aceptado.

Retiraron los entrantes —de los que Leire había dado buena cuenta, pues Patrizia no había parado de hablar en todo momento— y trajeron los sándwiches de pollo y pavo. Patrizia Newman prosiguió:

—Bel me llamó porque quería averiguar si detrás de la compra de Marín&Partners en España y de la que se iba a producir de *El Universal* estaba In-Q-Tel; esto es, la CIA.

A Leire le vino a la memoria el último artículo de Krugman en el que se preguntaba qué institución que se jacta de tener al mundo bajo control iba a invertir en nuestro país... ¿Tenía una primera pieza del rompecabezas? De pronto, sonó un mensaje en su móvil. Era Paola, que le preguntaba si todo iba bien. Estaba tan absorta en la conversación con Patrizia Newman que se había olvidado de su amiga, a la que había dejado a cincuenta metros, tomando una hamburguesa. Patrizia Newman se percató del mensaje.

—Puedes decirle a tu amiga que venga a tomar café con nosotras; no hay problema. Hubiera comido mejor aquí que en ese tugurio de carne picada. Entiéndelo, Leire, yo también me tenía que asegurar de quién iba a venir. Os estuve siguiendo. Disculpa.

Leire sintió cómo su cara enrojecía por momentos y acertó a decir:

—No, déjalo, que espere... Le diré que estoy bien. —Le envió un mensaje tranquilizador y continuó preguntando—: ¿Y averiguaste si estaba la CIA detrás? ¿Qué interés podría tener en una agencia de publicidad y en un periódico españoles?

—Te puedo asegurar que la CIA no está en ello, y así se lo dije a Bel, o a Krugman como lo llamáis. Hablé con uno de los directivos de In-Q-Tel que conocía de mi etapa en Wall Street y no sabía nada de eso.

—¿Entonces?

—Eso era lo preocupante. Bel me dijo que había tenido contactos en España con un representante del fondo de inversión de la CIA y que este le aseguró que la compra de Marín&Partners y *El Universal* por parte del fondo de inversión era inminente. Precisaban su colaboración para que publicara determinadas informaciones a favor de la transacción. Lógicamente se las iban a retribuir muy bien. Me habló de que le ofrecían, de entrada, un millón de dólares.

—¿El contacto de Krugman era un falso representante de la Agencia de Inteligencia? ¿Le tendieron una trampa? —inquirió Leire.

—No era una trampa. Quien le vio fue Jeff Halton, un inversor que compite con el fondo In-Q-Tel de la CIA. Tienen más de mil millones de dólares de capital riesgo y lo están dedicando a comprar acciones en medios de comunicación y aplicaciones para las redes sociales.

—¿Cómo se llama ese fondo de inversión?

—ETHERNIA, ese es el nombre del fondo de los fondos, puesto que se va troceando en diferentes bolsas de inversores.

Leire miró en la última página de la libreta en la que tenía apuntada la transcripción del post-it de Krugman y comprobó las iniciales: «ETH. F.», efectivamente ya casaban todas las piezas del papelito amarillo. La L. F. del detective Luis Fernández, la del fondo ETHERNIA y la del teléfono de Patrizia Newman. El tema era darle sentido a todo aquello.

—¿Tú crees que Jeff Halton mandó asesinar a Krugman porque no se avino a publicar lo que quería? ¿Solo porque rechazó un cheque de un millón de dólares?

—Me parece un móvil demasiado pobre para cometer una atrocidad así… No, no creo que fuera él. Estoy convencida de que no —dijo Patrizia Newman.

—Salvo que la compra de *El Universal* y de Marín&Partners sea altamente estratégica para el desarrollo de sus aplicaciones en la Red en España. No lo sé, según todos los datos de que dispongo el grupo está en la ruina. Si no se hace esta operación hay muchas posibilidades de que cierren el diario y no sé si detrás de ello va la televisión, la radio… todo el grupo —reflexionó Leire.

—Hay algo que debes saber —dijo Patrizia apurando la copa de vino—. Te he contado en lo que opera In-Q-Tel de la CIA y

ETHERNIA de Halton porque en todos los procesos inversores hay una misma constante, que es el detonante para hacer la operación.

—¿Y es?

—Hay alguien dentro de la empresa, una especie de topo que suele ser el desarrollador e impulsor del sistema de información, alguien que tiene un valor tan especial o más para el fondo que la propia compañía. Normalmente el fondo firma un acuerdo primero con ese topo y luego hace la compra de la compañía. En todas ellas esos talentos, que suelen estar en nómina de las empresas, reciben fuertes cantidades de dinero y acciones liberadas. Krugman había recabado toda la información y me consta que la quería publicar... y sin embargo alguien le impidió hacerlo. Te he pedido que vinieras para que seas tú quien lo publiques. Se lo debo a Bel, creo que se lo debemos las dos.

Se había hecho tarde. Patrizia Newman tenía clase a las dos en la Universidad de Columbia, que estaba en la otra punta de la ciudad, hacia el norte. Pagó la cuenta y tomó un taxi. Antes le dio su teléfono para que la llamara más tarde.

Leire fue en busca de Paola que, cansada de estar en el bar de las hamburguesas, estaba paseando por Water Street.

Entraron en un Starbucks cercano al edificio de oficinas del ayuntamiento para conectarse a un wi-fi libre. Eran cerca de las nueve de la noche en España. Leire llamó a Julián y le contó con detalle toda la conversación con Patrizia Newman. Julián iba tomando nota y Paola, conforme la escuchaba, alucinaba con la dimensión que estaba tomando el caso que llevaba entre manos su amiga.

Julián le dijo que haría una visita inmediatamente al departamento de sistemas de *El Universal*, con cuyo responsable tenía Barreta una buena relación. Tenía que averiguar exactamente en qué estaban trabajando y por qué era tan importante para que un fondo americano que invertía en seguridad se interesara por ello.

Leire colgó el teléfono y abrió su iPad. Se conectó a Google y tecleó el nombre de Jeff Halton junto con ETHERNIA Founds. Apareció, efectivamente, el nombre ligado al consejo directivo de la compañía inversora en capital riesgo, como le había dicho Patrizia Newman. Guardó la información para leerla con calma. Luego entró en Google Earth y buscó Central Intelligence Agency (CIA) en Nueva York. El buscador le pidió «permitir su localización», aceptó y en segundos fue focalizando un mapa con el zoom. El puntero se situó en una dirección: Peck Slep. Tocó con el dedo en el botón de «cómo llegar» y notó cómo el corazón le latía a alta velocidad cuando una línea corta se trazó en el mapa: estaban a menos de cincuenta metros de la oficina de la CIA. Según Google estaba situada dentro del edificio de oficinas del ayuntamiento, a menos de dos minutos caminando del Bridge Cafe. Patrizia Newman le había citado a almorzar a escasos metros de la agencia de seguridad americana y seguramente, pensó Leire, no era por casualidad.

Capítulo 30

*E*l cerebro de los sistemas de información del Grupo Universal estaba situado en el semisótano del diario, por debajo de la planta de documentación y archivo y conectado por unas escaleras a la planta baja con la sección de Internet, que dirigía Cristina Martínez, *la Paloma*. Ocupaba un espacio similar al de toda la sala de redacción.

En la sala trabajaban un centenar de programadores y analistas. No se veía un solo cable, ni siquiera los enchufes de los ordenadores, ocultos por un práctico suelo metalizado.

En la entrada, Francisco Barreta observó un cuarto de algo más de cincuenta metros cuadrados donde los RACS del sistema emitían un ligero zumbido casi inapreciable. Había quedado a última hora con Mario Blanco, el jefe de toda aquella área, para tomar algo y que le enseñara sus posesiones. Barreta se había ocupado, siguiendo las instrucciones de Julián, de ganarse la confianza del informático con objeto de averiguar en qué nuevos desarrollos trabajaban.

—Vaya garito tío, esto es una pasada —le dijo con admiración a Blanco, intentando compadrear de colega a colega.

—Sí, creo que es la instalación más sofisticada y de mayor capacidad resolutiva que tiene un grupo de comunicación en toda Europa.

—Es genial, te felicito. Aquí debéis de tener almacenados gigas de información —insistió el policía.

—No está mal, y tenemos capacidad sobrante… Bueno, ya sabes lo que ocupa la digitalización de imágenes de la televisión; lo del periódico es lo de menos…

—Pero esto no debe de ser solo para los medios de Universal, ¿no? Me parece sobredimensionado.

A Blanco se le notaba encantado por lucir su territorio, pero a la vez inquieto.

—Bueno, yo solo proceso información. Ya sabes, capturamos, codificamos y arriba le dan su utilización… Deberíamos irnos a tomar ese café…

—Sí, si ya vamos. ¿Quieres decir que procesáis información más allá de la que genera el propio grupo? ¿Como cuál?

Definitivamente el informático quería salir de la sala cuanto antes. Se sentía violento.

—Oye, ya te he dicho que no puedo hablar de eso. Tampoco lo sé exactamente… me limito a hacer mi trabajo y no pregunto, ¿vale? Y ahora vamos, que no les gusta que haya gente por aquí abajo…

Salieron de la sala y fueron a la cafetería del Catalonia, próxima al diario. Julián Ortega estaba en una de las mesas esperando la llegada de ambos; así lo había acordado con Barreta. Blanco se quedó del mismo color que su nombre cuando se identificó como el inspector que estaba a cargo de la investigación de la muerte de Krugman.

—Siéntese señor Blanco, por favor —le dijo Julián intentando tranquilizarle—. No es nada oficial. No le meteré en problemas.

Julián Ortega había preferido no entrar en el diario con Barreta. En teoría estaba apartado temporalmente del caso Krugman, realizando una mudanza en su casa. No era prudente que lo vieran entrar en *El Universal* y alguien diera la voz de alarma a Ventura.

—Oigan, yo tengo firmado un pacto de confidencialidad en mi contrato. Si alguien se entera de que filtro cualquier tipo de información estoy en la calle en menos de diez segundos. ¿Lo entienden?

—Entendido. Esta conversación no existe —dijo con rotundidad Julián mirando a Barreta. Este asintió con la cabeza.

—Entonces, ¿de qué vamos a hablar? —preguntó Blanco.

—Podríamos hablar de usted, de cómo llegó a acceder hace algo más de cinco años a ser el jefe de sistemas de las empresas de Ventura. ¿Le parece, señor Blanco?

—¿De mí? Yo… yo fui el número uno de mi promoción de ingenieros informáticos. Entré por méritos personales tras una selección…

—Sí, lo sé, lo hemos investigado. Es usted realmente bueno en lo suyo y al parecer Ventura vio en usted algún mérito en especial… ¿no es así? ¿No le contrató él directamente, señor Blanco?

—Así es. Con él tuve la última entrevista, previamente tuve que verme con un *head hunter*, el jefe de recursos humanos, el director general…

Barreta le interrumpió:

—Sí, pero todo era un paripé, ¿no es cierto? Tú ya conocías a Ventura… Digamos que te debía algún favor.

Mario Blanco se descompuso. Pensaba que aquel tema de acoso sexual a una secretaria en el que estuvo implicado Ventura y por el que le contrató estaba totalmente olvidado y archivado. De hecho había quedado en terreno interno; la denuncia en la comisaría fue retirada de inmediato por la secretaria de Ventura. Blanco solo tuvo que simular una serie de transferencias bancarias hechas desde el ordenador de la secretaria a su cuenta personal; más de cien mil euros desviados en pocas semanas. Fue tan fácil como modificar algunas facturas de proveedores y colocar el número de cuenta corriente de la secretaria, luego autorizar los pagos internamente y, desde su dirección IP, enviar e-mails a los bancos aprobando los pagos. Cuando la joven se resistió a los «encantos» de Ventura y le denunció, este solo tuvo que amenazarla con la cárcel por ladrona. Al final pactaron una cantidad y la chica, humillada y muerta de miedo, salió de la empresa.

Cuando Barreta hurgó en los antecedentes de los pleitos que tuvieran que ver con *El Universal* y se encontró con la denuncia de acoso hacía más de cinco años, habló con la secretaria y ella, llorando aún por recordar aquellos momentos, le contó toda la historia a cambio de que no se reabriera el caso. Luego Julián jugó algo de farol con Blanco, al observar la coincidencia en la fecha de entrada de este en la empresa y la manipulación de los e-mails y facturas de la secretaria.

—Yo, entonces, era otra persona… Bueno, ellos llegaron a un pacto. Cerraron el tema económico y la chica salió bien parada…

Mario Blanco había confesado. Julián sintió asco y repugnancia por el todopoderoso Francisco Ventura. Se imaginaba a la pobre chica acorralada y sin salida vendiendo su honor a cambio de dinero, pero eso ahora le permitía avanzar con el jefe de sistemas.

—Bueno, estos temas se pueden reabrir a instancias de alguna de las partes… Pero no es el caso, señor Blanco, daremos el tema por olvidado.

A Julián le apetecía iniciar una acusación contra Ventura y su informático, pero la secretaria ya había manifestado que no estaba por la labor.

—Está bien, está bien. ¿Qué quieren saber?

—Tienen más de doce millones de usuarios de Internet en el grupo. Hábleme de ello. ¿Qué tratamiento hacen de la información que aportan estos usuarios?

—Ya le he dicho a su colega que nosotros trabajamos en bruto. Procesamos millones de datos, cruzamos variables de cada uno de estos individuos y los segmentamos por características. Es como una base de datos de los individuos que interactúan con los medios de Universal. Luego lo que hagan arriba con esa información no es cosa mía.

—Ya, pero estará trabajando en alguna dirección con estas personas. Sea más explícito —insistió Julián.

—Desde hace un par de años estamos incorporando datos de individuos que interactúan fuera de nuestros medios: redes sociales, blogs; ya sabe, todo lo que se cuece en la Red y genera comentarios y tendencias lo recogemos, lo incorporamos y lo catalogamos. Es como un Gran Hermano a nivel de todo el país.

—¿Tienen fichas específicas con los perfiles de cada individuo y los catalogan por tendencias ideológicas?

—No solo eso. Lo último que estamos alimentando desde hace más de un año es, por ejemplo, el SSM, un proceso de seguridad del *social media* que tiene que ver con el movimiento del 15-M. Ya se imagina…

—¿Tiene fichas individualizadas de todos los que actúan en el movimiento del 15-M?

—Lo sabemos todo acerca de ellos. Quiénes son, qué piensan, dónde trabajan, qué estudian, qué actividades desarrollan, cuáles son sus gustos y preferencias, cuáles son dirigentes y cuáles tienen potencial para incorporarse al movimiento… Todo lo que se pueda imaginar está en el SSM.

—Eso permite aventurar cuales serán sus próximos pasos…

—¿Aventurar? Yo no diría eso; si cruzamos las variables en tiempo real, ya que lo alimentamos a cada segundo que se produce una comunicación entre ellos, se podría predecir casi con exactitud meridiana lo que va a pasar con un error mínimo… Pero ya le he dicho que yo ahí ya no entro. Todo eso va arriba y ahí deciden lo que hacen con esos datos.

—¿Quiénes son los de arriba? —preguntó Barreta, que se había mantenido callado hasta entonces.

—Bueno, los que tienen autorización; supongo que la responsable de Internet, el director y, por supuesto, Francisco Ventura. Yo no hablo con ellos. Cristina me pide los datos y yo le abro las compuertas. Ella es la que diseña la estrategia.

—¿Te piden que introduzcas avatares infiltrados en medio de las comunicaciones entre el movimiento de los indignados? —dijo Barreta

—¿Qué son avatares? —intervino Julián.

—Se refiere a si interferimos con personajes falsos, creados artificialmente, para contaminar con intención las comunicaciones de las redes del 15-M. Nosotros los creamos con los perfiles que nos indican, catalogados en diferentes clases. Pero insisto en que nuestra labor acaba en el envío de los perfiles; si alguien quiere inocular un troyano esa no es mi misión —contestó Blanco.

—¿Conocía Krugman que estaban trabajando en el SSM del movimiento del 15-M? ¿Llegó usted a hablar de ello con él recientemente? —inquirió Julián.

—No, yo no hablo de esto con nadie. Ya le he dicho que me juego el puesto. Sí que recuerdo que la Paloma, quiero decir Cristina, me comentó que últimamente lo tenía merodeando por la sección de Internet y que husmeaba en su pantalla. Le chocó que la llamara «el Ojo de Dios», que es como nos referimos a nuestro sistema de información en red. Krugman era antiordenador… quiero decir que no lo utilizaba, solo para enviar sus crónicas. Cristina me preguntó si se había interesado por nuestro trabajo. Yo creo que fue una casualidad; el Ojo de Dios es un nombre muy común…

—Cristina es su jefa, ¿no es así?

—Bueno, es mi jefa más directa, ella y el señor Ventura. El editor me dijo que es la única que tiene libertad para acceder a todo. Cada día recibe las alarmas y toma sus decisiones… Es la que ha ordenado construir todo este tinglado. Nosotros le ponemos la tecnología y ella la utiliza libremente. Cada día está pidiendo nuevos programas y actualizaciones. Es una experta en la Red, se formó en Google.

—¿Las alarmas son notificaciones de la actividad en la Red de los indignados? —preguntó Julián.

—No solo de ellos. Hay como una docena de actividades de redes que ella prioriza y le enviamos un resumen de cada una de ellas. Es como si fueran las noticias de las secciones de un diario, pero en este caso son noticias de la evolución de determinados movimientos sociales o incluso de individuos o empresas que seguimos, digamos, sin la óptica periodística; más bien seguimos sus sentimientos a través de los comentarios y actitudes que dejan en la Red.

—¿Les espían?

—Yo no diría eso. Al fin y al cabo cada uno de nosotros vamos dejando pistas en la Red que reflejan nuestro estado de ánimo, nuestra opinión. Hasta decimos lo que vamos a hacer y dónde estamos, y llegamos a colgar vídeos, fotografías y multitud de archivos con datos. Se trata de saber buscarlas y procesarlas adecuadamente para interpretarlas en un todo…

—Ya entiendo. Eso debe de tener un valor incalculable…

—No es mi negociado —insistió Blanco—. Miren, yo soy un técnico y ya les he dicho más de lo que debería. Tengo que irme. Es extraño, hoy no ha venido la Paloma, pero suele llamarme antes de las diez de la noche, cuando acabo mi turno; espero que no haya preguntado por mí… Confío en su palabra de que esta conversación no ha existido. Y de lo del pasado, yo sé que hice mal con lo de aquella secretaria; no se crea que no tengo remordimientos, pero llegaron a un acuerdo…..

—Sí, llegaron a un acuerdo y usted y yo no hemos hablado —dijo Julián—. Aunque quién nos dice que no nos ha visto el Ojo de Dios…

Capítulo 31

*E*l edificio de oficinas del ayuntamiento tenía una planta baja con acceso al público con un curioso letrero: «Oficina de desarrollo y preservación de la ciudad de Nueva York». Estaba en Peck Slip, una calle que nacía en Pearl Street y llegaba hasta el East River bajo los pilares del puente de Brooklyn, a solo tres manzanas del Bridge Cafe.

La zona tenía poco encanto. Las casas eran antiguas y construidas de modo desigual con cemento y ladrillo a la vista.

Leire y Paola entraron en las oficinas. A la derecha había varios mostradores con algunas personas haciendo cola y enfrente dos ascensores que conducían a diferentes secciones solo accesibles al personal del ayuntamiento.

Un policía uniformado y de porte gigantesco las paró y les preguntó si buscaban a alguien en particular. Ambas se miraron, esperando que a una de las dos se le ocurriera una respuesta ingeniosa que les pudiera permitir el acceso a las plantas del edificio donde según el plano estaba ubicada una sección de la CIA en Nueva York.

Se hizo el silencio, y Leire se disponía a dar media vuelta y salir por donde había entrado cuando Paola dijo:

—Buscamos las oficinas de la CIA, ya sabe, la Central Intelligence Agency —dijo en un inglés perfecto y lo sorprendente es que el oficial de policía ni se inmutó.

—¿Están citadas con alguien? —preguntó.

—Hemos quedado con Patrizia Newman.

—Bien, ¿y debo anunciar a…? ¿Tienen sus identificaciones?

—Sí, claro. —Extendieron sus pasaportes al gigante, que en aquellas manazas aparecieron minúsculos.

Descolgó el teléfono para hacer una llamada y en ese momento les llegó una voz desde atrás.

—Déjalo, Rob, las conozco, está bien. —Era Patrizia Newman—. Suponía que vendríais hasta aquí —dijo.

—Me has engañado como a una tonta —dijo Leire—. Eres de la CIA.

—Efectivamente, y esta debe de ser Paola, ¿no es eso? Encantada de conocerte. Siento que tu amiga no te haya traído al Bridge; hubieras comido mucho mejor, pero ya lo remediaremos…

—Entonces, ¿todo lo que me contaste es mentira? Eres una agente de la CIA —repitió Leire.

—Todo lo que te he contado es verdad, no lo dudes. Los que trabajamos para la inteligencia americana no andamos dando nuestras tarjetas, pero no lo negamos salvo que estemos en una misión secreta —explicó sonriendo para que Leire se tranquilizara—. Ahora tengo que marcharme. Doy clases en la Columbia, ya te lo dije. ¿Cenamos esta noche las tres?

—Bueno, yo había reservado en el Buddakan; me hacía ilusión —dijo Paola.

—Estará perfecto. ¿A qué hora?

—La reserva es a las nueve. ¿Está bien?

—Estupendo. Allí os veo. Os aconsejo que aprovechéis la tarde, hace buen tiempo para dar un paseo. ¡Hasta luego!

Leire se sentía desconcertada, cada vez entendía menos qué estaba pasando. Krugman tenía una exnovia, Patrizia, de la CIA, a la que había recurrido para que le confirmara si la Agencia estaba detrás de la operación de compra de Marín&Partners y de *El Universal*. Esta le había negado que tuvieran interés en ello; sin embargo Jeff Halton aparecía como un competidor de los sistemas de seguridad americanos que había comprado la agencia de publicidad a través de ETHERNIA y estaba a punto de adquirir su periódico, y todo ello porque, al parecer, en este se cocían informaciones sobre las redes sociales que eran de vital importancia para el espionaje americano.

Leire estaba excitada:

—Paola, lo siento, tengo que ir al hotel. He de llamar al director. Tengo que escribir todo esto… Joder, se va a armar una buena…

—Ya me imaginaba yo que haríamos poco turismo. Está bien. Yo me quedaré por el Soho y subiré sobre las siete para arreglarnos para la cena —dijo Paola con condescendencia.

Leire llegó al Gershwin y abrió el ordenador. Tecleó las notas que había tomado con Patrizia Newman y anotó: «Encontrar al topo en *El Universal*». Luego llamó a Gavela al móvil. Este descolgó al instante y Leire lo puso en antecedentes de lo que había descubierto. Lo hizo mientras leía en su ordenador las notas para no dejarse ningún matiz de la conversación con la ex de Krugman.

—Joder, Leire, esto es una película de espías. ¿Estás segura de lo que me estás contando? —preguntó Gavela, al que se le oía su fuerte respiración llena de silbidos.

—Segura del todo. Nos van a comprar unos fondos de inversión americanos por temas de seguridad nacional.

—Pero Leire, no hay pruebas de que Jeff Halton mandara matar a Krugman por eso…

—Es cierto; todavía no las hay, pero ahora hay algo más urgente: tengo que escribir el artículo que Krugman quería publicar. Tenemos que impedir que el periódico acabe en manos de estos fondos de espionaje, ¿lo entiendes?

—Sí, claro… Te diré lo que haremos: no hables de esto con nadie y cuando llegues de Nueva York buscaremos la forma de publicar…

—¡No! No lo entiendes, David; es posible que para cuando llegue a Barcelona el diario ya sea de Halton, y entonces no habrá nada que hacer. Hay que desenmascarar la operación en cuestión de horas. Tengo algo escrito, puedo enviarte una crónica en menos de una hora que podría entrar en la edición de esta noche.

—¿Quieres que publique una crónica de una sola fuente? Si tuvieras una entrevista con Patrizia Newman aún lo consideraría. Además, cuando mañana se levante Ventura y lea el diario, tú y yo estaremos en la puta calle… Esto hay que investigarlo, hay que consultarlo.

—David, no puedes consultar esto con el editor. Siempre te has quejado de la falta de independencia… Tenemos, quiero decir, tienes la oportunidad de contar que ha habido un intento de que perdiéramos el control del periódico en manos de oscuros intereses. Eso es jugar a favor de los lectores. ¿No es lo que tú dices siempre?

—Leire, es mi última palabra. Envíame el artículo y lo valoraré. No puedo garantizarte nada. Quiero leerlo.

Gavela colgó el teléfono y Leire tuvo la convicción de que no iba a publicar su crónica. Llamó a Julián y le explicó su encuentro en las oficinas de la CIA con Patrizia Newman. Él le confirmó que el Grupo Universal estaba con el proyecto SSM de control y seguimiento del movimiento 15-M. El interés de la seguridad americana podía radicar en ese macroproyecto del Ojo de Dios.

—He estado buscando a Cristina Martínez, a la que creo que llamáis la Paloma. No ha venido en todo el día por el diario; su marido avisó de que estaba enferma. Tengo la sospecha de que es nuestro topo, la ideóloga de este tinglado… —dijo Julián.

Leire había pensado en llamarla si Gavela no publicaba en el diario su crónica, convencida de que ella lo haría en la página web del diario, pero al momento lo había descartado.

—Es una buena tía… No sé, todo esto me hace dudar de todo…

—Cuídate, princesa. Un beso. Te echo de menos.

Capítulo 32

*P*aola, nada más entrar en el restaurante Buddakan, lo calificó como *fashion*. Llegaron en taxi hasta la Novena con la Catorce en el barrio de Chelsea, a dos pasos del Meatpacking. A la entrada les recogieron las chaquetas en un mostrador en el que Leire contó por lo menos a cuatro chicas vestidas con chaqueta y falda grises; una de ellas comprobó sus reservas y otra aguardaba para llevarlas a sus asientos en la zona del bar. Pidieron un mojito y un margarita mientras preparaban la mesa. El ambiente era acogedor a pesar de las magnitudes del local, con varios espacios en la planta baja y unas amplias escaleras descendentes a un salón inmenso de cuyo techo colgaban grandes lámparas circulares con bombillas en forma de velas de escasa potencia. En el local, poco iluminado, como era habitual en los restaurantes neoyorquinos, había público de todo tipo, aunque la gente joven era mayoritaria.

En pocos minutos estaban sentadas en el salón de la planta inferior. Patrizia Newman no había llegado todavía.

—Quizá deberíamos haberla esperado en el bar —dijo Paola.

—No te preocupes, que es de la CIA: creo que nos encontrará. Me parece que en la mesa del centro —Paola señaló una mesa alargada a escasos metros de la suya a la que se asomaba un buda desde la pared— es donde Carrie se reunió con sus amigas… Joder, Leire no me creo que estemos aquí… ¡*Sexo en Nueva York*! ¿Has visto que sitio tan *cool*? ¡Y además cenaremos con tu amiga de la CIA!

Les entregaron la carta. La comida era china y de fusión

oriental. Los precios no les parecieron excesivamente caros.

—Sí, tú te ríes, pero esto es muy serio. Estoy jodida con este asunto. No sé cómo va a terminar.

—Bueno, ¿y si te relajas un poco? No es necesario que arregles en una noche el mundo del periodismo. Si venden el diario a lo mejor le ponen la pasta que necesitáis para trabajar en condiciones... Piensa en ello.

—Si lo venden a estos, se acabó. Se precipitará el final. No tengas la menor duda.

Patrizia Newman llegó, acompañada de una de las azafatas de la entrada.

—Disculpad el retraso. No recordaba que tenía reunión de profesores. No me gusta demorarme en las citas...

—No te preocupes. El sitio es estupendo y nos han tratado de maravilla. —Paola exhibió su mojito.

—Bien, veo que no habéis perdido el tiempo —dijo sonriendo Patrizia Newman—. Os sugiero el *dim sum*: ¿qué os parecen unos *dumplings* con trufa, unos rollitos de langosta y unas tostadas de gambas con sésamo para empezar? Luego, si os atrevéis con el *king crab*, aquí el cangrejo es excepcional.

—Lo que tú pidas estará bien —dijo Leire.

—Esta comida se puede tomar con los cócteles, pero si queréis vino... la carta no es muy extensa...

—Seguiré con el mojito —dijo Paola, y Leire asintió.

Ordenaron la cena. Patrizia Newman pidió una cerveza.

—Oye, Leire —dijo Patrizia—, siento que estés molesta conmigo. Te prometo que lo que te conté es rigurosamente cierto. Quizá no te lo dije todo... pero es cierto.

—¿Y por qué tengo que creerte? Eres de la CIA y forma parte de tu trabajo el intoxicarme con información. Dame una buena razón para creerte.

—Krugman, esa es una buena razón. Yo le quería, le quise siempre. Deseo que quienquiera que lo haya matado pague por ello. ¿Te parece una buena razón?

—Supongo que sí, si eres sincera...

—Lo soy. Él siempre estuvo al corriente de que yo asesoraba a la CIA en temas económicos. Lo supo desde el día siguiente en que yo supe que le amaba. Yo era también consciente de que eso no lo llevaba bien. No se metía en mis temas, no me preguntaba por lo que hacía y él tampoco quería compartir conmigo su trabajo como corresponsal. Era un pacto implícito entre los dos, pero supongo que eso generó desconfianzas y... bueno, un día se acabó. Ya te lo dije. Se fue a España y yo seguí aquí. No ha pasado un solo día en que no haya pensado en él...

—Si eres sincera, ¿por qué no me lo cuentas todo?

Un camarero llegó con los primeros platillos. El servicio era rápido. Encargaron un mojito y otro margarita.

—Si no te lo conté todo es porque tampoco podía fiarme. Bel me habló bien de ti, ya te dije, y eso me animó a escribirte. Diste el primer paso y viniste a verme; otra no lo hubiera hecho y eso me ha llevado a contarte lo de este mediodía. Luego esperaba que me localizaras y he de reconocer que, aunque no era difícil, tuviste instinto para saber que trabajaba para la CIA y viniste a buscarme... Tienes tesón, me recuerdas a Bel y su manía de patear la calle para sacar los temas. Tienes madera de periodista, como decía él.

—No resultó difícil. En las películas no encuentras la CIA en Google...

—En donde fuiste a buscarme hay una sección de la CIA en Nueva York. No creas que hay agentes secretos como en las películas. Sabía que la buscarías y no tuve más que seguiros a distancia. Google publica de la CIA lo que le decimos, ya te dije que tenemos inversiones conjuntas con ellos. Nosotros compramos Keyhole, la primera empresa especializada en datos espaciales, y luego la vendimos a Google para que nos desarrollara los mapas actuales de geolocalización que tú conoces y otras aplicaciones más sofisticadas, necesarias para la seguridad americana, que no están a disposición del gran público, como te puedes imaginar.

—Leí que estabais en un edificio cercano a las Torres Gemelas cuando hubo el atentado en 2001.

—Eso dicen, se ha publicado mucho al respecto. Cuentan cosas contradictorias. Por un lado que sabíamos que se iba a producir el atentado y que no intervinimos a tiempo, y por otro que salimos corriendo en cuanto estallaron los cristales de nuestras oficinas, abandonando todos los documentos que volaron por el cielo de Manhattan junto a los de las torres del

Word Trade Center... Dicen muchas cosas; la verdad es que no hay que hacer caso ni de lo uno ni de lo otro.

—¿Por qué tenéis tanto interés en el movimiento 15-M? Ya sabes, el de los indignados españoles.

Leire se lo preguntó de sopetón, como si así pudiera pillarla desprevenida.

—Veo que has hecho los deberes esta tarde, muy bien. El 15-M se ha trasladado a Nueva York esta semana. Aquí el movimiento se llama Occupy Wall Street y se prepara el 15-O en gran parte el mundo, incluidas muchas ciudades de Estados Unidos. España sigue siendo muy activa como base del movimiento de los indignados (vuestra situación económica de desempleo y los jóvenes sin posibilidades de un futuro razonable hacen que estén cargando contra el poder político y financiero de forma desorganizada), pero se extiende como una mancha de aceite por todo el mundo. Aquí en Nueva York tienen más recursos: tienen previsto imprimir un periódico, recaudan fondos de organizaciones filantrópicas; se adhieren personajes célebres... y creemos que empieza a haber infiltrados que están manipulando el movimiento en contra de la seguridad nacional.

—Joder, vosotros veis fantasmas en todas partes. ¿Queréis cargaros el movimiento?

—No se trata de eso, pero no queremos que nos traiga problemas de otro orden. Mira, hasta nuestro presidente Obama simpatiza con ellos... Estos políticos les hacen guiños cuando ven que las cosas toman cierta dimensión pero, por otra parte, nos dan instrucciones para que los sigamos de cerca. Estamos muy sensibilizados con todo lo que se genera a través de la red social. Mirad lo que ha pasado en Egipto, Túnez e incluso Libia.

—Pero me dijiste que vosotros no ibais a comprar *El Universal*. Tú sabes perfectamente que mi diario tiene una base de datos de los indignados, pero ¿me dices que a la CIA no le interesa? No entiendo nada.

—Claro que lo sé y nos interesa. Lo que han desarrollado los responsables de sistemas de *El Universal* es para que nuestro fondo In-Q-Tel lo adquiera. Yo hice un informe a favor, incluso. Pero se adelantó Jeff Halton de ETHERNIA y lo planteó de mala manera. No se puede adquirir todo un grupo de comunicación. ¿Qué hacemos con él? Nos basta con vuestra aplicación de redes sociales.

—¿Entonces qué vais a hacer? —preguntó Leire

—Nada. Ya te dije que nada. Halton compró Marín&Partners porque era el primer paso para llegar a *El Universal*. Los vínculos entre los dos grupos son importantes. La agencia de publicidad utiliza la base de datos del grupo y la explota en mensajes publicitarios individualizados para sus clientes, las marcas. Luego Mónica Lago, la propietaria de la agencia española, convenció a tu editor para que vendiera a Halton, y supongo que sabes que utilizó sus encantos más personales para hacerlo. Nuestro Krugman se enteró de ello y quiso impedirlo, siempre tan Quijote del periodismo…

—Esto se pone interesante —dijo Paola, que estaba escuchando atónita la conversación entre ambas—. Creo que me pediré un tercer mojito.

—Patrizia, creo que tú sabes bastante más sobre ese tal Halton, ¿no es así?

—Lo que te puedo decir es que estamos convencidos de que él no ordenó asesinar a Krugman. Es cierto que le pidió que se pusiera a favor de la operación y que intentó comprarle, pero él no lo mató. Las pistas que está siguiendo la policía española no son buenas. Créeme.

—¿Y por qué habría de creerte? —dijo Leire.

—Porque Jeff Halton es un proveedor de la CIA. Halton trabaja en paralelo con su fondo ETHERNIA y acaba vendiéndonos las aplicaciones de seguridad, como hace In-Q-Tel. Eso nos sirve para asegurarnos la competencia entre ellos y no perder eficacia en el rastreo de oportunidades en el negocio de la seguridad.

—Perdona, pero estáis como una cabra. ¿Competís contra vosotros mismos? ¿Por qué me dijiste este mediodía todo eso de que Halton actuaba de forma independiente? Tú sabías todo lo que se cocía en mi diario.

—Te lo dije porque necesitaba que creyeras por ti misma que en tu diario se está fraguando un sistema de información avanzado capaz de hacer un seguimiento de cientos de miles de personas, de millones… No me habrías creído si no te lo hubiese dicho tu amigo el policía esta tarde…

Leire se puso pálida y le entraron arcadas.

—¿Has espiado mi teléfono? Has grabado mis conversaciones… Dios, esto no me puede estar pasando. Debe de ser un sueño… Paola, pellízcame y dime que no es verdad lo que estamos oyendo.

Paola estaba asustada

—Creo que será mejor que nos vayamos, Leire. Yo también me siento mal…

Patrizia Newman intentó calmarlas.

—Sí, nos vamos a ir las tres juntas. Debéis tranquilizaros, está todo controlado. Os diré lo que vamos a hacer: tengo un coche ahí fuera esperándonos, ahora saldremos del restaurante y un agente nos llevará al aeropuerto. Tenéis dos plazas reservadas en el vuelo de las 23:00 a Barcelona. Tenemos el tiempo justo, pero nos esperarán. Me he permitido pagar vuestra cuenta en el hotel y vuestro equipaje está en el maletero del coche.

—Pero… pero ¿qué estás diciendo? No entiendo —balbuceó Leire.

—Es más importante que impidas que se haga la operación que seguir aquí en Nueva York. Tienes que convencer a tu director para que publique ese reportaje. Tienes que impedir la venta de *El Universal*. Tienes que hacerlo por Krugman y por ti… y también por mí.

—Pero ¿no es más fácil que lo impidáis vosotros? Al fin y al cabo Jeff Halton y ETHERNIA trabajan para la CIA…

—Te repito que entre los dos fondos hay competencia, y si Halton quiere comprar el Grupo Universal, como hizo con la agencia de publicidad, es libre de hacerlo. La CIA se hará de una u otra manera con la aplicación del SSM del 15-M, te lo garantizo. No puedo decirte nada más por el momento. Hemos de irnos. El vuelo os espera.

Salieron del restaurante sorteando a la gente que se apelotonaba en el bar y en la recepción. Paola cogió de la mano a Leire y observaron cómo dos tipos trajeados con un audífono sujeto al oído les franqueaban la salida. Leire supuso acertadamente que eran agentes de la CIA.

Los hombres les acompañaron hasta un Cadillac negro que estaba frente a la puerta del Buddakan, con cristales tintados que impedían ver el interior. Patrizia subió a la parte delantera junto al chófer y ellas lo hicieron en la parte de atrás. El conductor aseguró las puertas y salieron a gran velocidad.

Leire miró en el espejo retrovisor al conductor, que llevaba una gorra que le tapaba hasta los ojos. Se desprendió de ella y la dejó a un costado en el reposabrazos; entonces se fijó en que una gran cicatriz le cruzaba la frente. Era el hombre del retrato robot, el que habían visto salir del piso de Krugman y el mismo que Marín había identificado que le había robado las fotos.

—Oh, Dios mío, ¿qué nos vais a hacer? —gimió Leire.

—¿Qué te pasa, cariño? —preguntó Paola.

—¡Es él! ¡El chófer es quien asesinó a Krugman, es el retrato robot que publiqué!

Patrizia Newman intervino enseguida.

—Deberías tranquilizarte. Louis no es un asesino, es de la CIA. Te dije que las pistas que seguía la policía no eran correctas. Tienes que confiar en mí.

—Buenas noches, señoritas —dijo Louis en castellano.

—Mandamos a Louis a controlar los movimientos de Halton. En cuanto Krugman me dijo que le había ofrecido dinero por publicar información a favor de la compra de Marín&Partners y que el objetivo era comprar el diario, no nos pareció lo más adecuado y quisimos seguirle. Le pedí a Louis que entregara esta documentación a Krugman —Patrizia sostenía un sobre de color marrón—, pero llegó tarde… Cuando llamó a su apartamento, la puerta estaba abierta y él ya estaba muerto. Louis se cruzó con el vecino, y si hubiera sido un asesino te aseguro que también habría acabado con él para no dejar testigos.

—¿Y el robo del maletín de Marín? ¿Qué me dices de eso? —dijo Leire sin salir de su asombro.

—Halton iba por libre en la operación, pero la factura, en todos los sentidos, la teníamos que pagar nosotros. Ya te he dicho que no queríamos una agencia de publicidad, y menos un diario. Louis sustrajo el maletín de Marín porque le había seguido y sabía que contenía los documentos de compraventa: les queríamos echar una ojeada. A veces los métodos de la CIA no son tan sofisticados como cuentan en las películas, ¿verdad, Louis?

Louis, que guardaba silencio, asintió con la cabeza. Por la parte trasera del parabrisas emergía el *skyline* de Manhattan iluminado y se iba empequeñeciendo hasta parecer una maqueta de cartón.

—¿Y las fotos? ¿Por qué se quedó usted con las fotos del detective? —preguntó Leire al agente, pero fue Patrizia quien respondió.

—Simplemente no se las quedó. En cuanto fotocopió el contrato devolvió en la conserjería de la casa de Marín el maletín con fotos incluidas, ¿no es así, Louis? —El chófer de la CIA volvió a asentir con la cabeza y Leire vio de nuevo en el espejo retrovisor la gran cicatriz en su frente—. Imagino que su mujer lo revisó y al ver las fotos se las quedó.

Leire se sentía cada vez más confundida. El coche tomaba velocidad por la autopista hasta el aeropuerto de JFK; el tráfico a esa hora era algo más rápido de lo habitual.

—Entonces, ¿ETHERNIA acabará por comprar el Grupo Universal igual que hizo con Marín&Partners o no? —preguntó.

—Eso ya no lo sé, pero te aseguro que, si lo hace, a la CIA le da igual. No lo necesita… —aseguró Patrizia.

—¿Que no lo necesita? Has dicho que el sistema de redes sociales de los indignados es de mucho interés para vuestra seguridad nacional. ¿Ahora dices que no lo necesitáis?

—A lo mejor nos basta con comprar al «topo», ya sabes…

El Cadillac enfiló la curva que daba a las terminales del aeropuerto y no se detuvo en el semáforo rojo, que se iluminó a pocos metros de la de American Airlines. Tomó un desvío y se situó frente a una verja en la que estaban situados dos policías uniformados. Louis abrió la ventanilla y dijo algo inaudible a uno de los agentes. Estos abrieron la puerta inmediatamente y en menos de un minuto estaban junto al avión que las llevaría hasta Barcelona.

Unos empleados recogieron las maletas y les dieron un comprobante. Las invitaron a subir al avión por las escaleras que conducían al puesto de mando del *finger*.

Patrizia Newman subió con ellas. En el avión estaban todos

los pasajeros acomodados, esperando para despegar. Antes de entrar le dijo mirando fijamente a Leire:

—Ojalá nos volvamos a ver en otras circunstancias. Toma este sobre: es el que Louis le quería entregar a nuestro Krugman… Aquí tienes detalles de todo lo que te he contado. Es información difícil de obtener, pero no es secreta; la CIA es transparente en cuanto a sus inversiones, bueno, en casi todas… Que no se haga la operación depende en buena medida de que puedas denunciarla tú. Eres muy valiente Leire; no lo tendrás fácil, pero tú lo puedes conseguir. Publica lo que Krugman quería publicar… Tienes que contarlo, pero ve con mucho cuidado.

—Pero Patrizia, seguimos sin saber quién lo mató…

—Sí, pero quienquiera que sea ese otro topo… acabará saliendo de su agujero.

Patrizia la abrazó con fuerza y luego le tendió la mano a Paola. Entraron en el Boeing y las azafatas las sentaron en la primera fila de la clase *business*. Cerraron la puerta y desde la ventanilla pudieron ver cómo Patrizia Newman se subía al Cadillac negro y salía de la zona de aparcamiento del avión. En menos de diez minutos estaban rodando por la pista a gran velocidad para iniciar el despegue.

—Lo siento, Paola, siento haberte gafado el viaje —dijo Leire.

—No te preocupes, cariño, nos vamos a dar una gran cena con champán… Pero prométeme que no te meterás en líos en Barcelona. Que lo arregle tu amigo el policía, no vale la pena…

Cuando llevaban apenas tres horas de vuelo, Paola se quedó dormida, pero Leire no pudo conciliar el sueño. Encendió su ordenador y empezó a escribir el artículo.

Capítulo 33

El fuerte viento de cola hizo que el vuelo de American Airlines tomara tierra en el aeropuerto del Prat con una hora de adelanto, así que era poco más de mediodía cuando Leire y Paola recogían las maletas en la terminal.

Una mano tocó el hombro de Leire. Era Julián Ortega. Ella dio media vuelta y al verle se lanzó a sus brazos llorando. Descargó toda la tensión a la que había estado sometida las últimas horas. Al contemplar la escena, a Paola también se le saltaron las lágrimas.

—Tranquila, princesa. Ya pasó todo —le dijo Julián al oído mientras le acariciaba el pelo y la estrechaba con fuerza.

Cuando se hubo calmado Leire preguntó:

—¿Cómo sabías que llegábamos hoy? ¿Quién…?

—En cuanto cogiste el vuelo recibí un mensaje. Una persona me localizó, pero no lo entiendo. ¿Le diste mi nuevo número a alguien?

—No, yo no… Espera un momento: Patrizia Newman escuchó nuestra conversación. No parece tan seguro tu teléfono, o no tanto como para que la CIA no pueda interceptarlo. Fue Patrizia, seguro.

—Me envió la dirección de un código postal en el que estaba la documentación que le enviaron a Krugman. He estado analizándola esta madrugada.

—Tengo que ir al periódico. He de publicar lo que sé —dijo Leire con impaciencia.

—Ahora vas a descansar y luego por la tarde vas al diario. Todo está controlado. Vamos, tengo el coche afuera.

—¿Que todo está controlado, Julián? No hay nada bajo control. No es seguro que Jeff Halton no acabe haciéndose con el diario por mucho que lo diga Patrizia Newman. No me fío.

Entraron en el coche. Francisco Barreta estaba al volante. Paola se sentó a su lado y al verla le sonrió. Julián siguió tratando de convencer a Leire en el asiento trasero de que debía ir a casa y de que después la acompañaría al diario. No la quería dejar sola. Leire lo puso al día de las conversaciones con Patrizia y de que esta opinaba que la investigación policial estaba siguiendo un camino equivocado.

—Creo que lleva razón —dijo Julián—. Hemos estado siguiendo una pista equivocada. Nos hemos dejado llevar por las evidencias más plausibles y ahora sabemos cuál era el móvil para matar a Krugman y a Fernández: la venta se tenía que llevar a cabo sin ninguna oposición. Y luego está lo de Cristina Martínez, *la Paloma*.

—Es ella, ¿verdad? Ella es el topo de la CIA, ¿no?

—Sí. Desapareció ayer, y comprobé que ha volado a Nueva York. Esta mañana he hablado con Mario Blanco y me ha dicho que el sistema ha sido *hackeado*: Cristina se ha llevado los discos duros del servidor y ya han entrado con las claves secretas para importar el resto de la información. Toda la aplicación del SSM del 15-M ha sido vaciada de *El Universal* y está en poder de la CIA. Blanco sabe que solo puede ser Cristina Martínez, pero no tiene idea de por qué. Le pedí que no dijera nada hasta mañana. Lo tenemos pillado, pero estaba muy asustado y no sé si hablará antes con Ventura.

—Joder, Julián, teníamos una bomba en el sótano de *El Universal* y no lo sabíamos. Solo Krugman, y…

—…Y lo mataron, Leire, lo mataron; por eso ahora tú estás en peligro. No quiero que corras riesgos hasta que no encontremos al asesino de Krugman y de Fernández.

—Está bien. Iremos a casa y después al diario. Quiero hablar con Gavela de mi crónica. Tenemos que publicarla cuanto antes.

—Hay algo que no me encaja —dijo Julián—. Algo a lo que le vengo dando vueltas y no acabo de entender.

—¿Qué es?

—No entiendo por qué Krugman se oponía a una venta

que le interesaba a su editor. Si al fin y al cabo era un asesor suyo, si le sacaba siempre las castañas del fuego, ¿por qué en esta ocasión estaba en contra, e incluso perdió la oportunidad de cobrar una buena parte del dinero facilitando informativamente la operación?

—Porque Krugman era periodista por encima de todo. No hubiese admitido nunca que estuviésemos en manos de unos espías.

—Siendo así, ¿por qué no lo denunció en el diario? ¿Por qué no hizo la crónica de lo que se os venía encima? Un periodista independiente e íntegro lo hubiera publicado. Tenía la información que le había mandado Patrizia Newman: me dio el apartado de correos donde le enviaba los datos de In-Q-Tel y de ETHERNIA. Y hay decenas de documentos. Le hicieron chantaje y no lo denunció. O Krugman no era tan íntegro como te parece… o no lo entiendo.

—No tengo respuesta, pero pienso que si no lo publicó es porque cuando estás investigando has de cerciorarte bien de todo, tener todas las pruebas. No le dio tiempo. Mira, yo me comprometí con los lectores a informar diariamente y ya ves… No veo nada anormal en ello…

—Sí, es posible que tengas razón. Pero algo no cuadra.

Capítulo 34

Leire entró en *El Universal* a media tarde. Hacía un calor insoportable en la redacción; al parecer el aire acondicionado llevaba estropeado unas horas y el ambiente se había caldeado.

Le pareció patética la imagen de Scream. Se había quitado la camisa y lucía una camiseta de manga corta, ajustada, que marcaba las costillas de su esquelético cuerpo y en la que se le habían instalado un par de ronchas de sudor en los sobacos.

Daniel Soler, el redactor jefe de cierre, se quedó sorprendido al verla.

—¿Pero tú no estabas en Nueva York? —le dijo.

—Estaba, sí. He regresado, y tengo que ver a Gavela urgentemente. Por cierto, no he podido comprarte la cámara de fotos… Te debo la pasta, ¿eh?

—¿Qué pasa, Leire?

—Nada, nada, no te preocupes. ¿Dónde está Gavela? —preguntó ella con impaciencia.

—Está en su despacho, creo que solo…

Subió dando zancadas por la escalera y entró sin llamar en la oficina del director.

—Aquí está todo —le dijo poniéndole media docena de folios sobre su mesa.

David Gavela se sobresaltó al verla.

—Pero tú… Oye, ayer hablamos y estabas en Nueva York… ¿Qué haces aquí?

—La CIA me pagó un billete en primera clase; al parecer son bastante menos rancios que este diario. Está todo aquí. Lo he escrito todo. Tienes que meterlo en la edición de esta noche sin falta…

—Cálmate, por favor. ¿Qué es eso de la CIA?

—Lee, hazme el favor de leerlo… No tenemos tiempo. Si no publicamos Ventura acabará vendiendo el diario a Halton, y está todo el lío de la Paloma y los indignados… —Leire hablaba a borbotones.

—Bien, déjame leerlo.

Gavela lo leyó rápidamente en diagonal y fue asintiendo con la cabeza. Cuando hubo terminado se quedó pensativo y en silencio, mirando por encima de los folios a Leire.

—Lo vas a publicar, ¿verdad? ¡Dime que sí!

—Si lo publico Ventura nos despide a ti y a mí, y si no lo publico el diario acabará cerrando en manos de Halton, al que solo le interesan los datos del 15-M. Sí, lo voy a publicar y en portada. Es un gran artículo, Leire. Vamos a hacer una cosa: envíamelo a mi archivo y yo lo acabo de editar y lo ponemos en página. Cuando lo hayas hecho borra el reportaje en tu ordenador, no quiero correr riesgos; vete a casa a descansar y yo te enviaré por mail las páginas…

—No estoy cansada, David; puedo quedarme hasta el cierre…

—Es una orden. Vete a casa y en menos de dos horas te envío las páginas —insistió con voz firme Gavela.

—No le consultarás a Ventura, ¿verdad?

—¿Cómo le voy a consultar? Estaría loco. Esto no saldría nunca a la luz.

—Gracias, David, eres un buen director.

—Hala, hala, vete a casa…

Capítulo 35

Anochecía en Barcelona y una fuerte tormenta se desplazaba con rapidez desde el mar hasta la ciudad. El ruido de los truenos se hacía sentir cada vez con mayor cadencia, pero no acababan de dejar lluvia.

Leire llegó a casa y deshizo la maleta del viaje. Puso una lavadora y abrió el portátil, que al instante se conectó al wi-fi. Esperaba con impaciencia recibir su artículo editado y puesto en página en el diario en pocos minutos. Paola le había dejado un post-it pegado en el espejo del recibidor donde le decía que salía a cenar con unos amigos y que si se animaba la esperaba para tomar una copa en Luz de Gas.

A Leire le apetecía ver a Julián. Lo llamó, pero tenía el contestador automático conectado. Pensó que seguramente estaría en el «cerebro» de los sistemas informáticos de *El Universal* y que en ese semisótano «inteligente», paradójicamente, no habría buena cobertura. Le había dicho que quería comprobar la información que se había llevado Cristina Martínez y que luego la llamaría.

Cuando pensaba en *la Paloma* y en su forma de comportarse no acababa de entender por qué lo habría hecho. Era muy inteligente y tenía un concepto del interés y la prioridad de las noticias que a Leire le agradaba. Tenía que reconocer que la web del diario era mucho mejor que la edición impresa. ¿Cómo había sido capaz de urdir una estrategia de seguimiento y control de cientos de miles de indignados? Imaginó que Patrizia Newman la habría recompensado muy bien para llegar a cambiar radicalmente de vida y desaparecer.

Se acercó a la ventana que daba a la plaza del Palau y cerró las cortinas, como si ello pudiera evitar que los cristales dejaran de reverberar por el efecto de los truenos. Antes echó una mirada al cielo, que había ennegrecido por momentos. Sintió un escalofrío y se puso una rebeca de algodón sobre la blusa blanca que llevaba.

De pronto sonó el timbre de la puerta y echó una ojeada por la mirilla. Se extrañó al reconocer, a través del minúsculo ojo de pez, la cara de David Gavela. Abrió la puerta.

—Qué sorpresa… David, no pensaba que… Pasa, pasa, por favor —dijo Leire.

—Bueno, he preferido traerte personalmente el artículo editado y la portada de mañana; creía que te apetecería verla —dijo Gavela respirando fuerte y entrecortado.

—Por supuesto, siéntate. ¿Quieres una copa de vino?

—No, gracias, no tomaré nada. No estaré mucho tiempo, tengo que volver al periódico. Me siento un momento; el ascensor no funciona y he subido a pie… Debe de ser la tormenta. Estos pulmones van a acabar conmigo.

—¿Te importa que me tome yo una copa? —preguntó Leire mientras abría la nevera y se servía un poco de vino blanco que estaba abierto.

—Adelante, adelante. A mí el vino me gusta, es solo que ahora no me apetece.

Se sentaron en el sofá y Leire le hizo un gesto con la cabeza: Gavela parecía como ausente.

—Bien, enséñame esa portada y la crónica. ¿Cómo han quedado? —dijo Leire excitada.

—Sí, claro… Eso es lo importante, ¿verdad, Leire? Lo importante del periodismo es poder denunciar sin cortapisas, sin más compromiso que contar la verdad, haga daño a quien haga daño, ¿no es eso? Lo básico es la independencia y la libertad de expresión a cualquier precio.

—No sé a qué viene eso, David, no te entiendo. —Leire observó que los ojos de Gavela enrojecían y se hinchaban como los de un sapo y su respiración se aceleraba por momentos.

—¿No me entiendes? Yo te lo explicaré: no voy a publicar ese puto reportaje —dijo alzando la voz—. No voy a consentir que impidas la compra de Halton y el diario acabe cerrando, ¿lo entiendes ahora?

—Pero tú dijiste… —protestó Leire.

—Eres como Krugman. Eres de la misma pasta. Le intenté convencer de que la venta a los americanos era una buena operación. Le quedaba poco para jubilarse… pero ¡no! Él tenía que investigar a fondo; no paró hasta enterarse de que la CIA estaba detrás, hasta comprobar lo del SSM de los indignados… ¡Qué necesidad tenía! Le ofrecían mucho dinero por callarse y él prefirió la machacona «independencia». «Tenemos que denunciarlo», me decía una y otra vez. No le pude convencer por las buenas, no fue razonable…

Leire se estaba asustando.

—Krugman estaba al corriente de todo, ¿no es así? —le dijo Leire.

—Sí, descubrió toda la operación, desde la compra de Marín&Partners hasta la del diario… Luego se enteró de lo del lío entre Ventura y su amante, esa tal Mónica Lago… ¿Sabes, Leire? He tenido que sacar las castañas del fuego a Ventura cientos de veces, todo por mantener vivo el diario; el diario y tu puto sueldo y el de tus compañeros del periodismo «independiente y veraz». No estoy dispuesto a acabar mis días cerrando un periódico. Si Ventura no vende no hay dinero para pagar los sueldos a final de mes.

—Dios, pero ¿qué has hecho, David?

—No pude convencer a Krugman… y luego surgió lo de las fotos de Ventura con esa Mónica Lago… Si eso salía a la luz, la venta del diario era imposible. Era una decisión compleja, y de nuevo tuve que salvarle el culo a Ventura. Tuve que eliminar las fotos y a ese detective que era un chantajista. Todo por salvaros. Tú no lo entiendes —volvió a repetir Goliat Gavela.

Sonó el móvil de Leire: era Julián. Gavela, con un rápido movimiento, se lo arrebató de la mano retorciéndole la muñeca. Leire emitió un gemido de dolor.

—¡Mataste a Krugman y al detective Fernández! —En cuanto lo dijo sintió que acababa de firmar su propia sentencia de muerte.

—No tuve más remedio. En cambio, tú tuviste una oportunidad. Te alejé de esto. Te aparté y te dejé que fueras a Nueva York y, sin embargo, tuviste que husmear en lo mismo… Ahora tendrás que seguir el mismo destino que Krugman.

241

Leire se incorporó de un salto y tiró la copa de vino, que cayó hecha añicos sobre el parqué; quiso alcanzar la puerta del piso para huir, pero Gavela interpuso su enorme cuerpo para impedirle el paso.

Con un rápido movimiento, impensable en un hombre tan corpulento y obeso, se abalanzó sobre ella dándole un tremendo empujón. Leire cayó de espaldas al suelo y del brutal golpe su cabeza rebotó sobre la alfombra del pasillo. No le dio tiempo a reaccionar. Gavela se había sentado con su enorme peso sobre su pecho y le impedía moverse. Entonces sacó de su bolsillo una cuerda delgada, como una sirga de acero que brilló con la luz de la lámpara y que se dispuso a anudar alrededor de su cuello.

Contempló la cara de Gavela con los ojos llenos de sangre, y en la comisura de sus labios carnosos y lilas vio cómo se acumulaba una baba blanca que le resbalaba por el mentón. Sacó fuerzas de donde no las tenía y con la única pierna que le quedaba libre le propinó un rodillazo en los riñones que apenas le hizo perder el equilibrio, pero le permitió liberar una de sus manos para taponarle la nariz y la boca durante unos segundos, que solo sirvieron para que la respiración de Gavela se entrecortara. Enfurecido, rodeó con la sirga el cuello de Leire y apretó los dientes al tiempo que tensaba ambos cabos para asfixiarla.

Leire ya no sentía dolor, iba perdiendo la consciencia y el ruido de los silbidos de la respiración asmática de Gavela iba desapareciendo. Notó la presión de la sirga en el cuello y el sabor amargo al tragar su propia sangre. Sintió cómo se desconectaba del mundo de manera irreparable.

De pronto, el cuerpo de Gavela cayó de bruces como un muñeco sobre su cara. Alguien se lo apartó enseguida de encima, pero no notó el alivio del peso. Hizo un esfuerzo por abrir los ojos y entonces distinguió borrosamente la figura de Julián.

Julián Ortega había descerrajado de un disparo la puerta. Al entrar se había abalanzado sobre Gavela golpeándole en la nuca con la culata de la pistola y dejándolo inconsciente.

Cogió a Leire en brazos y la puso sobre el sofá; seguía semiinconsciente y le faltaba la respiración. Le acarició el pelo mientras le susurraba:

—Te pondrás bien, cariño, ya ha pasado todo. —Ella tosió y pareció entenderle porque le acarició suavemente la cara.

Llegaron los médicos de urgencias del SEM con una ambulancia, le pusieron una mascarilla de oxígeno, le tomaron la presión y el pulso y la subieron a una camilla para trasladarla al hospital. Otro equipo atendía a Gavela, que seguía inmóvil caído de bruces en el suelo.

El piso se había llenado de policías de la científica que no paraban de tomar fotografías. Julián los miró con recelo. Detrás de ellos entraron el comisario Rojas y Barreta, que le puso las esposas a Gavela y ordenó el traslado del director en otra ambulancia con dos policías de la brigada de investigación criminal.

—Buen trabajo, Julián, sobre todo por haber resuelto el caso en tu permiso por mudanzas… Sí señor, no está nada mal —le dijo guiñándole un ojo y con una sonrisa de satisfacción.

—Gracias, comisario. Si no le importa, ahora me gustaría ir al hospital. —Leire ya estaba en la ambulancia camino del hospital del Mar.

—Por supuesto, Julián, ya habrá tiempo para los informes. Barreta me ha puesto al corriente de todo, pero dime solo una cosa: ¿cómo supiste que Gavela era el asesino? ¿Cómo llegaste a esa conclusión?

—Olfato de periodista, comisario; creo que fue eso, olfato de periodista —repitió Julián.

—No te entiendo… —dijo el comisario Rojas.

—Me extrañó que Krugman no hubiese publicado nada acerca de la venta de Marín&Partners ni de las intenciones de los fondos de inversión americanos. Máxime cuando disponía de toda la información y estaba bien documentado a través de su ex novia, Patrizia Newman. Él se oponía a la operación, sabía que no era buena para el periódico. Descubrió lo que hacían con las fichas de los indignados y no publicó nada. Llevaba más de una semana sin escribir en el diario, y solo podía haber una razón una vez descartado que Krugman no se dejó comprar por Halton: comprobamos sus cuentas corrientes y no encontramos ningún ingreso especial.…

—¿Cuál era esa razón? —preguntó Rojas intrigado.

—Que alguien había impedido la publicación. Yo estaba

convencido de que Krugman había escrito los reportajes y había desenmascarado toda la trama. Me llevó a ese convencimiento el artículo que leí y que se publicó el día de su muerte. Esa crónica estaba desfasada, escrita con anterioridad. Las noticias sobre la agencia de calificación eran antiguas y luego estaba su pregunta sobre «qué institución que se jacta de controlar el mundo hará inversiones en España». Ese era el primer reportaje de todos los que tenían que publicarse. Siempre que Krugman hacía una pregunta en sus reportajes acababa por dar la respuesta en los días siguientes; lo observé leyendo todos sus artículos. Así que fui al centro de datos de *El Universal* y comprobé de nuevo que en el ordenador de Krugman no estaban los reportajes, pero sí en el de su director.

»Gavela tenía cinco artículos de Krugman en su ordenador. En ellos explicaba las intenciones de la CIA y de Halton respecto a *El Universal* con pelos y señales. El primero de ellos era esa pregunta… Gavela le fue dando largas hasta que Krugman debió de amenazarle con armar un escándalo si los seguía reteniendo y no los publicaba, y entonces fue cuando lo mató.

—Pero ¿por qué publicó Gavela la noche de su muerte el primer artículo de Krugman? No tenía necesidad… —preguntó Rojas.

—Más sobre periodistas: Gavela era un enfermo mental del periodismo. Él mismo se ocupó de enviar a edición la crónica de Krugman después de matarle. Publicar un artículo después de muerto le daba notoriedad al diario… Gavela quería remontar la curva descendente del periódico a cualquier precio, incluso al de la muerte de uno de sus mejores trabajadores.

»De hecho, el propio Gavela me puso sobre la pista cuando desayuné con él y me dijo que si quería encontrar al asesino de Krugman buscara a quien impedía que Krugman publicara alguna información. Gavela está desquiciado. No podía admitir que le tocaría a él cerrar un día *El Universal*…

—¿Y Ventura? ¿Estaba al corriente de todo? ¿Es cómplice de Gavela?

—No lo creo. Krugman habló con él, pero como una fuente más. Quiso saber cuáles eran sus intenciones en la venta del diario, se enteró de su infidelidad e intentó advertirle, y entonces Ventura fue a ver al detective, que manipuló las fotos para que resultara irreconocible. Krugman llamó a Fernández para averiguar quién había hecho el encargo del seguimiento pensando que la CIA podía estar detrás. Fernández lo interpretó como que querían hacerle chantaje a Marín, pero nada más lejos de ello. No creo que Krugman le dijera nada a Ventura sobre lo que estaba escribiendo.

—¿Pero Ventura podría estar en connivencia con Gavela? A ambos les interesaba cerrar la venta con los fondos...

—Podría, pero más olfato periodístico: Krugman tenía muy claro quién era su jefe, todo lo que investigaba lo ponía en conocimiento de su director. No puenteó nunca a Gavela; un buen periodista nunca lo haría, no hablaría de un reportaje de investigación con el propietario del diario. Gavela intentó despistarme diciéndome que Krugman era asesor de Ventura y que le había salvado el culo innumerables veces... Cuando me decía esto me estaba hablando de sí mismo.

—Ventura montó todo el tinglado de espionaje del 15-M...

—Mire, comisario, Ventura es un personaje infumable y despreciable por muchas razones, pero si ha cometido un delito por grabar fichas de los indignados es algo que le dejo a usted y a esos políticos con los que tiene que torear... Usted sabrá cómo manejar este asunto. Yo me voy ahora, si me disculpa, al hospital.

Rojas se quedó pensativo.

—Sí, ve, Julián; ve al hospital. Está bien. Que te acompañe Barreta. Ah, y todavía te queda un día libre para tu mudanza. Cuida a esa chica. —Puso su mano sobre el hombro de Julián y le hizo un gesto para que se marchara.

Capítulo 36

*B*arreta conducía el coche en dirección al hospital del Mar, donde la ambulancia había llevado a Leire. Los del SEM le dijeron a Julián que no peligraba su vida, pero no estaría tranquilo hasta que lo viera por sí mismo y la pudiera abrazar.

Julián miró su móvil: tenía un par de llamadas de Mónica Lago y decidió devolvérselas.

—Inspector, le he llamado, como quedamos, nada más llegar de Londres. Estoy en la oficina, pero si quiere que hablemos, mejor mañana…

—¿Le ha dicho a su marido que tenemos las fotos de usted con Ventura?

—No. No se lo he dicho, pero vamos a hablar de ello…

—Mónica, el caso Krugman está resuelto. Usted sabrá lo que tiene que decirle a su marido. Las fotos ya no son objeto del caso. Es un tema privado y para mí no han existido, ¿entiende?

—Oh, gracias, inspector Ortega. Creo que todo se va a solucionar, le agradezco que me haya devuelto la llamada. Yo pienso que lo mejor es decirle la verdad.

—La verdad estará bien, dígale su verdad. El caso ya está resuelto. Lo que hagan ustedes con su vida privada es solo cosa suya.

—¿Puedo saber quién mató a Krugman, inspector?

—Sí, puede saberlo. Compre un diario mañana, Mónica. Cómprelo, a Krugman le gustaría…

—Sí, lo haré. Adiós inspector, muchas gracias.

Llovía ahora intensamente cuando el coche encaró el paseo

Marítimo de la Barceloneta. El mar estaba encrespado y las farolas iluminaban la espuma blanquecina de las olas. Francisco Barreta miró a Julián de reojo y le dijo:

—Será el final del diario. Lo sabes, ¿verdad?

—Es posible, Barreta, es posible. Todo tiene su final. No hay por qué darle vueltas.

Llegaron al hospital del Mar y entraron con el coche por el área de urgencias. Les condujeron hasta el box donde estaba Leire sobre una camilla, consciente y con buen aspecto. Ya no precisaba de la mascarilla de oxígeno. Se incorporó de la camilla y se fundió en un fuerte abrazo con Julián.

—Ay, no aprietes tan fuerte, que creo que ese bruto me chafó una costilla —dijo Leire y besó en los labios a Julián.

Barreta estaba detrás de las cortinas y carraspeó un par de veces. Leire lo miró por encima del hombro de Julián y exclamó:

—¡Dios mío, hay que avisar a Paola! Se dará un susto de muerte si llega a casa y la ve llena de policías.

—Si no te importa yo puedo llamarla e ir a buscarla —dijo Barreta, que no pudo evitar que su cara enrojeciera.

—Sí, ve a buscarla —dijo Julián— Yo me quedaré aquí.

Leire le dio el teléfono y Barreta salió del hospital.

Los médicos dijeron que tendrían a Leire en observación toda la noche por precaución, pero que afortunadamente estaba bien; solo presentaba unas magulladuras en las costillas y el cuello. Había tenido mucha suerte.

Gavela tenía un traumatismo craneoencefálico, pero estaba fuera de peligro. Tardaría unos días en recuperarse hasta que pudiera ingresar en prisión.

—Me has salvado la vida, inspector jefe —dijo Leire esbozando una sonrisa.

—Inspector, Leire, solo inspector.

—Puedes llamarme princesa.

—Descansa, princesa. Descansa. Mañana estarás bien.

Capítulo 37

*E*l antiguo almacén de licores, convertido en estudio de televisión del ayuntamiento de Premiá, había recibido alguna mano de pintura recientemente y aún conservaba los muebles económicos de Ikea de la época en que Leire trabajó como becaria.

Ahora el Canal Uno del Maresme se llamaba Alta Mar y, además de emitir unas pocas horas al día, tenía una página web que actualizaba noticias locales para los poco más de cinco mil habitantes a los que llegaba.

La luz roja de la cámara comenzó a parpadear anunciando la cuenta atrás para la emisión en directo. Luis, el técnico todoterreno, miró a través del visor y alzó la mano derecha con el puño cerrado. Cuando la abrió Leire empezó a hablar con soltura:

—Buenos días, lo que les voy a contar es una historia real aunque les pueda parecer de ficción. Se la explico a ustedes para que la difundan por todos los medios posibles a su alcance, porque el propietario del diario *El Universal*, donde trabajaba hasta ayer, no tiene intención alguna de publicar lo que he averiguado. Pero sobre todo se la cuento para hacer justicia con un gran periodista, Belarmino Suárez, *Krugman*, honrado y buena persona, que murió a manos de un loco que también estuvo a punto de acabar con mi vida…

Leire relató en algo más de diez minutos toda la historia. De vez en cuando fue mostrando algunos de los documentos que le había entregado Patrizia Newman sobre los fondos de inversión de la CIA. Les dijo a los telespectadores que toda la información estaba colgada en la web de Alta Mar y que la podían consultar libremente y animó a todos a que la redistribuyeran a través de las redes sociales.

—Un grupo de comunicación se ha aprovechado de la buena fe de sus miles de lectores y ha utilizado la información de las redes sociales con las que ha interactuado para crear una aplicación informática sofisticada cuyo fin no es controlar solo a los indignados, sino también acceder a los datos más íntimos y personales de los ciudadanos. Estos están ahora en manos de los servicios de seguridad norteamericanos. El grupo pretende vender sus medios de comunicación para ponerlos al servicio de los intereses de la inteligencia estadounidense.

»Todo ello quiso publicarlo Krugman, y por hacer su trabajo y tratar de denunciar la gravedad de estos hechos acabaron con su vida. Fue la única manera que tuvieron para impedir que saliera a la luz la verdad de esto que les estoy contando…

»Los periodistas del que hasta ayer era mi diario son ajenos a estas maniobras del editor y del propietario. Ellos hacen su tarea con medios cada vez más escasos y echándole muchas horas para que les llegue la mejor información, a pesar de que la empresa para la que trabajan está contaminada por los más bajos y ruines intereses…

»Sé que lo que les estoy diciendo puede dañar a mi periódico, que está herido de muerte, pero quizás es la única manera de que se pueda salvar de la venta y revivir en un futuro. El porvenir de un diario solo debe estar en manos de sus lectores, de todos ustedes…

El vídeo de Leire se colgó en YouTube y fue reproducido cientos de miles de veces; en Twitter fue el tema más seguido y retuiteado por el movimiento de los indignados y los ciudadanos en general. Las páginas web de los diarios de la competencia abrían con el escándalo de espionaje de *El Universal*; la televisión pública se vio forzada a emitirlo ante la presión popular y en los noticiarios de la radio y televisiones privadas buscaban a Ventura y a los políticos del gobierno para que diesen explicaciones. Nadie quería hacer declaraciones.

Se organizó una manifestación de los indignados frente al periódico, que fue reprimida duramente por la policía. En el diario se recibieron miles de llamadas de personas que anulaban sus suscripciones a *El Universal*.

Al poco rato de la emisión del vídeo de Leire, Jeff Halton, preocupado por la dimensión que tomaban los acontecimientos, habló con Mónica Lago y con el editor de *El Universal* y anuló la operación de compra tanto de la agencia de publicidad como la del diario.

Epílogo

*J*ulián estaba esperando a Leire a la salida del estudio de Alta Mar. La abrazó con fuerza.

—Has sido muy valiente. Estoy muy orgulloso de ti, princesa.

—Sí, me he quitado un peso de encima. Se lo debía a Krugman, y me lo debía a mí misma también.

—¿Te apetece que vayamos a comer algo a la *trattoria* del Masnou? ¿La recuerdas?

—Claro que la recuerdo. Sí, hace un día estupendo y me apetece comer junto al mar —respondió Leire.

Sentados en la terraza del puerto deportivo, Leire conectó su móvil. Tenía decenas de llamadas perdidas. Las revisó rápidamente mientras Julián encargaba unas cervezas. Había dos mensajes que tuvo interés en escuchar.

Uno era de Patrizia Newman, muy escueto:

«Muchas gracias, Leire. Espero que un día sepas entenderme. Yo quería a Bel con toda mi alma. Halton ha renunciado a la compra y nosotros ya tenemos lo que queríamos. Te espero cuando quieras en Nueva York. Un beso. Patrizia.»

El otro era de Mónica Lago, que le decía que tenía interés en hablar con ella urgentemente. Había hablado con Ventura y este estaba dispuesto a venderle el diario. «Está en quiebra pero es una oportunidad. Me pregunto si querrías tener un puesto en él; te vamos a necesitar; por favor, llámame...»

—¿Qué vas a hacer? —le dijo Julián.

—Llamarla. Ya te dije que me cayó bien. Pero saber que se acostaba con Ventura…

—Todos cometemos errores, princesa.

—¿Todos? ¿Tú también? Vaya, me gusta que dejes de ser tan cabezota —dijo riendo y le besó en los labios.

La brisa marina traía el olor del salitre y los veleros amarrados en el puerto hacían tintinear los obenques de los mástiles, suscitando una armonía musical que a Leire le trajo recuerdos felices.

Cerró los ojos y respiró profundamente. Luego cogió con fuerza la mano de Julián, como si quisiera retenerle para siempre.

Nota del autor

Predecir el futuro: una realidad

A finales de 1990 el ritmo de las innovaciones tecnológicas había superado con creces la capacidad de las agencias gubernamentales de seguridad para obtener e incorporar los nuevos avances que se daban día a día.

En 1998 la CIA consideró estratégico y prioritario incorporar estas innovaciones. Para ello alentó la creación de In-Q-Tel, un brazo inversor de la agencia de inteligencia constituido por capital privado y sin ánimo de lucro cuya misión era identificar todos los proyectos tecnológicos que estuvieran a la vanguardia de la comunicación y la información a nivel mundial. In-Q-Tel invertiría en esas empresas y las pondría al servicio de la Central de Inteligencia.

Desde entonces In-Q-Tel participa en más de un centenar de proyectos. Puede verse su actividad en la página oficial www.iqt.org.

La revista americana *Wired* (www.wired.com) publicó varios reportajes en octubre de 2009, julio de 2010 y junio de 2011, en los que denunciaba la colaboración de la CIA a través del fondo de inversión In-Q-Tel en la monitorización de los blogs y redes sociales de los ciudadanos para controlar y predecir los acontecimientos futuros.

La colaboración con Google, Facebook y otras redes constituía un espionaje de las denominadas «fuentes abiertas» que estaba dando sus frutos para predecir el futuro: nadie está a salvo de lo que vierte públicamente en la Red, pero ¿lo está realmente de lo que comenta en privado cuando envía un simple correo electrónico o hace una llamada telefónica?

Si se entra en las páginas webs del más de un centenar de empresas que están al servicio de la inteligencia americana, por ejemplo, obtendremos una respuesta que quizá no nos va a gustar.

Dedicatorias

$\mathcal{A}$ los periodistas que, a pesar de la crisis que viven los medios de comunicación, aún conservan la ilusión por su profesión y consideran que es un privilegio poder contar una noticia.

A mi editora, Patricia Escalona, por su paciencia e inestimables consejos. Los lugares comunes, errores y deficiencias literarias solo son achacables a mí. Ella ya me ha advertido.

A Ricard Ruiz, por leer mi primer texto con premura y sugerirme que debía mejorarlo.

A mis compañeros del Ateneu Barcelonès: Ana, Alex, Enea, Laura, Luisa, Pilar, Paquita, Valentín y a Rosa María Prats, mi profesora. Gracias por animarme a escribir y, sobre todo, por su amistad.

A mi familia y amigos en Barcelona, el Maresme, Rubí, Madrid, Andalucía y Nueva York que han soportado la lata que les he dado con mi novela.

A Blanca Rosa, Pau y Mar por apoyarme y quererme.

A mi padre, por todo, y a la memoria de mi madre, porque me hubiese gustado que estuviera aquí para poder contárselo.

Retrato del autor: © PAU SANCLEMENTE

José Sanclemente

Nació en Barcelona. Es economista y experto en medios de comunicación. Ha sido consejero delegado del Grupo Zeta y consejero de Antena 3 TV, presidente de la Asociación de Editores de Diarios Españoles, promotor y fundador del diario *ADN* y consejero de la Casa Editorial El Tiempo de Bogotá. En la actualidad se dedica a la asesoría de empresas periodísticas. Es miembro del comité asesor del Grupo La Información, entre otros. Vive en Alella (Barcelona) y pasa temporadas en Nueva York. *Tienes que contarlo* es su primera novela.

sanclementejose.blogspot.com